TAUPES

INFILTRATIONS, MENSONGES ET TRAHISONS

Enquêtes et récits de
Fabrice de Pierrebourg et Vincent Larouche

Catalogage avant publication de Bibliothèque et Archives
nationales du Québec et Bibliothèque et Archives Canada

Pierrebourg, Fabrice de
    Taupes : infiltrations, mensonges et trahisons
    ISBN 978-2-89705-298-0
    1. Taupes (Espionnage). I. Larouche, Vincent. II. Titre.

JF1525.I6P532 2014   327.12   C2014-941849-3

Présidente Caroline Jamet
Directeur de l'édition Éric Fourlanty
Directrice de la commercialisation Sandrine Donkers
Responsable, gestion de la production Carla Menza
Communications Marie-Pierre Hamel

Éditeur délégué Yves Bellefleur
Conception graphique et mise en page Simon L'Archevêque
Révision linguistique Liliane Michaud
Correction d'épreuves Michèle Jean

L'éditeur bénéficie du soutien de la Société de développement des entreprises culturelles du Québec (SODEC) pour son programme d'édition et
pour ses activités de promotion.

L'éditeur remercie le gouvernement du Québec de l'aide financière accordée à l'édition de cet ouvrage par l'entremise du Programme de crédit
d'impôt pour l'édition de livres, administré par la SODEC.

Nous reconnaissons l'aide financière du gouvernement du Canada par l'entremise du Fonds du livre du Canada (FLC).

Nous remercions le Conseil des arts du Canada de l'aide accordée à notre
programme de publication.

LES ÉDITIONS **LA PRESSE**
Les Éditions La Presse
7, rue Saint-Jacques
Montréal (Québec)
H2Y 1K9

TAUPES

INFILTRATIONS, MENSONGES ET TRAHISONS

Enquêtes et récits de
Fabrice de Pierrebourg et Vincent Larouche

LES ÉDITIONS **LA PRESSE**

TABLE DES MATIÈRES

Chapitre 1
LES SEMENCES DE LA TRAHISON
— 8 —

Chapitre 2
IAN DAVIDSON ET LA LISTE DU SANG
— 33 —

Chapitre 3
JEFF DELISLE, LE « MARCHEUR » QUI EN SAVAIT TROP
— 71 —

Chapitre 4
MARILYN BÉLIVEAU, LA DOUANIÈRE AMOUREUSE
— 127 —

Chapitre 5
DONALD HEATHFIELD, LE FANTÔME DE MOSCOU
— 165 —

Chapitre 6
BENOIT ROBERGE, LA CHUTE D'UNE IDOLE
— 215 —

Conclusion
ÉRADIQUER LES TAUPES : MISSION IMPOSSIBLE ?
— 264 —

GLOSSAIRE
— 272 —

SOURCES
— 275 —

REMERCIEMENTS
— 278 —

TAUPES

«Les galeries souterraines et invisibles, causant des dégâts irrémédiables par de petites bêtes soyeuses et d'une apparence somme toute sympathique, correspondent bien aux ravages provoqués par un agent, enfoncé sans pouvoir être détecté, au plus profond des terres meubles de l'adversaire [...] Des différences existent pourtant. Dans la réalité envoûtante de l'espionnage, la «taupe» ne laisse – d'où le secret de sa longévité [...] – aucune taupinière apparente.»

Les espions: réalités et fantasmes, Constantin Melnik, Ellipses 2008.

Constantin Melnik a été notamment coordinateur des services de renseignement et de police sous le gouvernement du général Charles de Gaulle, en France. C'était un analyste et un observateur réputé et critique du monde du renseignement.

Chapitre 1

LES SEMENCES DE LA TRAHISON

BERT PHILIP

HANSSEN

4-18-1944

WF-220648

WFO 02 18 01

AMES, ALDRIC

DOB 6-26-4

FILE- 65A-WF

FBI WMFO

« **O**N NE DEVIENT PAS TRAÎTRE, ON NAIT AINSI ! ENSUITE, CE sont les circonstances et le contexte qui vont faire que les semences de la trahison vont éclore ou demeurer refoulées ».

Ainsi s'exprime Leonid Sherbashin, figure emblématique de l'ex-KGB, le redoutable service de renseignement de l'Union soviétique, décédé par suicide à Moscou, en 2012.

Sherbashin savait parfaitement de quoi il parlait. Ce maître espion a dirigé des agents doubles de haut niveau recrutés en Occident, notamment au sein du FBI, de la NSA et de la CIA, les grandes agences d'enquête et de renseignement américaines. Des taupes du KGB dont il connaissait le profil psychologique, les motivations, les petits et grands travers jusque dans le moindre recoin de leurs cerveaux. Sans oublier le fait que certains de ses proches collègues du KGB ont fait défection en Occident ou sont devenus des agents doubles…

Les taupes sont la hantise et le pire cauchemar des services de renseignement et des corps policiers. D'une certaine façon, les taupes sont à l'espionnage ce que les loups solitaires sont au terrorisme.

Leurs aventures rocambolesques ou tragiques fascinent ou choquent. Ce sont les ravages immenses qu'elles causent, sournoisement tapies dans l'ombre pendant de longues années sans être détectées, qui leur valent à juste titre ce surnom imagé de « taupe », popularisé dans les années 1970 par le prolifique auteur de romans d'espionnage John Le Carré.

Dans les sphères du renseignement et de la sécurité, on préfère au mot « taupe » l'appellation plus technique et froide de « menace interne » (*insider threat*). Précisons que l'appellation de « menace interne » englobe non seulement les taupes et, par extension, tout initié (*insider*) qui tire parti de sa fonction pour dérober des secrets à l'insu de son organisation, mais aussi ceux qui vont jusqu'à commettre des actes de sabotage ou de terrorisme à l'interne. Le cas le plus marquant et le plus extrême demeure celui du major Nidal Hassan, qui a froidement massacré en 2009, sur la base militaire de Fort Hood, au Texas, 13 de ses collègues au nom de l'idéologie d'Al Qaida.

Brutus poignardant César, l'apôtre Judas livrant Jésus pour quelques pièces d'argent, l'humanité compte plusieurs de ces opportunistes, cupides ou peureux, dont la trahison et le changement d'allégeance ont parfois changé le cours de l'Histoire.

Les histoires significatives et contemporaines que nous avons choisi de vous présenter sont elles aussi faites de trahisons, mais également de mensonges et d'infiltrations. Avec comme conséquences, dans les cas les plus graves, des enquêtes qui ont avorté, des criminels qui ont échappé à la justice, des sources qui ont été identifiées et mises en danger de mort, voire exécutées.

Toutes les taupes ne se ressemblent pas néanmoins.

Certaines d'entre elles, des espions professionnels en fait, sont parachutées par un État étranger pour infiltrer un pays, certaines de ses organisations-clés, et y dérober des secrets. C'est le cas du couple canadien bidon, pure créature née entre les murs du quartier général du KGB / SVR, « Donald Heathfield » et « Ann Foley ». Ironiquement, dans un revirement comme seul le monde de l'espionnage est capable de nous l'offrir, ces taupes professionnelles, qui avaient aussi pour mission d'identifier au sein de l'appareil politique, militaire et du renseignement américain des individus prêts à trahir au bénéfice de Moscou, ont été elles-mêmes dénoncées au FBI et à la CIA par un haut gradé de leur organisation ayant fait défection aux États-Unis. En échange d'une retraite dorée, celui-ci a choisi de tourner sa veste et d'offrir ses services à l'ennemi numéro 1 historique des espions de Moscou depuis l'avènement des Bolcheviks, en 1917!

Dans la même catégorie des taupes professionnelles (non abordée dans cet ouvrage), on peut classer aussi les sources humaines infiltrées par des services policiers et des organes de renseignement au sein de groupes criminels et terroristes. Il peut s'agir de policiers et d'espions professionnels, mais aussi d'«agents civils infiltrateurs», tels ceux ayant noyauté les motards criminels au Québec pour le compte du SPVM et de la SQ.

Les autres, que l'on peut qualifier de taupes opportunistes – qu'elles le fassent de leur propre chef (les «volontaires» dans le jargon de l'espionnage) ou après avoir été approchées et recrutées (les «cooptés») – décident de trahir leur organisation et d'offrir leurs services à «l'ennemi», qu'il soit un État, une organisation criminelle ou encore un concurrent lorsqu'il s'agit d'espionnage industriel, par vengeance, appât du gain, excitation ou encore pour flatter leur ego narcissique. Les ex-figures du contre-espionnage de la CIA Aldrich Ames, du FBI, et Robert Hanssen, l'ex-officier naval canadien Jeffrey Paul Delisle, ainsi que les ex-policiers montréalais Ian Davidson et Benoit Roberge sont assurément à classer dans cette catégorie. Ces personnages, presque toujours des hommes, ne suscitent que le dégoût et la désapprobation dans leur milieu.

Enfin, il ne faut pas oublier les individus qui sont devenus des taupes presque malgré eux, par naïveté ou par la contrainte à la suite d'un chantage, sexuel notamment. Un phénomène marginal néanmoins.

LA NAISSANCE D'UNE TAUPE

Alors, pourquoi trahit-on? Malgré toutes les NSA (National Security Agency) de ce monde et leur espionnage électromagnétique de masse, l'humain demeure la pointe de diamant du renseignement, se plaisent à répéter de vieux routiers du milieu. Mais l'humain est aussi son gros point faible. Et ce sont aussi ses faiblesses qui le font parfois basculer du côté obscur et sale.

Étouffé par les dettes ? Un petit penchant pour les Slaves flamboyantes ou les jeunes Asiatiques ? Frustré du peu de reconnaissance de votre employeur ? Vous avez accès à des informations sensibles ? Attention, vous faites partie des cibles classiques pour les recruteurs de taupes, ou « sources humaines ». C'est aussi l'une des raisons qui peuvent vous inciter à trahir votre organisation de votre propre initiative.

Les traits de caractère, les profils psychologiques ainsi que les motivations de dizaines de taupes ont été étudiés en long et en large dans le monde du renseignement. Et le sont encore. Pour tenter de prévenir, à défaut de guérir. Historiquement, le phénomène a moins été étudié au sein des organisations policières. Mais la découverte coup sur coup de deux taupes issues de la police de Montréal, ces dernières années, a eu l'effet d'une bombe. D'un bout à l'autre du Canada, des chefs de police ont réalisé l'ampleur du dommage que ces traîtres pouvaient causer. Et ils ont amorcé une réflexion sur la question. Or, les grandes tendances qui se dégagent dans le monde de l'espionnage peuvent être également appliquées aux « ripoux » du monde policier à la solde du crime organisé tant les similitudes sont nombreuses – vous le découvrirez au fil des pages – entre un Robert Hanssen, un Jeffrey Delisle, un Ian Davidson ou un Benoit Roberge.

Les experts et membres de la communauté du renseignement avec qui nous avons eu des échanges dans le cadre de notre enquête sont unanimes pour évoquer un processus multi-facteurs et multi-causes, probablement aussi complexe que celui qui peut conduire au suicide. Aussi complexe que la personnalité torturée de ces individus.

David G. Major est le fondateur-directeur du CI Centre (Counterintelligence and Security Studies) basé près de Washington. L'homme a un CV bien garni dans l'univers des agents secrets. Dans le passé, il a notamment dirigé le contre-espionnage au FBI et y fut le patron de Robert « Bob » Hanssen, la taupe presque parfaite des Soviétiques puis des Russes, arrêtée en 2001. Ce septuagénaire est incarcéré jusqu'à sa mort dans un pénitencier à sécurité maximum du Colorado.

Chez la plupart des individus comme Hanssen ou Delisle, remarque M. Major, devenir une taupe est une décision personnelle. « Et cette décision survient presque toujours lorsque vous en êtes rendu à un point où la vie vous écrase et où vous vivez une crise», nous dit celui qui a lui-même recruté et supervisé des agents doubles et des transfuges.

Il remarque aussi certains traits de personnalité communs : «Ces espions ont tendance à être antisociaux ou narcissiques, ou encore les deux.» Pour eux, passer à l'acte, trahir, est leur décision. «Ils rationalisent leur geste, n'anticipent aucun problème, vont reporter la faute sur les autres et minimisent la portée de l'acte. Nous appelons ça dans notre milieu le RPM (Rationalization – Projection – Minimization).» Le RPM est d'ailleurs un mécanisme psychologique bien connu des policiers spécialisés dans les interrogatoires de suspects.

Selon l'ex-agent spécial du FBI, certaines périodes de la vie sont plus critiques que d'autres : «Il est possible de déterminer l'âge où quelqu'un va probablement devenir une taupe. Il y a deux groupes de personnes qui ont des raisons de le faire. Le premier, qui représente 30 % des espions, est un jeune groupe d'immatures âgés de 18 à 26 ans. Ils n'ont pas conscience des conséquences de ce qu'ils font. On note chez eux un certain niveau d'immaturité, d'impulsivité et de mécontentement.» Pour M. Major, l'ex-soldat Bradley Manning, aujourd'hui Chelsea Manning – considéré par la population comme un lanceur d'alerte – est à mettre dans cette catégorie. «Manning était très immature et un peu perdu en fait. Il n'était pas à sa place dans le milieu où il évoluait...» Au Québec, la douanière Marilyn Béliveau, démasquée comme une taupe de la mafia le jour de son 27e anniversaire, a été décrite à maintes reprises comme étant immature, naïve, inconsciente et perdue dans un monde sans pitié.

Le second groupe type ciblé par M. Major est âgé de 30 à 45 ans. «C'est le moment, dit-il, où les hommes agissent stupidement. Regardez Delisle et Hanssen, ils correspondent parfaitement à ce modèle. C'est le moment où ils songent à leur âge, à leur mort, où ils se trouvent une femme-trophée dans la vingtaine et s'achètent une voiture sport ! Ils cherchent une façon de se retrouver. Finalement, c'est un âge où certains se rendent compte que leur vie personnelle et/ou professionnelle n'a pas tourné comme ils l'avaient prévu.»

LE GARS TROP TRANQUILLE

«C'est souvent le gars sans histoire, celui qui ne fait pas de vagues, qui réussit à faire cela», déclara Richard Fadden, alors patron du SCRS, devant le Comité sénatorial permanent de la sécurité nationale et de la défense, en février 2013, à Ottawa, après la condamnation pour espionnage de l'officier du renseignement naval canadien Jeffrey Delisle. Et d'ajouter : «Il n'a rien fait d'évident qui nous aurait amenés, nous ou le ministère de la Défense nationale, à croire qu'il était un traître. Il faisait son petit bonhomme de chemin, c'était un homme relativement tranquille qui ne faisait pas de vagues. Pour ce que cela vaut, c'est presque toujours le cas. Il y a des cas semblables en Australie, aux États-Unis et au Royaume-Uni.»

À première vue, Delisle projetait effectivement l'image du gars sans histoire et de l'employé consciencieux. C'était en fait un militaire frustré, introverti, obsédé par les jeux vidéo et, surtout, accablé par des problèmes conjugaux et financiers.

«Bob» Hanssen, du FBI, était surnommé le «croquemort» tant cet homme réputé pieux, membre de l'Opus Dei et père de six enfants, projetait l'image d'un gars ordinaire, terne même. «Pourtant, se souvient David G. Major, lorsque vous vous asseyiez avec lui pour une conversation en tête en tête, vous saviez que ce serait une conversation intéressante, dit-il. Parce que c'était un homme intéressant, bien qu'introverti, et très intelligent. Rien sur le plan de sa personnalité ou de son comportement n'aurait pu indiquer qu'il s'agissait d'un espion. Si vous lui demandiez de faire quelque chose, il le faisait. On pouvait compter sur lui. De ce point de vue, Hanssen était l'espion parfait.»

Cet employé modèle et introverti était en fait – sous les noms de code de «B», «Jim Baker» ou «Ramon Garcia» – l'un des meilleurs informateurs en Occident des services secrets russes et probablement la taupe la plus dévastatrice des 25 dernières années. C'était aussi, aux dires d'un psychiatre qui l'a analysé après son arrestation, un être souffrant de désordres psychologiques graves et pour qui l'espionnage était une source d'excitation servant à contenir ses «démons sexuels». Hanssen, l'austère membre de l'Opus Dei, était un pervers qui aimait montrer à son meilleur ami des images de ses ébats captés par une caméra cachée dans la chambre conjugale à l'insu de Bonnie, sa malheureuse épouse.

Ian Davidson projetait lui aussi l'image d'un analyste solitaire et besogneux à qui on n'avait jamais rien pu reprocher. C'était un être taciturne, discret, qui était probablement très frustré de ne pas avoir été reconnu à la hauteur de ce qu'il croyait mériter au sein de la police, mais qui ne l'exprimait pas haut et fort. Cloîtré dans un bureau pour la majeure partie de sa carrière, il n'avait pas vécu de grandes aventures avant de se transformer en taupe et de se lancer dans un plan de trahison ultra-ambitieux. Coincé par ses pairs, il a finalement choisi la mort pour échapper à la justice et à la honte.

Seul Benoit Roberge semble détonner dans cette liste avec son côté flamboyant et l'air du gars toujours « sur le party ». Roberge avait ses frustrations, lui aussi, mais il était populaire, respecté et même charmeur. « Un leader-né », comme le résume son ancien enseignant au cégep, l'ex-chef de police Jacques Duchesneau. À bien des égards, il est le contraire du « gars trop tranquille » décrit par Richard Fadden. Preuve que la taupe peut aussi émerger là où on l'attend le moins.

PORTRAIT DE LA TAUPE PRESQUE PARFAITE*

Individus dans la mi-quarantaine, en majorité des hommes, agissant pour leur bénéfice personnel et, dans une moindre mesure, pour des raisons idéologiques ou encore par « loyauté » envers leurs pays de naissance.

Près de 250 des 555 taupes étaient des employés du secteur privé, suivis d'une forte proportion de militaires de l'armée de terre, marine et air. Une trentaine étaient des employés du FBI, de la CIA et du NSA.

Dans 159 cas sur 555, c'est l'URSS / Russie qui a bénéficié des informations dérobées par ces taupes, suivie de la Chine (96 cas).

* Étude menée par le CI Centre sur 555 individus impliqués dans des dossiers d'espionnage aux États-Unis entre 1945 et 2013.

L'APPÂT DU GAIN

« L'argent, bien sûr, et parfois l'idéologie », répond spontanément Raymont Nart, ex-responsable du contre-espionnage français en particulier pendant la Guerre froide, lorsqu'on lui demande pourquoi quelqu'un en vient à trahir son pays et son organisation.

L'argent arrive toujours en effet en tête de liste des justifications, même lorsque plusieurs facteurs sont recensés comme déclencheurs de la trahison. La frustration ou le mécontentement liés au milieu de travail arrivent en seconde place, sans oublier l'excitation ressentie par plusieurs à pratiquer ces activités illicites et clandestines.

Et c'est aussi l'argent qui est considéré par beaucoup de responsables de services de renseignement et de policiers comme l'indicateur premier d'un comportement suspect. « Des employés qui sont joueurs, ou dont le train de vie n'est pas en adéquation avec leurs revenus, ou qui voyagent beaucoup, doivent susciter une attention particulière », nous dit l'un d'eux.

Un ex-policier remarque d'ailleurs que les taupes ont le même profil que celui des fraudeurs. « Ce sont des êtres calculateurs. Il faut être en mesure de faire un *deal* avec eux. Ils veulent que leur ego soit flatté. Ils ont aussi tendance à te donner des informations fausses lors des interrogatoires pour voir ce que tu as contre eux. »

Jeffrey Delisle a nié que l'argent ait été le motif de sa trahison, évoquant plutôt un « suicide professionnel » et l'infidélité de son épouse, mais ses justifications émotives ne convainquent pas grand monde dans l'univers du renseignement.

Le sergent-détective Ian Davidson, du SPVM, espérait carrément gagner le gros lot et jouir d'une retraite confortable au Costa Rica, en réussissant à vendre au crime organisé, en particulier à la mafia italienne, une liste de sources et d'informateurs de la police.

L'enquêteur-vedette montréalais Benoit Roberge, qui a vendu des informations aux Hells Angels, était lui aussi connu pour son attrait pour l'argent. «Sa trahison est strictement monétaire», soutient un ex-policier de haut niveau qui l'a bien connu.

Robert Hanssen a monnayé ses 6 000 pages de documents secrets et les noms d'agents doubles de la CIA contre un million de dollars US, deux montres Rolex et des diamants. «Je crois que j'aurais pu être un espion dévastateur, a-t-il confessé aux agents qui l'ont interrogé après son arrestation. Mais je n'ai jamais voulu l'être. Je voulais me faire un peu d'argent puis sortir de tout ça.» Pourtant, assure David G. Major, la taupe de Moscou «n'était pas un homme d'argent, c'est un homme qui portait tout le temps le même complet et la même cravate».

Jonathan Pollard, l'analyste du renseignement de la marine américaine condamné en 1987 à la prison à vie pour espionnage au profit d'Israël, et dont la libération est devenue un enjeu dans les pourparlers de paix entre Palestiniens et l'État hébreu, était un mythomane instable, psychologiquement, et croulant sous les dettes. Celui que l'État hébreu présente comme un héros agissant seulement par conviction pensait plutôt, semble-t-il, empocher le *jackpot* en vendant au Mossad des milliers de pages de documents secrets, notamment les codes d'accès et de cryptage de la NSA et l'emplacement de la planque du défunt chef de l'Organisation de libération de la Palestine (OLP), Yasser Arafat, à Tunis! Ce qui permettra son bombardement par l'armée de l'air israélienne, en 1985.

Sergei Tretyakov, qui fut chef de mission des espions russes au Canada, est devenu agent double pour le compte de la CIA en 1997, alors qu'il venait d'être muté à l'ONU, à New York. Il a transmis près de 5 000 documents ultrasecrets aux Américains ainsi que les noms de plusieurs taupes au Canada. Tretyakov a dit avoir agi par conviction, dégoûté par la situation politique en Russie. Ceux qui l'ont connu au Canada n'en croient pas un mot. Son goût du luxe, trahi entre autres par sa passion pour les chaussettes de soie, était notoire. Il a touché plusieurs millions de dollars et mené une vie de pacha aux États-Unis jusqu'à sa mort subite, en juin 2010.

Une étude aussi exhaustive qu'instructive réalisée par un centre de recherche du Département de la Défense américain (PERSEREC – Defense Personnel and Security Research Center) confirme ce fait.

Celle-ci porte sur 150 cas de citoyens américains exclusivement ayant agi ou tenté d'agir comme taupes au détriment de leur pays, de 1945 à 2001. Les chercheurs ont constaté que l'appât du gain est clairement un facteur de trahison avoué chez 104 des 150 cas étudiés. Si, dans la moitié des cas, les taupes n'ont reçu aucune rétribution, c'est essentiellement parce qu'elles ont été arrêtées rapidement. Une dizaine ont empoché des sommes variant de 100 000 $ à un million de dollars US. Seules quatre d'entre elles, dont Ames et Hanssen, ont touché plus de 1 million.

La cupidité, ce péché capital, figure d'ailleurs en bonne place dans la stratégie de recrutement de taupes résumée dans le milieu par l'acronyme anglophone MICE (*Money, Ideology, Coercion, Ego*), ou sa variante MISE (*Money, Ideology, Sex, Ego*).

« C'est beaucoup, beaucoup plus compliqué que MICE, ajoute néanmoins David G. Major. L'argent est un symptôme, mais ce n'est pas la cause. Les gens ne deviennent pas des traîtres pour de l'argent. »

Les chercheurs américains en sont aussi venus à la conclusion qu'il n'y a pas de « taupe type », mais plutôt des tendances récurrentes : ce sont des hommes (93 %) mariés, dans la mi-trentaine, pour la moitié des civils et l'autre moitié, des militaires. Petite observation, les années 1980 ont été fastes pour les taupes, mais aussi pour ceux qui les chassent, puisque 62 de ces espions ont été arrêtés pendant cette période qui a précédé l'effondrement du Bloc soviétique.

Les espions les plus efficaces, donc les plus dévastateurs, sont les individus mariés, les plus éduqués et les plus âgés. Plus de la moitié de ces taupes démasquées disposaient d'une habilitation de sécurité « Secret » ou « Top Secret » lorsqu'elles ont commencé à « couler » volontairement des informations.

Les taupes approchées et recrutées, y compris sous la contrainte, ne représentent qu'une faible proportion des cas. La tendance au « volontariat » s'est toutefois accrue depuis la fin de la Guerre froide.

Autre fait mis en lumière : dans le quart des cas étudiés, c'est un événement personnel (divorce, décès d'un proche, etc.) qui aurait servi aussi de catalyseur.

Enfin, la frustration dans le milieu de travail, la rébellion contre une organisation ou un système est aussi un facteur de risque connu et non négligeable, en particulier chez les volontaires. « Considérez que l'espionnage est une forme de violence en milieu de travail… », résume bien David G. Major. Un service mal géré, où les frustrations sont nombreuses parmi les employés, peut servir de terreau fertile à l'émergence d'une taupe, avertit un ex-haut responsable d'un service de renseignement canadien.

Encore une fois, le cas Hanssen semble révélateur. Selon l'ex-maître espion français Constantin Melnik, Hanssen était quelqu'un ayant « l'amour maniaque du travail bien fait, un mépris de fer pour les chefs approximatifs et les petits bureaucrates assoupis dans leur routine, une surestimation de leurs propres valeurs, talents et capacités ». Tout le contraire, selon lui, du « flou et alcoolique Ames ». Aldrich Ames, vu par plusieurs comme un alcoolique fêtard et narcissique, a empoché au moins 2,5 millions de dollars de l'URSS en remerciement de ses services.

David G. Major est aussi de ceux qui croient que la trahison de son ex-collègue Hanssen n'avait pas que des motifs strictement mercantiles, contrairement à ce qui a été souvent évoqué. Il était, semble-t-il, frustré à la fois par son organisation (le FBI), sa carrière qui stagnait et par son père, Howard, officier de police à Chicago, qui l'aurait toujours traité comme un *loser*. « En s'attaquant au FBI, Bob s'attaquait à son père, résume M. Major. Il avait l'impression d'être aliéné par l'organisation pour laquelle il travaillait et il ne voulait pas être perçu comme un raté par sa femme. Lorsqu'ils se sont fiancés, son père a dit à son épouse Bonnie : *Pourquoi voudrais-tu épouser mon fils ? C'est un raté.* C'est très dur pour un homme de se faire dire, lorsqu'il est jeune, qu'il ne pourra jamais être à la hauteur des attentes de son père. L'une des choses intéressantes constatées dans plusieurs de ces cas de taupes, c'est qu'il existe toujours des relations problématiques avec le père. Le père représente l'autorité et l'autorité représente l'organisation. Dans une certaine mesure, il s'agit d'une manière de s'attaquer à une organisation. Il s'agit d'un des mobiles expliquant pourquoi certaines personnes se livrent à l'espionnage. Dans le cas de Bob, le père représentait le « Bureau » (le FBI) ; il lui prouvait donc, d'une certaine façon, qu'il était meilleur que lui. »

L'étude du ministère de la Défense vient aussi confirmer que la majorité des taupes (64 %) ont décidé de trahir de leur propre chef. L'histoire de l'espionnage contemporain regorge de cas de ces taupes volontaires, qui ont contacté un service « ennemi » pour offrir leurs précieux secrets sur un plateau d'argent. Pour le tiers des volontaires, le premier contact a été établi après une « visite » à l'ambassade du pays concerné, en général la Russie. La GRC a néanmoins arrêté en décembre 2013 un ingénieur naval canadien, alors qu'il venait tout juste de contacter l'ambassade de Chine, à Ottawa, pour lui vendre des documents secrets sur la souveraineté maritime canadienne.

Seul le quart (26 %) des 150 espions recensés ont été recrutés après avoir été ciblés et approchés. Une méthode plus prisée des services de renseignement chinois. Ceux-ci sont connus pour utiliser toutes sortes de stratagèmes plus ou moins subtils pour exploiter les faiblesses d'une cible et la pousser dans les mailles de leur filet. Flatteries pour mousser l'ego, invitations en Chine tous frais payés et, un cran plus haut, les « opérations séduction » ou pièges sexuels (*honey trap*) font partie de leur arsenal. Tout comme les services secrets du bloc de l'Est aux belles heures de la Guerre froide. Progrès technologique oblige, les « pièges à miel » sont désormais aussi numériques et font partie de l'arsenal de plusieurs services de renseignement. Un « excellent choix très efficace » pour discréditer une cible, se félicite sans retenue le service d'espionnage électronique britannique (le GCHQ – Government Communications Headquarters) dans un document secret divulgué par Edward Snowden.

Les services de renseignement ne sont toutefois pas les seuls à pouvoir approcher d'eux-mêmes une cible dans l'espoir de la transformer en taupe. Les membres des échelons supérieurs de la mafia et des différents gangs criminels sont souvent de fins psychologues, très habiles à déceler les faiblesses de l'être humain. À cet égard, le cas de la douanière canadienne Marilyn Béliveau est intéressant. Fragile, portée à la dépression et en manque d'amour, elle a accepté de rendre service à des amis d'enfance qui avaient « mal tourné » et étaient devenus des trafiquants de drogue. Ceux-ci ont mis en place tout un plan pour la manipuler au maximum. Ils avaient même leur propre espion dans son entourage pour s'assurer qu'elle ne leur fasse pas faux bond. Une taupe dans l'entourage de la taupe ! Béliveau n'était pas en révolte contre son organisation, elle n'était pas non plus une professionnelle de l'espionnage qu'on envoie en mission commandée. Et, bien qu'on lui ait promis de la récompenser pour ses services, l'argent n'était pas sa motivation principale. La mafia a simplement trouvé tous les bons boutons à actionner pour faire d'elle son pantin.

Le recrutement d'une taupe constitue une menace, peu importe le milieu où elle évolue. En 2011, le FBI a mis en garde les universités contre leur infiltration par des services de renseignement étrangers qui voient dans les campus une formidable pépinière à taupes, un accès privilégié à des chercheurs et des personnes bien placées dans les cercles politiques ainsi qu'une source potentielle d'informations et de transfert de technologies parfois placées sous embargo. Un document rédigé par le FBI fait notamment allusion au cas des agents russes « Donald Heathfield » parachuté à Harvard et « Cynthia Murphy » à l'Université Columbia (voir chapitre 5).

« Si ces services de renseignement trouvent une cible intéressante, ils vont étudier ses motivations, ses faiblesses et ses ambitions. Ils vont consacrer des années à développer une relation avec cet étudiant ou ce professeur pour l'amener à fournir des informations, consciemment ou inconsciemment », peut-on lire dans le document. Ils peuvent faire vibrer sa fibre ethnique et lui demander d'aider sa terre natale, prévient-on, ou bien l'inviter à l'étranger tous frais payés, histoire, par exemple, de piller son ordinateur ou de le faire chanter après l'avoir précipité dans un traquenard d'ordre sexuel !

Légende ou fabulation, direz-vous ? Dans un livret conçu par le SCRS, en 2013, à l'intention des fonctionnaires canadiens en voyage à l'étranger et que nous nous sommes procurés, il est même écrit ceci : « Il arrive souvent que des rencontres intimes soient secrètement enregistrées. Les enregistrements sont ensuite utilisés pour faire chanter ou embarrasser publiquement la victime. Les gouvernements étrangers utilisent cette méthode. Vous devez donc être conscient des risques d'accepter les offres de compagnie en voyage »...

L'ex-analyste de la NSA Edward Snowden a aussi confié au journaliste Glenn Greenwald comment, lorsqu'il travaillait sous couverture diplomatique en Suisse pour la CIA, un officier traitant de la centrale aurait fait tomber un banquier local dans un piège, en espérant le contraindre à livrer des informations confidentielles. L'homme avait été saoulé par son nouvel «ami» de la CIA et lui avait ensuite demandé de le raccompagner. Arrêté par un curieux hasard pour ivresse au volant, le banquier se serait fait offrir, bien sûr, l'aide de la CIA pour le sortir de ce pétrin en échange de sa collaboration. En vain. «Ils ont détruit la vie de leur cible dans un but qui ne fut jamais atteint», déplora Snowden.

La contrainte (*Coercion* dans l'acronyme MICE) est une arme efficace, bien que marginale, pour contraindre un individu à espionner. Le FBI note aussi que «certains gouvernements étrangers peuvent faire pression sur des étudiants (de la même communauté) pour les inciter à livrer des informations à des agents de renseignement, en promettant de faire bénéficier leur famille restée au pays de faveurs ou bien, au contraire, en les menaçant de représailles».

Reste l'idéologie. Rejet du système occidental, pacifisme, souci de l'amitié entre les peuples, autant de prétextes qui ont motivé une cohorte de scientifiques, d'universitaires et autres intellectuels à collaborer avec l'Est au temps de la Guerre froide. Le KGB les surnommait souvent les «idiots utiles». D'autres les voyaient comme des héros, des combattants de la liberté qui mettaient leur vie en jeu pour servir une cause qui les dépassait. À l'inverse, la chute de l'empire soviétique a provoqué une vague de défections et de trahisons dans ses services secrets.

GRC ET SCRS INFILTRÉS

Pour reprendre les mots de l'agent «illégal» russe Andrey Bezrukov, alias «Donald Heathfield», «la grande classe en espionnage c'est de savoir ce que votre adversaire va penser demain et non pas ce qu'il pensait hier». Néanmoins, l'un des buts de l'espionnage est aussi de tenter de découvrir ce que l'autre sait déjà sur vous.

Selon un agent spécial du FBI, cette obsession farouche du SVR et du GRU russes à recruter des taupes au sein des gouvernements et organisations militaires occidentaux, en particulier en Amérique du Nord, s'expliquerait par le fait que ces deux services n'accordent que peu de confiance en leur propre capacité de collecte et d'analyse du renseignement. En d'autres termes, les Russes préfèrent obtenir des informations classifiées brutes de la bouche du cheval parce qu'ils les jugent plus fiables que leurs analyses internes de seconde main.

C'est pour cette raison que les services de renseignement canadiens ont toujours été une cible importante pour Moscou, entre autres pour sa proximité tant géographique qu'opérationnelle avec les États-Unis. N'en déplaise à l'ambassadeur russe à Ottawa Georgiy Mamedov qui a affirmé avec aplomb en juin 2014, avant son départ à la retraite, que le Canada était loin d'être le « centre des préoccupations » de son pays en matière d'espionnage et qu'il y avait des « cibles plus tentantes ». Quant à l'ex-taupe de la marine canadienne Jeffrey Delisle, dont l'histoire est racontée dans cet ouvrage, Mamedov a ajouté qu'elle n'avait pas vraiment été prise au sérieux, tant par lui que par Moscou.

Ces déclarations typiques du diplomate font sourire sachant le nombre d'expulsions du Canada – parfois en catimini comme pour le colonel Vladimir Androsov, en 2002, et les diplomates qui ont été priés de faire leurs valises après l'arrestation de Delisle – d'agents russes, dont celle, retentissante, de l'agent « Paul William Hampel » à Montréal, en 2006. Leur consulat situé sur les flancs du mont Royal, à Montréal, était déjà du temps de la Guerre froide l'une des places fortes du KGB et du GRU soviétiques dans le monde.

Mais, voilà que par un curieux miracle, on compte sur les doigts d'une main les cas de taupes, en particulier à la solde de Moscou, identifiées publiquement au sein de l'appareil canadien. Voilà qui est surprenant si l'on se compare avec nos voisins du Sud. C'est d'ailleurs l'une de ces taupes infiltrées au cœur du service de sécurité de la GRC, l'ancêtre du SCRS, qui a saboté une tentative de recrutement par le Canada d'un espion soviétique de grande valeur.

L'espion en question était l'officier du KGB Vladimir Ippolitovitch Vetrov, dont l'histoire (qui transite par Montréal) aussi étrange qu'incroyable a inspiré plusieurs films et livres. Affublé du nom de code de « Farewell » par la DST française (la Direction de la surveillance du territoire devenue la DGSI, Direction générale de la sécurité intérieure) avec qui il collaborait, le colonel Vetrov a livré en quelques mois au début des années 1980 plus de 3 000 documents secrets dévoilant l'étendue des réseaux d'espionnage soviétiques, y compris les noms de 215 agents soviétiques disséminés en Occident. L'existence de Vetrov sera révélée en juillet 1981 par le président français François Mitterrand à son homologue américain Ronald Reagan, lors d'un sommet du G7 au Château Montebello, en Outaouais. La collaboration de la taupe soviétique avec les Français fera long feu. « Farewell », déjà incarcéré pour le meurtre de sa maîtresse, sera démasqué comme taupe en 1984 par son employeur, le KGB, qu'il considérait comme une « vieille putain fatiguée », puis exécuté pour trahison.

Or, Vetrov avait déjà fait dans le passé l'objet d'une tentative de recrutement, par la GRC cette fois, lorsqu'il était en poste à Montréal. L'opération avorta prématurément après que le KGB eut été informé par sa taupe de la GRC de ce qui se tramait dans son dos. Le pauvre Vetrov fut rapatrié de toute urgence vers Moscou, escorté par des fiers-à-bras du KGB, et le Canada n'eut que ses yeux pour pleurer.

Raymond Nart, ex-numéro 2 de la DST française et l'un des contrôleurs de l'affaire Farewell, se souvient des conditions dans lesquelles il a eu vent de cette tentative de recrutement : « Nous avions eu une rencontre en aparté avec nos homologues canadiens lors d'une réunion annuelle de l'OTAN. Ils nous ont juste confié qu'ils avaient déjà essayé de le « tamponner » (approcher en vue d'une collaboration, dans le jargon français du renseignement). Mais ils ne se sont jamais vantés qu'ils avaient une taupe chez eux ! Qui s'en vanterait, d'ailleurs ? » s'amuse ce chasseur d'espions.

Raymont Nart fait partie de ceux qui sont persuadés que le coupable était le sergent de la GRC Gilles G. Brunet. Tout comme Roberge était une star au sein de la police, Brunet, qui travaillait au service de sécurité, « passait pour un as » au-dessus de tout soupçon, et son meilleur ami était un sergent d'état-major considéré aussi comme le meilleur enquêteur, se souvient un de ses ex-collègues aujourd'hui retraité.

Brunet avait connaissance de la préparation des équipes de filatures élaborée par l'officier responsable. Et, comme par hasard, les jours où les chasseurs de taupes canadiens devaient s'occuper des Soviétiques, ces derniers se tenaient tranquilles. Idem les jours où les policiers canadiens faisaient relâche pour cause de congé. Sur le coup, les Canadiens ont suspecté une raison technique, par exemple des écoutes clandestines de leurs systèmes de radiocommunication, et non pas l'œuvre sournoise d'une taupe interne. «On a compris par la suite...», se souvient un ex-collègue.

Mais Brunet vendait surtout depuis 1968 des secrets de la plus haute importance aux Soviétiques. Une trahison qui lui aurait rapporté près de 700 000 $.

Cette fameuse taupe soviétique au sein du service de renseignement de la GRC est connue aussi de l'ex-général du KGB Oleg Kalugin. Il la décrit dans son livre intitulé *Spymaster* comme un «agent très haut placé» dans la hiérarchie de l'unité policière chargée du contre-espionnage. Cette taupe, qu'il qualifie d'«excellente», revient d'ailleurs très souvent dans son ouvrage. Et pour cause : cet agent double va se montrer très efficace en aidant, par exemple, le KGB à identifier des agents doubles opérant en Amérique du Nord en plus de bloquer le recrutement de «Farewell». L'ex-haut gradé du KGB n'identifie pas nommément cette taupe prolifique dans son ouvrage. Il n'a pas voulu non plus nous confirmer s'il s'agissait de Gilles Brunet.

Longtemps, ce fut un collègue de Brunet, Jim Bennett, responsable du contre-espionnage soviétique, qui fut accusé d'être la taupe de Moscou. Poussé hors de la GRC en 1972, l'homme en disgrâce s'exila en Australie, où il mourra en 2003. Il avait dû attendre 1993 pour être publiquement blanchi par le gouvernement canadien et recevoir une compensation de 100 000 $.

Entre-temps, Brunet fut viré de la GRC en 1973. Non pas pour espionnage, mais pour ses liens étroits avec une figure du monde interlope montréalais. Mais la taupe continuait de recevoir des tuyaux de premier choix provenant de son ancienne maison…

Pourquoi Brunet, dont le père fut l'un des hauts dirigeants de la GRC puis directeur de la Sûreté du Québec, a-t-il offert ses services aux Soviétiques? On ne le saura jamais. Par un curieux hasard, en avril 1984, la taupe alors âgée de 49 ans décède officiellement d'une crise cardiaque (certains évoqueront plutôt un suicide) dans son appartement situé sur le flanc du Mont-Royal, alors que des agents du service de renseignement de la GRC, qui le filaient et le surveillaient constamment, se préparaient à l'interroger. Cela faisait quand même deux ans environ que la GRC s'était résolue à enquêter sur son policier a priori respectable et respecté, poussés dans le dos par la CIA selon ce que révélera plus tard le journaliste d'investigation Normand Lester.

Le corps de Brunet était à peine sorti sur une civière que cette affaire, plutôt embarrassante pour la réputation du corps policier et le gouvernement, pouvait être classée.

Mais, au fil de son ouvrage, Kalugin évoque aussi la tentative de recrutement d'une seconde taupe, sans la nommer non plus, au sein du service de sécurité de la GRC à Montréal. Un rendez-vous avait même été pris avec ce possible futur collaborateur à la suite d'un tuyau refilé par Brunet. Selon Kalugin, l'opération échoua néanmoins.

Raymond Nart a raison. Qui se vanterait en effet d'avoir une taupe en son sein? Comment ne pas être troublé en constatant que jamais un fonctionnaire du renseignement canadien n'a été accusé d'espionnage? Impossible de connaître le nombre d'employés placés sous enquête ou congédiés pour « coulage » d'informations à une entité étrangère. L'article 20 de la loi qui régit le SCRS oblige le grand patron de l'organe de renseignement à communiquer à son ministre de tutelle les «actes qui peuvent avoir été accomplis selon lui illicitement» par un de ses employés. Quoi qu'il en soit, nos demandes sur le sujet auprès du SCRS et du Conseil privé se sont heurtées à l'*omerta*. Quant à la GRC, elle nous a répondu «n'avoir pu trouver aucun renseignement» sur le sujet dans ses «dossiers à Ottawa».

La vérité est certainement que des cas douteux ont été réglés discrètement derrière des portes closes par une révocation de la cote de sécurité, une éviction pure et simple ou un départ à la retraite anticipée. La faute peut être en partie attribuée à la précédente « loi sur les secrets officiels », dont une version plus musclée adoptée récemment a conduit Jeffrey Delisle derrière les barreaux. Il faut se rappeler le cas historique de l'économiste de l'Université Laval et ex-employé de l'OTAN Hugh Hambleton, taupe du KGB, enquêté par la GRC, publiquement dénoncé comme espion, mais qui demeurait libre comme l'air. Il fut finalement arrêté en 1982 lors d'une escale touristique à Londres et condamné à dix ans de prison. Le gouvernement canadien s'était justifié en expliquant que sa loi ne lui avait pas permis d'arrêter et d'accuser l'universitaire.

Quelques cas, hormis celui de Brunet, ont émergé brièvement du brouillard comme celui de ce policier de la GRC, alias « Long Knife », accusé en 1983 d'espionnage au profit de l'URSS. Ou encore celui de ce traducteur russe employé du bureau montréalais du SCRS, pointé du doigt en 1991 pour avoir rencontré sans raison apparente une personne ayant soi-disant des contacts avec l'espionnage russe. Deux enquêtes internes ont été diligentées pour faire la lumière sur le cas de ce traducteur. La première a été refermée rapidement, provoquant un brouhaha médiatique jusqu'à ce que le CSARS, chien de garde du SCRS saisi de l'affaire, ordonne sa réouverture. Celle-ci sera confiée à Frank Pratt, un super-enquêteur tenace aux racines irlandaises affecté aux dossiers sensibles au SCRS. Considéré presque comme un dieu dans son domaine, Pratt, un grand escogriffe mince et au teint pâle, était connu jusqu'entre les murs du MI6 britannique et de la CIA, mais suscitait pas mal de jalousie. L'affaire semble s'être finalement dégonflée lorsque Pratt conclut en l'absence de preuves crédibles contre le traducteur russe. En mai 1996 à Ottawa, Maurice Archdeacon, directeur exécutif du CSARS, commenta ainsi ce dossier lors d'une réunion du sous-comité de la sécurité nationale : « Le fait d'être accusé d'espionnage pour le compte de l'Union soviétique ou de la Russie, alors qu'il s'estimait être un Canadien loyal et qu'il travaillait au service de son pays depuis de nombreuses années, l'a beaucoup traumatisé. Il en a été gravement affecté, en réalité. » Le traducteur quitta le service en janvier 1996.

Le scandale ne s'éteignit pas pour autant. Dans un revirement rocambolesque, Pratt dut batailler en cour jusqu'en 1999 contre une députée qui avait laissé sous-entendre publiquement, en 1996, qu'il serait lui-même une « super taupe » à la solde de Moscou, raison pour laquelle il aurait sabordé son enquête sur le traducteur suspect. Déjà diminué à la suite d'un grave accident d'auto, Pratt, le célèbre chasseur de taupes, mourra d'un cancer en novembre 2001.

LANCEURS D'ALERTE OU TAUPES ?

Impossible de ne pas évoquer avant d'entrer dans le vif du sujet les cas de Manning et Snowden. Dans leurs cas, ce sont deux visions qui s'affrontent diamétralement. Pour une vaste partie de la population et des médias, l'ex-analyste militaire Chelsea (Bradley) Manning et l'ex-agent de la CIA devenu par la suite employé d'une firme sous-traitante de la NSA, Edward Snowden, sont considérés comme des lanceurs d'alerte courageux ayant permis, pour l'un, de lever le voile entre autres sur des dérapages de l'armée américaine en Irak et, pour l'autre, sur l'espionnage et la collecte de masse des métadonnées, des communications et du réseau Internet par la NSA, ses proches alliés, en particulier le CST canadien, avec la complicité tacite d'opérateurs de télécommunications et compagnies Internet (programme PRISM). « C'est un gars étrange [...]. Peut-être, quand un certain temps passera, l'Amérique comprendra elle-même que Snowden n'est pas un traître ou un espion, mais un homme avec des convictions », dira de lui Vladimir Poutine.

Sous cet angle, ils n'ont pas leur place dans cet ouvrage consacré aux taupes, en effet.

Mais, vu à travers la lorgnette de la communauté du renseignement, il en est tout autrement. La simple évocation au cours de nos entrevues des noms de Snowden, accusé d'espionnage aux États-Unis – réfugié à Moscou au moment d'écrire ces lignes –, et de Manning, condamné à 35 ans de prison, suscite un concert de réprobation et même de mépris chez nos interlocuteurs. Deux points de vue inconciliables.

Sans surprise, aux yeux de ces spécialistes de la sécurité nationale, Snowden et Manning sont des taupes, des traîtres qui incarnent le concept de « menace interne » au même titre qu'un « ripoux » de la police qui mange dans la main du crime organisé et qu'un agent de la CIA frustré qui « coule » des informations aux Russes en échange d'une valise de dollars. « Des chevaliers blancs qui jouent les redresseurs de torts... », soupire un ex-haut responsable européen du renseignement. « Bien sûr, en Russie, Snowden est un héros. »

On pourrait leur rétorquer qu'il n'y a aucune différence sur le fond entre un Vetrov « Farewell » et un Snowden. Les deux étaient désabusés et frustrés par les pratiques de leur appareil de renseignement respectif. Les deux ont assuré avoir agi uniquement par idéologie. Snowden voulait dénoncer une « conspiration » du gouvernement américain et de ses alliés qui ont « imposé au monde une surveillance omniprésente contre laquelle il n'y a aucun refuge ». Il était déjà aussi, semble-t-il, gagné par la désillusion à la fin des années 2000, au moment de quitter la CIA devant les agissements de la centrale et de ses préoccupations face à des problèmes de sécurité interne, balayés du revers de la main par ses supérieurs, a-t-il dit.

Tant Vetrov que Snowden ont été qualifiés de traîtres par leurs gouvernements. Mais Farewell est encore louangé pour son courage en Occident. Le traître de l'un est toujours le héros de l'autre...

Dans un rapport secret sur la taupe Jeffrey Delisle daté de février 2013, le SCRS évoque aussi au passage le cas du soldat Manning. Voilà qui est révélateur ! Lorsqu'il était déployé en Irak, Manning a téléchargé sur des cédéroms, tout en écoutant Lady Gaga, environ 700 000 documents, dont près de 260 000 câbles diplomatiques secrets et des vidéos de frappes militaires en Afghanistan et en Irak, transmis par la suite à Wikileaks. (Snowden n'est pas mentionné dans le document puisque ce rapport a été rédigé quatre mois avant que son cas soit connu.) Dans le même document, le SCRS rappelle que le cas de Delisle, « bien qu'il ne soit pas unique au sein des pays membres de l'OTAN, met clairement en évidence le danger que représentent pour le Canada ces menaces internes ».

« C'est ce qui se passe quand l'arrogance rencontre l'accès à des informations sensibles », s'est indigné le procureur lors du procès de

Bradley Manning en Cour martiale, tandis que la jeune «taupe» évoquait plutôt son souhait de «provoquer un débat public» sur la politique étrangère de son pays.

Snowden, qui se présente comme un espion professionnel et un «patriote» ayant exercé sous couverture à l'étranger et non pas comme un petit analyste de base, a lui aussi justifié son geste par la nécessité de lancer un débat sur les activités d'espionnage de la NSA, qualifiée par certains de «Stasi américaine», par sa volonté de l'aider à «améliorer» ses pratiques et, surtout, de dénoncer les «violations à une large échelle» de la Constitution américaine. Un geste qui lui a tout de même valu d'être honoré pour son «intégrité dans le travail du renseignement» par une association d'anciens de la NSA, du FBI et de la CIA.

«Je ne veux pas vivre dans un monde où tout ce que je fais et dis est enregistré», déclara-t-il peu après sa fuite à Hong-Kong.

«*Bullshit, bullshit!* Snowden n'est pas un lanceur d'alerte, ce qu'il a fait c'est de l'espionnage prémédité», tonne David G. Major. Selon lui, qualifier Snowden de lanceur d'alerte serait non seulement faux, mais «honteux». Notamment, proteste-t-il, parce qu'il a dévoilé des activités secrètes de la NSA à l'étranger et plus généralement le programme de renseignement des États-Unis, ce qui n'a donc rien à voir avec son argument de se porter à la défense des droits civils des Américains. Et, enfin, parce qu'il est soutenu par la Russie, pays qui dispose d'un puissant et très professionnel service de renseignement. «Il ne s'agit pas de dénonciation, il s'agit d'espionnage absolu, insiste M. Major. L'espionnage est la transmission non autorisée d'informations protégées de la Défense nationale.»

L'ex-haut responsable du FBI croit qu'il est dans l'intérêt national de «collecter» des renseignements techniques et humains. «Voler les secrets des autres, c'est la raison d'être des services de renseignement. Le Canada fait la même chose! Que croyez-vous que Jeffrey Delisle faisait au quotidien à Halifax? Il effectuait des collectes de renseignement technique, une opération forcément secrète.»

L'ex-général du KGB Oleg Kalugin va plus loin. Il s'est déjà dit pour sa part convaincu que Snowden collaborait désormais d'une façon ou d'une autre avec les services de renseignement russes à qui il a certainement refilé, pour leur plus grand bonheur, la totalité des 1,7 million de documents dérobés avant son départ de la NSA. Ce qu'a nié le principal intéressé lors d'une entrevue à la chaîne NBC, en mai 2014 : « Je n'ai rien emporté avec moi en Russie, donc je n'ai rien pu leur transmettre », a-t-il assuré, ajoutant au passage n'être ni soutenu ni aidé financièrement par le gouvernement russe.

« Les Russes ne sont pas des philanthropes qui offrent gratuitement un sanctuaire », réplique un Canadien bien au fait des enjeux du contre-espionnage. « Et même si c'était le cas, ajoute-t-il, il est évident que les agences d'espionnage étrangères ayant une puissante capacité d'espionnage électromagnétique (SIGINT), en particulier les Chinois, les Iraniens, les Français, etc., ont déjà activement ciblé Snowden, les journalistes Glenn Greenwald et Laura Poitras, et tous ceux qui ont en main les centaines de milliers de pages convoitées pour les dérober. Même si ces données étaient stockées hors réseau et sécurisées. »

Il y a probablement un point commun entre Snowden et Delisle, noté par David G. Major, qui pourrait faire l'unanimité : le suicide professionnel. « Delisle a déclaré au policier de la GRC lors de son interrogatoire : *C'est la fin de Jeffrey Delisle.* C'est intéressant… Snowden a déclaré aux journalistes qu'il avait atteint le point de non-retour. Ils avaient raison tous les deux. »

Chapitre 2

—

IAN DAVIDSON ET LA LISTE DU SANG

Un bain de sang. Un vrai. La note sur la porte disait vrai. Les ambulanciers entrent et constatent immédiatement qu'ils ne peuvent rien faire devant le macabre spectacle.

Le grand gaillard grisonnant de 57 ans gît dans la baignoire, inanimé, au milieu d'une mare rouge foncé. Deux profondes entailles lui barrent le cou et l'avant-bras gauche. Une lame est là, à côté de lui. Aucune manœuvre de réanimation n'est tentée.

« Il a choisi d'en finir avec la vie. Il n'y a rien d'autre à ajouter », écrira le coroner Michel Ferland, chargé de faire la lumière sur le décès. Sa formule n'est qu'une figure de style destinée à écarter la thèse du meurtre. Car, dans les faits, il y a beaucoup à rajouter.

Il est 8 h 50, le matin du 18 janvier 2012. Le sergent-détective à la retraite du Service de la police de la Ville de Montréal (SPVM) Ian Davidson vient de s'enlever la vie de façon particulièrement violente, dans une chambre banale d'un hôtel on ne peut plus ordinaire en bordure de l'autoroute 15, à Laval, à quelques minutes de sa résidence. Celui qu'on surnomme déjà la « taupe du SPVM » emporte dans sa tombe d'innombrables secrets sur le pire vol d'informations policières de toute l'histoire du Canada.

Par crainte des fuites, la police de Montréal protège jalousement l'identité des quelque 2 000 informateurs clandestins qu'elle paie pour fournir de l'information sur les criminels. Ces informateurs, qui évoluent au sein du crime organisé ou dans son entourage, sont essentiels dans la lutte au banditisme. Ils risqueraient presque tous la mort si leur identité était dévoilée.

Les informateurs travaillent avec un ou deux policiers qui sont leurs points de contact, leurs « contrôleurs ». Ceux-ci identifient seulement leurs sources par un code numérique anonyme dans le cadre de leur travail.

Par exemple, pour obtenir un mandat de perquisition, les policiers vont rédiger une déclaration assermentée qu'ils déposeront au palais de justice, dans laquelle ils expliquent que « l'agent X a appris de la source 1911902 que de la drogue est cachée dans cette maison. La source 1911902 est une source fiable qui est enregistrée auprès du SPVM depuis plusieurs années et qui a déjà fourni des informations véridiques menant à des arrestations ».

Les vraies identités des informateurs sont consignées dans un fichier informatisé central auquel à peine deux ou trois personnes ont accès. Cette liste est entre les mains d'un des meilleurs spécialistes en informatique du service, un gardien méthodique et minutieux qui doit s'assurer que le fichier ne peut pas tomber entre les mains d'une taupe du crime organisé.

Mais, Ian Davidson n'était pas une taupe ordinaire. Il avait un travail bien particulier au sein de la police. C'était lui, le gardien de la liste.

UNE VIE DE POLICE

La police était pourtant toute sa vie. Ian Davidson naît à Montréal, le 19 décembre 1955, dans une famille anglophone. Il semble parfois vivre un peu dans l'ombre de son frère, de loin le plus ambitieux des deux enfants. Celui-ci vise les plus hauts sommets, la richesse. Il étudie en géologie et fait rapidement fortune dans l'industrie minière. Diamants, or, engrais : il siège aujourd'hui au conseil de plusieurs multinationales et vit dans une luxueuse habitation au Costa Rica.

Ian Davidson a toujours semblé caresser des ambitions plus modestes que celles de son frère. Il entre à la police de Montréal au début de la vingtaine. De l'avis de tous, il paraît peu pressé de monter en grade. Il fait sa petite affaire, sans plus.

Son travail s'entremêle tout de même complètement avec sa vie privée. En 1978, il épouse la fille d'un haut gradé de la police de Montréal, Gérald Cholette, futur directeur de la police de Trois-Rivières, qui sera même pressenti pendant un moment pour diriger la police montréalaise. Au cours des années 1980, Davidson habite la Rive-Sud de Montréal. Il a trois enfants, deux garçons et une fille, avec la fille du haut gradé. Puis, il la quitte pour une policière montréalaise, avec qui il s'installe à Laval.

« C'était vraiment un gars à femmes », se souvient un de ses anciens collègues de travail, en repensant à cette époque. Les faits donnent raison à ce collègue. Davidson change encore deux fois de conjointe au cours de sa carrière. Il quitte la policière et se marie avec une femme de Longueuil. Il tombe ensuite amoureux de la sœur de son épouse, avec qui il avoue avoir commis l'adultère, divorce à nouveau et retourne vivre à Laval, dans le quartier Sainte-Rose, avec sa nouvelle flamme.

Photo courtoisie de Photo-Police

Ian Davidson, à l'époque où il était enquêteur.

Ian Davidson avec son épouse, peu avant sa mort.

Comme policier, il fait un bon salaire et jouit d'un excellent régime de retraite pour ses vieux jours. Autre avantage : l'achat de ses premières maisons est financé par une longue série de prêts de l'Association de bienfaisance et de retraite des policiers montréalais.

La police devient carrément une vocation familiale chez lui. Son fils aîné annonce tôt son intention de devenir un jour policier, comme son père, son grand-père et sa belle-mère d'une certaine époque.

Ian Davidson passe plusieurs années au poste 25, dans l'ouest de Montréal. Une grande partie de la clientèle de ce secteur est d'origine anglophone, comme lui qui a toujours conservé un accent anglais bien reconnaissable lorsqu'il parle français. L'informatique en est encore à ses balbutiements à cette époque. Rares sont les policiers qui pourraient se prétendre experts en ordinateurs. Le sergent-détective Ian Davidson, lui, apprend vite à maîtriser ces nouveaux outils dont il apprécie le potentiel. Il est l'un des premiers « cracks » de l'informatique à la police de Montréal, à une époque où plusieurs policiers ne comprennent pas encore l'utilité des ordinateurs.

Davidson arbore à cette époque une moustache bien taillée, un style qu'affectionnent alors plusieurs policiers. On le voit souvent, son éternelle cigarette au bec (il était alors permis de fumer dans les bureaux), assis comme un professeur légèrement impatient à côté d'un collègue moins habile, à qui il explique les différents codes et commandes en pianotant sur un clavier.

Puis, un cri lancé à travers la salle. « Ian, tu vas trop vite, je ne comprends rien ! »

Malgré son gabarit de costaud (il mesure 1,80 m, plus de six pieds), Davidson est un homme de bureau, pas de terrain. Taciturne, plutôt solitaire, il sait toutefois se rendre disponible pour donner un coup de main lorsqu'on a besoin de lui. « Peux-tu venir avec nous ? On a besoin de monde », lui lancent un jour ses collègues qui préparent une perquisition. Davidson se joint au groupe.

Les enquêteurs sont sur la piste d'un groupe de jeunes actifs dans les introductions par effraction et les vols. Ils cernent l'appartement d'un des suspects, au 2ᵉ étage d'un immeuble de l'est de Montréal doté d'un de ces grands escaliers extérieurs typiques de la métropole. Puis, ils lancent l'assaut. Ils forcent la porte et arrêtent le jeune homme, un dénommé Georges, qu'ils conduisent au poste.

Les enquêteurs, habillés en civil, fouillent l'appartement. Certains sont habillés de façon décontractée, voire en jeans. Ce sont des hommes de terrain, habitués à se frotter aux petites brutes de ruelles et autres délinquants. Ian Davidson, lui, a l'air un peu coincé dans son complet cravate.

Soudain, quelqu'un cogne à la vitre et crie:

— Georges, es-tu là?

C'est un complice qui vient brasser des affaires avec le jeune homme. Il n'a pas compris que les hommes se trouvant dans l'appartement sont des policiers. Il réalise rapidement sa méprise.

— *Police! Viens ici!* disent les détectives en bondissant vers lui.

Une bagarre éclate. Le suspect ne se laisse pas faire. Il frappe, pousse et se débat. Tout à coup, les policiers aperçoivent un objet noir, lustré et bien droit, qui dépasse de la poche de son coupe-vent.

— *Gun! Gun! Il est armé!* avertit un enquêteur.

Ian Davidson est comme paralysé. Il reste dans le cadre de porte, les yeux écarquillés, en face du suspect. Si les choses tournent mal, il est directement dans la ligne de tir.

Le sergent-détective Claude Aubin, un casse-cou habitué à la bagarre, saute alors sur le jeune homme, le prend à la gorge et le jette par terre tel un lutteur. Il sort l'objet menaçant de la poche du suspect, puis éclate de rire: ce n'est qu'une tablette de haschisch de 10 cm sur 3 cm, que les policiers avaient prise pour une crosse de pistolet.

Ian Davidson, lui, ne rit pas. Il semble traumatisé. Il s'assoit à l'arrière d'une voiture de police avec le suspect, menotté, qui se plaint tout le long du trajet vers le poste.

— *Tu m'as fait mal!* répète le jeune homme à Claude Aubin, assis à l'avant.

Encore aujourd'hui, Aubin se souvient bien de cette opération. « Si ça avait été une arme à feu, Ian serait probablement mort. Il était costaud, il aurait pu être un bagarreur. Mais il n'avait pas la réaction du flic, ce réflexe sur le terrain... l'instinct du loup. Il était bien *straight*, minutieux, capable de bien fouiller une pièce. C'est une qualité, mais ce n'est pas la qualité première sur le terrain », raconte-t-il aujourd'hui.

Vers la fin des années 1990, ses compétences en informatique mènent Davidson à la division des agressions sexuelles. Il travaillera notamment sur un logiciel permettant de traquer les agresseurs sexuels en recoupant les caractéristiques des agressions commises sur le territoire de Montréal. Il y sera confronté à des récits troublants de désaxés sexuels et de sévices cauchemardesques.

Avec son travail d'analyste viendra aussi une tâche que la majorité des policiers veulent éviter à tout prix : étudier des images de pornographie juvénile dans le but de porter des accusations contre des pédophiles ayant agressé des enfants. Davidson ne recule pas devant cette affectation difficile. Il fait son devoir et contribue à l'arrestation de dangereux prédateurs. L'un de ses dossiers qui fait la manchette est l'arrestation du docteur Michel Blondin, un médecin de Berthierville qu'il arrive à faire jeter en prison pour agression sexuelle, immoralité sexuelle impliquant deux enfants et possession de pornographie juvénile.

Après plusieurs enquêtes difficiles et leurs procès subséquents, Ian Davidson change finalement d'affectation. Il est nommé analyste à la prestigieuse division des renseignements criminels du SPVM, où il devient responsable de la fameuse liste ultrasecrète des informateurs de police. Son groupe d'experts en informatique partage des bureaux avec les autres équipes d'enquêteurs spécialisés, dans l'édifice du centre commercial Place Versailles, près du tunnel Louis-Hippolyte-La Fontaine, dans l'est de Montréal.

La crème des enquêteurs de la police de Montréal est concentrée dans ces bureaux. La plupart travaillent sur des dossiers d'envergure. Ils traquent la mafia italienne, les motards criminels, les gangs de rue, les réseaux de fraudeurs, les bandes de braqueurs de banques, les violeurs en série, les assassins.

Les autres policiers ont souvent l'occasion de croiser le sergent-détective Davidson planté devant les portes de la Place Versailles, face au stationnement, qui fume son éternelle cigarette. Il est accepté de ses collègues, mais il est loin d'être le gars le plus populaire du bureau. En bon féru de technologie, il garde toujours son appareil sans fil Bluetooth collé à l'oreille, ce qui lui vaut les railleries d'autres policiers.

Eh ! s'cuse, je pense que t'as quelque chose de pris dans l'oreille, lui lance-t-on en passant, pour le narguer. Lui ne semble pas comprendre ce qui fait rire les gens.

Davidson passe les dernières années de sa carrière sans faire de vagues. Son poste de gardien de la liste est certes important, mais cela ne le propulse pas à l'avant-scène. Ce n'est pas lui qui réalise les grosses arrestations ou saisies de drogue.

« Il traitait nos informations sur nos sources et nos opérations, mais chez nous, à part les fumeurs qui se tenaient dehors au bord de la porte, personne ne le côtoyait. Il était seul avec son ordinateur, comme un rat de bibliothèque », se souvient un enquêteur qui travaillait alors à la Place Versailles.

Taciturne et renfermé, Davidson semble souvent perdu dans ses pensées. Personne n'arrive à dire s'il vit des frustrations professionnelles ou s'il est seulement de nature solitaire. Pense-t-il déjà à tout balancer par-dessus bord ? À devenir une taupe ? Peu de policiers sont assez proches de lui pour connaître ses sentiments. Il rapporte souvent du travail à la maison et peut parfois rester chez lui plutôt que de se présenter au bureau, un privilège inhabituel pour quelqu'un qui occupe un poste si névralgique. Mais qui se méfierait d'un gars comme Ian Davidson ?

À cette époque, ses deux fils prennent des directions opposées. L'aîné est un étudiant doué et costaud, comme son père. Il obtient en 2001 un diplôme d'une école secondaire à vocation particulière. « Grâce à sa silhouette imposante, on le surnomme "le justicier".

L'ordre et la loi sont son domaine», peut-on lire dans son album de finissant. L'adolescent, qui rêve de devenir policier comme son père, suit ensuite une formation d'agent de sécurité et devient convoyeur de fonds pour des institutions financières.

Le cadet, Christian, obtient de son côté ses cartes de qualification comme travailleur de la construction. C'est un bon vivant, il aime faire la fête. Mais, il développe aussi quelques fréquentations qui peuvent faire sourciller dans une famille de policiers. Il tombe amoureux de la fille du caïd Steven «Bull» Bertrand, un proche de l'ancien chef guerrier des Hells Angels Maurice «Mom» Boucher, qui croupit en prison pour trafic de drogue.

Les deux jeunes s'installent à Longueuil dans un appartement appartenant à un membre de la puissante famille Di Maulo, dont les membres sont d'influents acteurs au sein de la mafia italienne de Montréal. Rien n'indique toutefois qu'ils savent qui est vraiment leur propriétaire. Comme plusieurs jeunes couples, ils peuvent bien avoir tout simplement répondu à une petite annonce en raison du prix alléchant de l'appartement.

La fille de «Bull» Bertrand s'entend très bien avec son beau-père. Ian Davidson ne semble pas se formaliser des liens familiaux de sa bru. Après tout, elle n'a pas choisi son père ni la profession de ce dernier. «J'allais dans les soupers de famille, on avait du *fun*», résume aujourd'hui la jeune femme. Elle jure que son père n'a jamais tenté d'obtenir la moindre information de la famille Davidson.

«Mon père est actuellement incarcéré, donc, je ne verrais pas comment Davidson pourrait avoir eu des contacts avec lui», dit-elle. Le jeune couple finira par se séparer avant que les choses tournent mal pour la famille Davidson.

Au milieu des années 2000, Ian Davidson participe, à titre d'expert des systèmes informatiques de la police, à une enquête pour coincer un policier corrompu. Des années plus tard, lorsqu'il trahira à son tour son serment de policier, ses anciens collègues prendront conscience de l'ironie de la chose. Mais, au moment où l'on fait appel à lui, il est la meilleure personne pour effectuer la tâche.

Il aide des collègues dans leur enquête sur un patrouilleur qui utilise à mauvais escient le Centre de renseignements policiers du Québec (CRPQ), la banque de renseignements criminels centralisée à laquelle tous les policiers québécois ont accès en cas de besoin. Le CRPQ contient les « pedigrees » des gens considérés comme des sujets d'intérêt pour la police, soit leurs antécédents, leurs fréquentations, les véhicules qu'ils conduisent et même les dossiers dans lesquels ils ont été soupçonnés sans toutefois être accusés. Pour éviter les abus, les policiers doivent avoir de bonnes raisons pour y effectuer des recherches sur quelqu'un. Et ils ne peuvent évidemment pas transmettre l'information à des gens à l'extérieur de la police. Davidson arrive pourtant à démontrer que le patrouilleur a fourni des informations confidentielles tirées du CRPQ à des gens peu fréquentables. Une offense grave pour un policier, qui peut mettre des vies en danger. Le patrouilleur est alors congédié du SPVM.

LA TRAHISON

On ignore à quel moment exact Ian Davidson choisit de trahir. Chose certaine, il est encore policier lorsqu'il décide de voler la liste des informateurs et plusieurs autres documents « Top Secret ». C'est lui l'expert en informatique. Il sait comment procéder pour ne pas laisser de traces. Au cours de l'année 2010, à l'approche de sa retraite, il fait le grand saut. Il insère discrètement une clé USB dans son ordinateur et y copie une foule de fichiers confidentiels. Il vient de voler, le plus facilement du monde, les plus grands secrets de la police. Il tient entre ses mains les vies de milliers de personnes.

À elle seule, la liste d'environ 2 000 informateurs enregistrés actuels, avec leurs véritables identités, les informations qu'ils ont fournies, l'argent qu'ils ont reçu de la police, constituerait la pire fuite de l'histoire policière au Canada.

Mais, ce n'était pas tout. Davidson vise encore plus gros. Il copie aussi une liste de plusieurs milliers d'anciens informateurs de la police de Montréal remontant à aussi loin que les années 1970. Plusieurs sont encore en vie aujourd'hui, même s'ils ont arrêté de collaborer avec la police. Et plusieurs seraient encore en danger de mort si leur collaboration était révélée.

Davidson n'en a pas que pour les informateurs de police. Il pousse la trahison envers ses frères d'armes d'un cran et copie la liste de tous les policiers actuels du SPVM, avec leurs photos et leurs informations personnelles. Plus de 4 500 personnes, qui risquent ainsi de voir leur sécurité compromise. Parmi eux, des gens avec qui il a déjà pris un verre, avec qui il a mené des enquêtes et avec qui il a fumé une cigarette ou donné des conseils en matière d'informatique.

Pour couronner le tout, il réussit à copier une liste des projets d'enquête majeurs en cours, qui n'ont pas été complétés. Des enquêtes sur les principaux réseaux d'importation de drogue, des trafiquants d'armes, des prêteurs usuraires, des receleurs et des tueurs à gages. Les documents contiennent les codes des informateurs et les noms des témoins qui collaborent à ces enquêtes. En couplant ces documents avec la liste des informateurs de police, une organisation criminelle pourrait tenter d'éliminer toutes les personnes concernées. Elle pourrait aussi faire disparaître la moindre preuve incriminante. Des années de travail d'enquête acharné seraient alors jetées à l'eau. Le crime organisé risquerait d'échapper à toute frappe majeure pendant un temps indéterminé. Sans compter le bain de sang potentiel chez les collaborateurs de la police.

Par ricochet, tous les corps policiers du Québec, qui doivent un jour ou l'autre collaborer avec les policiers de la métropole québécoise, ressentiraient les contrecoups de la fuite.

À Montréal, le SPVM serait littéralement effondré. Il lui faudrait des années pour s'en remettre.

Pour l'instant, en janvier 2011, lorsqu'il part finalement à la retraite après 33 ans de service, Ian Davidson est le seul à connaître la menace qui plane. Il garde tous les documents pour lui. Et il attend son heure. Il sait déjà ce qu'il veut en faire: les vendre au crime organisé en échange d'une fortune de plusieurs millions de dollars, et refaire sa vie sous le soleil. Il enchaîne cigarette sur cigarette en ruminant son plan. Lui qui a passé sa vie du côté de la loi et de la justice, il est maintenant devenu un cerveau criminel prêt à mettre en branle un plan aussi audacieux que machiavélique. Il ne lui reste qu'à maintenir sa façade de bon gars pour quelques mois, le temps que tout soit prêt. Un jeu d'enfant.

Le jour de son départ du SPVM, tout le monde félicite Davidson pour sa longue carrière. Mais, contrairement à la tradition, celui-ci refuse que ses collègues lui organisent un vin d'honneur. À ceux qui l'interrogent sur ses projets de retraite, il parle vaguement d'un voyage dans le sud.

« Je vais passer du temps au Costa Rica, mon frère a une maison là-bas », lance-t-il, évasif. Peu après avoir quitté pour la dernière fois son bureau de la Place Versailles, il commence à mettre en branle son plan, à l'abri des regards.

Au SPVM, personne ne se doute de quoi que ce soit. Puis, en avril 2011, trois mois après la retraite de Davidson, des informations inquiétantes commencent à parvenir aux oreilles de certains enquêteurs chevronnés. Dans la rue, des criminels chuchotent que quelqu'un, quelque part à Montréal, tente de vendre une liste ultrasecrète d'informateurs de police.

Des réunions sont organisées d'urgence, avec des enquêteurs triés sur le volet. Une des premières préoccupations est d'éviter que la nouvelle se propage, tant à l'interne que chez le public ou dans les médias. Dans les rangs de la police, plusieurs cadres manifestent leur incrédulité. Ils ne peuvent croire une telle chose possible. Surtout, ils ne VEULENT pas le croire. Un des patrons de la division du renseignement organise une présentation devant un groupe restreint de policiers. En noircissant un grand tableau blanc de dessins compliqués au crayon-feutre, il tente de démontrer qu'il est absolument IM-POS-SI-BLE qu'une telle fuite soit venue de ses effectifs.

Il a tort. Et dans la salle, des enquêteurs parmi les mieux branchés sur le crime organisé lui indiquent clairement qu'ils ne sont pas rassurés par sa démonstration. En avant, l'officier sent la tension monter. Impossible de courir des risques. Une véritable enquête est ordonnée.

Le 26 mai 2011, la Division du crime organisé du SPVM lance officiellement le projet baptisé ASSAINIR. Le nom est symbolique : il vise à identifier le traître qui pourrit l'organisation de l'intérieur et à en nettoyer pour de bon la police (tous ignorent à ce moment que le traître est fraîchement retraité). Du plus haut gradé au simple agent, toutes les personnes impliquées savent qu'il faut faire vite : les vies de plusieurs sources du SPVM pourraient bien être menacées.

Ian Davidson, lui non plus, ne perd pas de temps. Il s'active. Il se rend notamment au Costa Rica, le pays où il prévoit refaire sa vie au soleil. L'endroit présente plusieurs avantages pour lui : le pouvoir d'achat d'un Québécois y est meilleur que dans un pays riche, la corruption permet à quiconque paie comptant de s'attirer certaines faveurs, mais, surtout, le petit pays d'Amérique centrale n'a signé aucun traité d'extradition avec le Canada. Pas étonnant que plusieurs membres du crime organisé canadien, dont certains motards des Hells Angels, aient choisi de s'y réfugier au fil des ans.

À l'ombre des palmiers, Davidson passe en revue toute l'information secrète qu'il a dérobée au SPVM et les candidats potentiels qui pourraient vouloir l'acheter. Il voit grand. Il prévoit ainsi que la riche mafia italienne de Montréal pourrait lui verser jusqu'à un million de dollars pour les informations qui la concernent, notamment la liste des sources qui informent secrètement le SPVM de ses activités.

Davidson prépare différents petits paquets d'information pour d'autres groupes criminels comme les Hells Angels, le crime organisé arabe, les gangs de rue et le K-Crew, un groupe kurde ultraviolent très actif dans le trafic et l'importation d'héroïne.

Davidson fait miroiter à sa conjointe la possibilité d'avoir tout ce qu'elle désire. De quitter son emploi de gestionnaire en ressources humaines dans une grande entreprise, de laisser derrière elle sa vie ordinaire à Laval, l'hiver québécois, les factures et les tracas pour aller plutôt vivre la grande vie au Costa Rica. Elle accepte. Tant pis pour les informateurs qui perdront la vie. Tant pis pour les citoyens montréalais qui seront en quelque sorte livrés en pâture au crime organisé lorsque toutes les enquêtes de police seront éventées.

Le nouveau retraité a besoin de liquidités pour ses voyages, ses déplacements et son matériel informatique, mais aussi pour assurer sa sécurité, car il sait qu'il joue un jeu dangereux. Il veut notamment se procurer une arme et équiper sa maison de systèmes de sécurité dernier cri. Le 16 août, il contracte auprès de la Financière First National une nouvelle hypothèque de 215 000 $ sur sa maison, qu'il avait fini de payer bien avant sa retraite.

Davidson cherche la meilleure personne à approcher pour sa tentative de vendre ses informations à la mafia italienne. Son choix s'arrête sur un joueur important du milieu qui éprouve justement des problèmes avec la justice à ce moment : le vieux routier du crime organisé Tony Mucci.

L'OMBRE DE LA MAFIA

Mucci, 57 ans, est devenu célèbre le 1er mai 1973 lorsqu'il a ouvert le feu sur le journaliste d'enquête Jean-Pierre Charbonneau, en pleine salle de rédaction du quotidien *Le Devoir*. Il n'avait alors que 18 ans.

Photo Ninon Pednault, *La Presse*

Le mafioso Tony Mucci, à qui Ian Davidson a voulu vendre une partie de la liste secrète des informateurs de police. On le voit ici avec son avocat Claude Olivier.

Charbonneau, qui deviendra plus tard député et président de l'Assemblée nationale, enquêtait alors sur les activités de la mafia à Montréal. Il n'avait pas été blessé gravement. Mucci avait été arrêté peu après et condamné à huit ans de prison.

Après sa sortie de prison, il était devenu quelqu'un d'influent et de respecté au sein de la mafia. Il avait investi dans un commerce de fleuriste et un centre équestre qui ne le tenaient que partiellement occupé. Toujours tiré à quatre épingles, vêtu des plus beaux costumes italiens et de souliers hors de prix, le petit homme mince aux cheveux grisonnants et aux petites lunettes délicates parvenait à rester hors d'atteinte de nombreuses opérations policières visant le crime organisé.

À la fin des années 1990, on l'avait vu participer à des négociations commerciales entre la mafia et les Hells Angels pour fixer le prix du kilo de cocaïne à Montréal. Après l'extradition du parrain Vito Rizzuto vers les États-Unis, en 2004, et l'arrestation des autres dirigeants de son clan dans l'opération « Colisée », en 2006, Tony Mucci faisait partie de la liste de candidats pressentis pour prendre les rênes de la mafia.

Mais, plutôt que le couronnement d'un nouveau parrain, la mafia avait alors vu une période d'instabilité s'installer. Des affrontements sanglants avaient éclaté entre différents clans. Tony Mucci avait lui-même échappé à un attentat, le 21 décembre 2008, quand des inconnus avaient fait feu à la mitraillette en sa direction pendant qu'il se trouvait au Café Maida, un établissement italien typique dont l'affiche vert-blanc-rouge surmontait une grande terrasse bordée de petits cèdres, boulevard Lacordaire, à Saint-Léonard.

D'autres mafiosi montréalais avaient eu moins de chance et étaient tombés sous les balles au cours des années suivantes. Mucci, lui, n'était jamais devenu parrain, mais il avait conservé une position importante dans l'écosystème du crime organisé. Il était « un vieux de la vieille », rusé, sociable et intelligent. On ne l'éliminerait pas si facilement.

En 2010, des informateurs payés par la police avaient offert au SPVM une occasion en or d'arrêter Mucci. L'information était parvenue au sergent-détective Philippe Paul, reconnu comme le policier contrôlant le plus d'informateurs au Québec. Philippe Paul est presque en tout point l'opposé de Ian Davidson. Il est sociable, bavard, ambitieux, féru d'action et il a horreur de rester enfermé au bureau. Le genre de policier prêt à sortir de chez lui à 3 h du matin pour rencontrer une source dans un bar mal famé, dans l'espoir d'obtenir une piste pour une saisie de drogue ou d'armes. Le genre de policier qui vise les grosses opérations et qui possède un ego proportionnel à ses objectifs. Des années plus tard, il finirait par être suspendu et démissionnerait de la police, parce que la direction lui reprochait la nature de ses relations avec ses sources. Certains le disaient trop près des criminels qui lui fournissaient ses informations.

Mais, au moment où il démarre son enquête sur Mucci, Paul est une sorte de vedette au sein du SPVM, un enquêteur très efficace qui multiplie les saisies et les arrestations.

Philippe Paul avait appris de ses informateurs que Tony Mucci craignait d'être la cible d'un nouvel attentat. Le quinquagénaire se déplaçait en permanence dans un véhicule utilitaire sport Ford Expedition blindé, une véritable forteresse sur roues semblable aux 4 x 4 utilisés par les dignitaires de l'ONU ou les ministres en zone de guerre. Il avait dû commander spécialement ce véhicule, qui pesait deux tonnes de plus qu'un Ford Expedition normal, avec son blindage métallique et ses vitres de quatre centimètres d'épaisseur. Mucci était armé jusqu'aux dents lors de ses déplacements, révélaient les informateurs. Des armes prohibées, évidemment, qui pourraient le conduire en prison si elles étaient découvertes.

Les sources du SPVM avaient aussi fourni à la police l'identité et les habitudes des deux gardes du corps qui suivaient Mucci partout, comme son ombre. Deux fiers-à-bras d'origine italienne, résidents du nord de Montréal. Un gros et un petit. Ils se tenaient toujours autour de lui lorsqu'il était à pied, ou le suivaient dans une petite Mazda 3 noire lorsqu'il conduisait son gros blindé sur la route.

En se basant sur le témoignage de ses informateurs grassement rémunérés, Philippe Paul et ses collègues de la division de la lutte au crime organisé du SPVM avaient placé Mucci sous filature. Les policiers l'avaient suivi plusieurs jours, de sa petite maison de banlieue anonyme sur la Rive-Sud de Montréal, jusqu'aux cafés et restaurants de Saint-Léonard où il multipliait les rencontres.

Le 26 août 2010, la police avait saisi sa chance. Les agents du groupe tactique d'intervention, avec leurs casques, mitraillettes et gilets pare-balles avaient fait irruption et encerclé le camion blindé de Mucci. Celui-ci fut arrêté en même temps que ses gardes du corps. Il fut accusé de possession d'un fusil à canon tronçonné, d'un pistolet à décharge électrique et d'un répulsif à ours.

Libéré en attente de son procès (les retards sont interminables au Québec avant qu'une telle affaire soit entendue en cour), Mucci avait réfléchi à son avenir. Avec ses antécédents relatifs à une tentative de meurtre, les accusations de possession d'armes pouvaient le ramener en prison pour un certain temps. À son âge, cette perspective n'avait rien de réjouissant.

COURSE CONTRE LA MONTRE

Ian Davidson sait tout ça, aux premiers jours de l'été 2011, lorsqu'il décide d'approcher Mucci pour lui vendre ses informations susceptibles d'intéresser le crime organisé italien.

Pendant ce temps, le SPVM poursuit son enquête ASSAINIR afin d'identifier qui peut bien être le traître et s'il est bien en mesure de vendre des informations confidentielles, comme plusieurs personnes dans la rue semblent le croire.

Le sergent-détective Philippe Paul parle avec ses dizaines de sources dans le milieu criminel. Dans ce dossier, il a d'excellentes raisons de mettre les bouchées doubles : il est l'enquêteur qui contrôle le plus de sources confidentielles au SPVM. Des gens qui lui sont précieux, qui lui font confiance et qui sont probablement en danger puisque leurs noms apparaissent sur une des listes dérobées.

Malheureusement, personne ne semble connaître l'identité du vendeur. Mais, un jour, l'un des informateurs rapplique avec une information qui pourrait tout faire débloquer. L'informateur affirme que le vendeur en question va rencontrer Tony Mucci sous peu dans un bureau discret, près de la grande tour de Radio-Canada. Le SPVM met sur pied une opération de surveillance. Des policiers s'installent discrètement à proximité de l'adresse fournie par la source. Ils épient la scène, nerveux.

Puis, ils voient le camion blindé de Tony Mucci approcher, tranquillement. Mucci se stationne et sort du véhicule. Il est suivi, comme à son habitude, de deux gardes du corps. Leur démarche laisse croire qu'ils sont armés : ils semblent dissimuler quelque chose. Ils se déploient, de chaque côté de Mucci, pour protéger les accès au bureau. Tony Mucci pénètre dans le bureau.

Avec la distance, la circulation dans la rue et les précautions qu'ils doivent prendre pour ne pas se faire remarquer, les policiers surveillant la scène craignent de manquer leur cible. Ils ont le visage crispé en regardant dans leurs lunettes d'approche. Puis, ils voient un homme quitter rapidement le bureau. Ils en ont la certitude : c'est le vendeur. Les policiers sont toutefois mal placés. Ils réussissent à prendre une photo du suspect, mais de dos seulement. Un grand bonhomme, une tête grisonnante. C'est tout ce qu'ils ont. Son visage demeure un mystère. Il disparaît pour de bon, sans que les équipes de filature puissent le suivre.

Les policiers laissent tomber une cascade de jurons. Le temps presse et leur enquête n'avance pas assez vite. Ils craignent que s'ils approchent Tony Mucci, le vendeur soit mis au courant et disparaisse dans la nature avec ses informations confidentielles.

C'est finalement Tony Mucci qui viendra à eux, par son avocat.

Un matin, le sergent-détective Philippe Paul est approché, dans un couloir du palais de justice, par le criminaliste Claude Olivier. Les deux hommes se connaissent. Me Olivier, un colosse et un vétéran plaideur à la voix puissante, est un des avocats de la défense les plus réputés à Montréal pour les dossiers de crime organisé. Il représente plusieurs caïds importants, dont Tony Mucci. Il s'est souvent frotté à Philippe Paul, en cour.

Me Olivier sort de sa poche un petit « Post-it » jaune. Il le montre au policier. Aucun nom, aucun mot, aucune phrase n'y est écrit : seuls quatre numéros. Le sergent-détective Paul réalise avec stupeur ce qui est train de se passer.

Les quatre numéros sont les codes d'identification des quatre informateurs qui ont aidé le SPVM à arrêter Tony Mucci et ses gardes du corps. Quatre sources qui risquent leur vie si le crime organisé apprend qu'elles collaborent avec la police. Personne n'a accès à ces numéros d'identifiants, sauf une poignée de policiers. Sauf le traître que le SPVM cherche partout en ville.

Le sergent-détective Paul réussit à garder son calme. « Ça ne marche pas, ton affaire. Ce n'est même pas comme ça que ça marche, les numéros des sources ! » lance-t-il à l'avocat. Il ment. Mais il ne veut pas dévoiler à l'avocat que la liste qu'on a proposée à son client est véridique, qu'elle vaut vraiment son pesant d'or.

Claude Olivier racontera plus tard quelle a été son implication dans l'affaire.

« Mon client m'a parlé de ça (la liste secrète qu'un individu voulait lui vendre). Le lendemain, j'ai reçu au bureau une enveloppe avec quatre photocopies. Dès que j'ai vu ce que c'était, je l'ai refermée, raconte-t-il. Je ne veux pas jouer avec la vie de certains individus. Mon client ne voulait pas non plus être mêlé à ça. J'ai avisé moi-même la Couronne et les policiers le lendemain. »

Des policiers ont objecté par la suite que Me Olivier n'avait pas agi par acquit de conscience, mais bien pour tenter de négocier un allègement des accusations ou de la peine pour son client, en échange de sa collaboration. En fait, il aurait plutôt passé pour un mauvais avocat s'il n'avait pas tenté au maximum d'améliorer la situation de son client en faisant valoir ses bonnes actions, quelles qu'elles soient.

D'autres, au sein du SPVM, croient que Mucci a refusé d'acheter la liste simplement parce qu'il doutait de Davidson. Une telle fuite était-elle vraiment possible ? Cela semblait presque irréaliste et trop beau pour être vrai. Cela pouvait aussi ressembler à un piège tendu par les policiers pour essayer de le piéger dans un quelconque scénario abracadabrant.

Pendant son enquête, la police interceptera d'ailleurs des conversations entre criminels qui évoquaient la fameuse liste secrète à vendre, mais qui doutaient vraiment qu'elle soit réelle.

LE VRAI VISAGE DE LA TAUPE

Réunie à ses bureaux de la Place Versailles, l'équipe d'enquêteurs, inquiète, fixe le petit « Post-it » jaune. Ils comprennent bien que le traître a fourni à Mucci, à titre d'avant-goût et pour montrer son sérieux, les quatre numéros des sources confidentielles reliées à sa propre cause. Mais d'autres informations sont peut-être déjà en train d'être ébruitées.

Il faut trouver le traître, et vite.

Les policiers effectuent des vérifications dans les systèmes informatiques du SPVM. Ils constatent que le jour de la retraite de Ian Davidson, les quatre numéros des sources confidentielles reliés à la cause de Mucci ont été tapés dans le système. Et ce, dans le même ordre que sur le « Post-it » qu'avait en main Me Olivier.

Ian Davidson devient rapidement le suspect numéro un. « Un policier a plus de chances de gagner à la loterie que de taper, par hasard, ces numéros de sources dans le système, dans le même ordre que sur le "Post-it" », fait remarquer un enquêteur du groupe.

Le 9 septembre 2011, Ian Davidson est placé sous surveillance. Les équipes de filature de la GRC sont appelées en renfort pour aider le SPVM à le suivre à la trace. Les policiers prennent discrètement plusieurs photos de leur suspect, dont une de dos. Ils la comparent avec la photo de l'individu qui avait rencontré Mucci et qu'ils avaient seulement pu photographier de derrière. La carrure semble la même. Les cheveux grisonnent de la même manière.

« Regardez, il a comme une tache plus noire au même endroit, derrière la tête… Je suis sûr que c'est lui », commente un policer. Mais il faut une preuve plus solide avant d'agir. Il faut aussi s'assurer que des informations confidentielles ne sont pas dans une cachette, entre les mains d'un complice ou d'un acheteur.

Pour en avoir le cœur net, il faut explorer la piste du Costa Rica, où Davidson s'est rendu après sa retraite. Le SPVM envoie là-bas une délégation, qui s'envole dans le plus grand secret à destination de la capitale, San José. Là-bas, pas le choix : il faudra transiger avec la police locale. Pas question de mener une opération policière clandestine à l'étranger sans en informer les autorités du pays. La direction du SPVM est toutefois méfiante. Comme dans bien des pays pauvres, la police du Costa Rica est réputée corruptible. Peut-on lui faire confiance, dans un dossier aussi critique, alors que des milliers de vies et d'importantes enquêtes en cours sont en jeu ? Et si certains de ses agents étaient de connivence avec Davidson ?

La délégation est chargée d'évaluer la situation une fois sur place. Plongée dans la chaleur humide costaricaine, elle est rapidement accueillie par un officier supérieur de la Fuerza Publica, la police nationale. Le vétéran policier latino-américain semble sincèrement vouloir aider les Montréalais. Il comprend la gravité du crime dont est soupçonné Davidson. Il propose une solution qui lui semble aller de soi.

« Amigos... Si vous voulez vous assurer qu'il ne donnera jamais d'informations à quiconque, il faut éliminer ce Davidson, non ? » L'officier ne soupçonne pas à quel point un tel assassinat extrajudiciaire est impensable au Québec.

La délégation du SPVM lui explique que les choses ne fonctionnent pas comme ça. Elle a un autre plan : monter une opération de type « Mister Big » pour piéger Ian Davidson la main dans le sac. Cette technique est une spécialité des services de police canadiens. Elle a été développée par la GRC en Colombie-Britannique, à la fin des années 1980, pour élucider les dossiers de meurtres non résolus.

Le concept est d'utiliser des agents en civil jouant le rôle d'un gang de bandits et qui élaborent tout un scénario pour se rapprocher du suspect visé par l'enquête. Le suspect a l'impression qu'il est en train d'être accepté dans une puissante organisation criminelle. Ses nouveaux amis l'invitent à participer à toutes sortes d'activités criminelles (vente de drogue, surveillance pendant les activités du gang, cambriolages, fraudes) qui ne sont en fait que des mises en scène organisées par la police.

Éventuellement, le scénario échafaudé par les enquêteurs mène le gang fictif à s'intéresser au passé criminel de leur nouvel ami. Le suspect est amené à aborder le sujet. Par exemple, on lui expliquera que le gang a obtenu de l'information selon laquelle la police est sur ses traces et veut l'arrêter. Le gang prétendra vouloir aider son nouvel ami, mais il devra d'abord savoir s'il a vraiment commis tel ou tel crime. Le suspect sera ainsi poussé à avouer ce qu'il s'était peut-être juré de garder pour lui.

La technique « Mister Big » a été utilisée plus de 350 fois au Canada depuis la fin des années 1980. Dans 95 % des cas, les accusés ont été condamnés. Au Québec, une dizaine d'opérations du genre ont été mises sur pied au cours de la dernière décennie, ce qui a permis d'élucider plusieurs crimes.

Pendant qu'au Costa Rica le SPVM jongle avec des scénarios de « Mister Big », Davidson poursuit ses préparatifs. Il ignore qu'un policier costaricain vient de proposer de le tuer, mais il sait que l'entreprise dans laquelle il s'est lancé est risquée. Il a en sa possession un trésor qu'il tente de vendre à fort prix à des bandits. Et si le crime organisé décidait qu'il ne veut pas payer ? Si des policiers agissant en marge des règles décidaient de lui régler son compte ? Si des gens qui sont sur la liste apprenaient qu'il tente de faire fortune en jouant avec leurs vies ?

Le 29 septembre 2011, une équipe de filature aperçoit Ian Davidson sortant de chez lui, sur une rue tranquille de Laval. Il tient dans sa main une mallette noire d'ordinateur portable. Il descend les quelques marches en béton devant chez lui jusqu'à son Jeep Patriot, stationné dans l'entrée, et démarre en direction de Montréal.

En se relayant à plusieurs véhicules, les policiers suivent Davidson pendant une vingtaine de minutes jusqu'à une petite maison de l'ouest de l'île. Il entre avec sa mallette. À l'intérieur, il renoue avec un ami, un ancien sergent-détective du SPVM, au début de la soixantaine, qui a pris sa retraite de l'unité des vols de voitures en 2003 et qui travaille maintenant pour une compagnie de sécurité privée. Jean-Guy Cadieux dit avoir besoin de l'aide de Davidson pour transférer ses fichiers de son ancien ordinateur personnel vers son nouvel appareil.

Mais, il y a une autre raison à leur rencontre. Cadieux, qui était militaire avant d'entrer dans la police il y a une quarantaine d'années, est un maniaque des armes à feu. Il est chasseur, collectionneur et a déjà agi comme vérificateur d'armes pour la GRC. Sa maison est un véritable arsenal. Certaines des armes sont enregistrées légalement, d'autres non. Des pistolets, revolvers, carabines de toutes sortes ainsi que des munitions sont camouflés un peu partout dans sa demeure.

Davidson veut que Cadieux lui fournisse une arme pour sa protection personnelle. Ils discutent de ce dont il a besoin, mais, pour une raison inconnue, aucune transaction n'est conclue ce jour-là. Il semble que Davidson ne met pas Cadieux au courant de sa trahison et de son plan pour vendre les secrets de la police au crime organisé. Il repart, tenant toujours sa mallette fermement dans sa main.

L'équipe de filature est toujours là. Elle reste sur les talons de Davidson jusqu'à ce qu'il s'arrête dans le stationnement d'un franchisé d'une chaîne populaire de resto-bar-grill. Davidson stationne sa voiture de façon à pouvoir garder un œil dessus par la fenêtre du restaurant. Puis, il se dirige vers l'établissement.

Les policiers qui l'espionnent sursautent en le voyant approcher de la porte : il n'a pas sa mallette d'ordinateur portable à la main.

Au même moment, un enquêteur du SPVM se trouve dans le bureau d'un juge, muni d'un résumé détaillé de l'état de l'enquête, dans l'espoir d'obtenir un mandat d'écoute électronique. Ses collègues attendent impatiemment le résultat. Avec tous les secrets qui sont en jeu, ils sont impatients de pouvoir épier les conversations de leur suspect, ce qui devrait enfin leur donner accès aux tractations secrètes de la taupe. Pourvu que le juge finisse par donner le feu vert…

Dans le stationnement du restaurant, l'équipe de filature trépigne. La mallette et donc probablement l'ordinateur portable de Davidson sont restés dans sa voiture, pendant que lui est à l'intérieur de l'établissement. Voilà peut-être l'occasion de reprendre possession des listes informatisées qu'il a volées ?

Les conversations sont tendues sur les ondes radio. Des supérieurs sont consultés. Pas le temps d'aller voir un juge pour demander, cette fois, un mandat de perquisition pour la voiture. Une telle occasion pourrait bien ne jamais se représenter. Un cadre supérieur prend alors les grands moyens : « On autorise un C-24 ! »

Un « C-24 » est le nom donné au sein de la police à la procédure issue du projet de loi C-24, déposé par le gouvernement de Jean Chrétien en 2001. Le gouvernement avait modifié la loi pour permettre aux fonctionnaires de commettre un acte criminel dans certaines circonstances exceptionnelles, lorsque la situation l'exige. Ces gestes sont autorisés si, par exemple, des vies sont en danger, si l'identité d'un informateur de police risque d'être dévoilée d'une façon imminente, ou si une preuve importante dans une enquête est sur le point d'être détruite.

La directive est transmise à l'équipe sur le terrain, qui doit improviser un plan, et vite. Les agents voudraient bien voler la mallette dans la voiture, mais comment détourner l'attention de Davidson, qui a l'œil sur son Jeep de l'intérieur du restaurant ?

Un des policiers a alors une idée. Des agents de la GRC affectés à l'équipe de filature réquisitionnent d'urgence un camion cube massif. Habillés en civil, ils ressemblent à de simples livreurs. Ils stationnent le camion devant la fenêtre du restaurant de façon à bloquer la vue de Davidson, qui ne remarque rien d'anormal.

Profitant de la couverture que leur offre le camion, d'autres agents passent à l'action à la vitesse de l'éclair. Ils fracassent la fenêtre du Jeep Patriot de Davidson et s'emparent de la mallette. Pour donner à l'opération des airs de simple cambriolage de stationnement, ils prennent aussi soin de défoncer au passage les vitres de quelques autres véhicules stationnés à côté.

Pendant ce temps, à l'autre bout de la ville, le juge applique sa signature sur le mandat d'écoute électronique, puis le remet à l'enquêteur responsable. Celui-ci sort de chez le juge et, satisfait, appelle ses collègues au moment même où Ian Davidson sort du restaurant.

—On a le mandat, les gars! lance-t-il.

La réponse fuse immédiatement. La voix du policier au bout du fil est haletante.

—Go! Go! Go! Enweye! Plogue-le! On vient de voler sa mallette dans son char!

L'enquêteur appelle la section du soutien technique aux enquêtes et transmet immédiatement le numéro du cellulaire de Davidson afin de le placer sous écoute.

Davidson, lui, approche de son véhicule. Il voit la vitre cassée. Et constate que sa mallette a disparu. Il est dans tous ses états. Il sort son cellulaire et compose le numéro de sa femme.

Les techniciens du SPVM font tout ce qu'ils peuvent pour activer rapidement l'écoute sur sa ligne.

Le téléphone sonne. La conjointe de Davidson répond. Les experts en écoute du SPVM sont presque prêts. Un technicien appuie sur le dernier bouton. À la seconde même, la voix de Davidson se fait entendre dans les haut-parleurs du service d'écoute.

Il parle à sa conjointe. On le voit, enragé, qui fait en même temps le tour des autres véhicules dont les fenêtres ont été brisées vraisemblablement par une bande de voleurs. Il n'a visiblement pas deviné qu'il est sous écoute et que c'est la police qui est sur ses traces. Les policiers qui épient secrètement la conversation sourient. Leur plan semble fonctionner. Ils savent que la conversation qu'ils enregistrent pourra s'avérer très utile comme preuve. Puis, Davidson signale un nouveau numéro, celui-de son ami Jean-Guy Cadieux. Il s'agite encore, son cellulaire collé sur l'oreille.

À partir de ce moment, Cadieux est ajouté sur la liste des suspects de l'enquête ASSAINIR.

Les experts informatiques du SPVM s'empressent de se pencher sur le contenu de l'ordinateur volé à Davidson. Les fichiers sont protégés par un système de cryptage. Féru d'informatique depuis toujours, Davidson est demeuré à la fine pointe des derniers développements technologiques.

Les informaticiens de la police viennent assez vite à bout du cryptage et confirment les craintes de tous leurs collègues : l'ordinateur de Davidson contenait bien la liste secrète des informateurs de police, ainsi que d'autres fichiers confidentiels.

Au Costa Rica, la mission de la délégation du SPVM est changée à ce moment. Il n'est plus question de développer un coûteux scénario à la « Mister Big », avec des acteurs, pour obtenir une confession de Ian Davidson. Tout ce qu'elle doit faire, avant de rentrer à la maison, c'est de s'assurer que Davidson n'a pas laissé là-bas un ordinateur, un disque dur externe ou une simple clé USB sur laquelle seraient enregistrés les secrets volés au SPVM.

Par une technique que personne n'a voulu nous décrire par la suite, la délégation réussit à avoir accès au logement où Davidson demeurait lors de ses voyages au Costa Rica. Elle s'assure qu'il ne reste rien de compromettant, puis remet le cap sur Montréal à bord du premier avion.

En plus d'épier toutes les conversations téléphoniques et électroniques de Davidson, le SPVM installe en catimini des micros dans sa maison, à Laval. Celui-ci ignore qu'il est épié. Il se dévoile de plus en plus.

La police croit ainsi comprendre que Davidson aurait recruté un bras droit pour l'aider à exécuter son plan. Un assistant en qui il peut avoir une totale confiance. Quelqu'un qui ne risque pas de vendre la mèche ou d'avoir des états d'âme au moment critique. Quelqu'un qui lui sera fidèle coûte que coûte. Les enquêteurs croient que ce bras droit vient de sa propre chair. Il s'agirait de son fils cadet, Christian.

Le jeune travailleur de la construction dans la vingtaine est un habitué des bars et des boîtes de nuit du centre-ville. Il sait à quel point le K-Crew, le gang kurde, en mène large sur le terrain. Il voit bien que les Kurdes ont de l'argent et qu'ils pourraient être susceptibles de verser un beau magot pour obtenir les secrets de la police. D'autant plus qu'ils savent que leur propension à la violence et leur penchant pour l'héroïne, une drogue aux conséquences sociales dévastatrices, dérangent la police.

Le fils Davidson aurait ainsi contacté un membre du K-Crew par courriel. Il aurait expliqué que son «boss» a quelque chose à vendre qui pourrait intéresser la bande. Il faut du cran pour faire des affaires avec ce groupe en particulier. Le K-Crew est reconnu pour être extrêmement dangereux. «Des mongols», a déjà résumé un enquêteur à leur sujet. L'organisation ne rechigne pas à administrer des raclées en public et à saccager des bars pour faire passer un message. Elle aurait même déjà tenté de kidnapper un interprète turc qu'elle soupçonnait de travailler pour la GRC.

Les Davidson n'auront toutefois jamais le temps de compléter leurs négociations avec leurs interlocuteurs kurdes. Début octobre, Ian Davidson se prépare à partir pour de bon au Costa Rica. C'est de là-bas qu'il envisage de conclure ses ventes de données sensibles avec différentes souches du crime organisé. Il y sera plus en sécurité qu'à Laval, pense-t-il. Sa femme viendra l'y rejoindre plus tard, lorsqu'elle sera prête.

Le SPVM aurait voulu plus de temps pour fignoler son enquête, mais les policiers ne peuvent se permettre de laisser Davidson s'envoler vers l'Amérique centrale. Ils risquent de ne plus jamais le revoir.

LA TAUPE ÉPINGLÉE

Le 8 octobre 2011, vers 6 h, des policiers arrêtent discrètement Ian Davidson alors qu'il est à l'aéroport Pierre-Elliott-Trudeau de Montréal, prêt à s'envoler. Plutôt que de le garder au poste de police, ils le ramènent directement chez lui. Ils ne sont pas prêts à l'accuser formellement et, donc, à le garder en détention, mais ils veulent le confronter une fois pour toutes et le forcer à remettre ce qu'il a volé. La conjointe de Davidson, restée chez elle à Laval, est elle aussi arrêtée afin de pouvoir être confrontée de la même façon. Elle non plus n'est accusée de rien pour l'instant.

Simultanément, le groupe d'intervention tactique défonce la porte de Jean-Guy Cadieux. L'intervention est jugée dangereuse, vu le nombre d'armes qu'il conserve chez lui. Les policiers, casqués et munis de mitraillettes, foncent vers la chambre du retraité et de sa conjointe. Le couple est tiré du lit à la pointe des fusils, projeté à terre et menotté, visage contre le sol.

Cadieux est en miettes, complètement traumatisé par la façon brutale dont il a été arrêté. Il n'a jamais rien vu venir. Les enquêteurs constatent vite qu'il ignore tout du plan machiavélique de Davidson. Ce dernier ne lui a pas révélé la véritable raison pour laquelle il était à la recherche d'une arme. Cadieux se confond en excuses et offre de collaborer.

En fouillant sa maison, ses anciens collègues découvrent 16 armes à feu entreposées de façon non sécuritaire. Des armes de poing chargées à bloc sont cachées dans la table de nuit, dans un coffre-fort et dans le garage. Les enquêteurs saisissent même une carabine Calico M-100 semi-automatique, illégale au Canada. Le sexagénaire, dont la santé est très fragile, plaidera coupable à une kyrielle de chefs d'accusation reliés à la possession d'armes et écopera d'une peine de six ans de prison à purger dans la communauté.

Les choses se passent bien différemment chez Ian Davidson. Des policiers, dont le sergent-détective Philippe Paul, s'assoient à la table de la cuisine pour confronter la taupe et sa conjointe. Un micro camouflé dans la lampe, au-dessus de la table, capte toute la conversation. Davidson salue l'enquêteur Paul.

— C'est toi, Philippe ! Je suis content de te voir, je traitais souvent tes données d'informateurs, mais je ne t'avais jamais rencontré !

Davidson est crâneur et presque arrogant, avec sa moue découragée et sa barbichette blanche. Il nie avoir quoi que ce soit à se reprocher. Il joue le rôle du tranquille retraité, victime d'une incroyable méprise à cause de policiers à l'imagination trop fertile. Les policiers lui disent qu'ils ont retrouvé des documents confidentiels du SPVM dans son ordinateur après le lui avoir dérobé dans sa voiture.

— C'est normal que j'aie ça, j'avais eu la permission de travailler de la maison, avant ma retraite. Vous pouvez vérifier ! objecte-t-il.

Assise sur une chaise à ses côtés, sa femme est nerveuse. Elle a plus de mal que lui à garder son calme.

Philippe Paul sort alors son téléphone intelligent de sa poche. Il pianote sur l'écran tactile, puis le tourne vers Davidson. Une photo est affichée sur l'écran. Celle de la taupe, photographiée de dos, après la rencontre avec Tony Mucci.

— Regarde, on t'a pris en photo !

— C'est pas moi, ça ! J'ai rien fait ! réplique Davidson, comme s'il trouvait la suggestion ridicule.

Philippe Paul se tourne alors vers la conjointe de Davidson. Il lève la photo sous son nez. Sa femme devient pourpre. Elle est incapable de camoufler les émotions qui l'assaillent.

— Tu vois ? Parfois, une image vaut mille mots. Ta femme, elle, te reconnaît, lance l'enquêteur avec satisfaction.

Les policiers finissent par partir sans avoir percé la carapace de Davidson. Ils saisissent une abondance de documents et de matériel informatique. La perquisition aura duré presque une journée complète. En partant, ils ordonnent à Davidson de rester à leur disposition. Il pourrait bien être accusé criminellement lorsqu'ils auront complété leur enquête. Pour s'assurer qu'il ne prendra pas la fuite, on lui confisque aussi son passeport.

Après le départ des enquêteurs, le micro caché dans la lampe continue d'enregistrer. La femme de Davidson est bouleversée. Elle avait été d'accord pour participer à son plan dans l'espoir de devenir millionnaire. Mais maintenant, elle a peur. Elle ne veut plus jouer.

— J'espère que tu leur as tout donné, sinon je te le dis, je divorce, Ian.

— Non… pas tout. Il me reste un DVD dans le lecteur du cinéma maison, en haut.

— Tu vas aller le chercher tout de suite et le détruire devant moi !

Davidson cède. En l'espace d'un instant, il revient dans la cuisine avec le disque, qu'il casse en plusieurs morceaux. Puis, il le jette dans le bac à recyclage.

— Voilà, c'est tout maintenant.

Dans leur salle d'écoute, à des kilomètres de là, des policiers n'ont rien perdu de la conversation. Ils échafaudent un plan pour récupérer les morceaux du DVD, qui pourrait contenir une preuve précieuse pour leur enquête.

Le jour de la collecte du recyclage, ils envoient de faux éboueurs, à bord d'un camion, pour ramasser le bac de la famille Davidson. Le camion approche tranquillement dans la rue, comme une équipe normale de collecte du recyclage. Puis, les agents déguisés aperçoivent Ian Davidson qui sort en trombe de chez lui, s'empare de son bac à recyclage et le rentre précipitamment dans sa maison.

— Ils ne sont pas à la même heure que d'habitude. C'est la police, dit-il à sa femme pendant que le micro l'enregistre toujours à son insu.

Depuis son arrestation, la pression est immense sur Davidson. Comment vivre avec le poids d'une telle trahison lorsqu'on est démasqué et qu'on attend de connaître son sort ? Quand on sait qu'on sera bientôt exposé comme un Judas, un paria, aux yeux de tous ? L'ex-policier ne se contente plus d'enchaîner les cigarettes. Il se fait aussi prescrire des médicaments contre l'anxiété pour arriver à dormir.

La pression est aussi très forte sur la direction du SPVM. Monter un dossier d'accusations dans cette affaire est un véritable casse-tête pour les policiers et les procureurs de la Couronne. Dans un procès criminel, les règles de divulgation de la preuve sont strictes : l'accusé a le droit d'obtenir, avant le début des audiences, toute la preuve amassée contre lui.

Autrement dit, si des accusations sont déposées, la police devrait probablement remettre à la défense le matériel informatique récupéré pendant l'enquête. Ce matériel dont la fuite initiale est déjà considérée comme une catastrophe en soi. Ce matériel qui contient des noms d'informateurs tellement secrets que les policiers ne voudraient même pas les montrer à un juge.

Au Canada, la protection des informateurs de police est un privilège quasi constitutionnel reconnu à maintes reprises par la Cour suprême. L'identité des sources de la police est jalousement protégée devant les tribunaux. « C'est un principe fondamental. C'est aussi important que le secret professionnel des avocats. C'est le compromis que l'on a trouvé dans une société démocratique pour combattre la criminalité », selon un procureur d'expérience.

Et les accusations, quelles pourraient-elles être ? Au chapitre strictement matériel, il ne s'agit que d'un vol de moins de 5 000 $. Un procureur de la Couronne n'ayant pas peur des défis pourrait tenter de plaider qu'il y a eu complot, ou que Davidson a commis un méfait public qui aurait pu causer la mort en tentant de vendre une liste susceptible de conduire plusieurs informateurs à leur tombe. Comment prouver tout ça sans dévoiler l'identité des informateurs en danger ?

Le dossier est laissé ouvert. Il piétine pendant plusieurs mois. Confiné dans l'attente, Ian Davidson passe certainement le Noël le plus pénible de sa vie.

La direction du SPVM préférerait que l'histoire n'éclate jamais publiquement. Elle craint les conséquences sur son image, sa réputation et sur ses relations avec les informateurs de police. Impossible, toutefois, de garder un tel scandale secret. L'histoire fait jaser chez les policiers. Elle vient aussi aux oreilles de journalistes aguerris.

Le lundi 16 janvier 2012, Radio-Canada et TVA révèlent presque simultanément qu'une taupe a été identifiée au sein du SPVM et qu'elle voulait vendre à fort prix les noms d'informateurs de police à la mafia. Les journalistes des deux réseaux télévisés enquêtent sur ce dossier depuis plusieurs semaines. Ils dévoilent pour la première fois l'existence d'une enquête sur la taupe, sans préciser de qui il s'agit.

Leur primeur déclenche une frénésie dans toutes les salles de nouvelles de Montréal. Tous les journalistes d'enquête se ruent sur leurs téléphones pour contacter leurs sources. Plusieurs obtiennent rapidement confirmation de l'identité de Ian Davidson. D'autres journalistes fouillent les registres publics, les archives judiciaires et l'historique des transactions sur sa propriété. Ils appellent aussi ses anciens collègues sous le sceau de l'anonymat (la direction interdit aux policiers de parler aux médias sans l'autorisation de sa division des communications, qui contrôle tout le message). Ils cherchent à en apprendre davantage sur ce mystérieux Ian Davidson. La plupart de ceux qui ont travaillé au SPVM en même temps que lui n'ont rien à dire. Soit ils ignorent complètement qui il est, soit ils s'en souviennent vaguement comme d'un homme discret et réservé, voilà tout.

Le mardi, un journaliste du *Journal de Montréal* travaillant sur l'affaire décide d'aller demander une entrevue directement à Ian Davidson, à Laval. Il gravit les marches et sonne à la porte. L'homme qui lui ouvre le dépasse de plus de deux têtes. Jeans usé, chandail vert, il ne semble même pas paniqué de voir un journaliste devant chez lui. « Un calme désarmant », écrira le reporter dans son article. « Il semblait même au-dessus de ses affaires. Comme si tout cela ne le concernait pas. »

Davidson ne nie pas son implication dans le vol de la liste secrète. Il décline poliment l'invitation à s'expliquer et à donner son propre point de vue sur sa situation.

— Non merci, laisse-t-il tomber.

Entre-temps, une équipe de journalistes de *La Presse* prépare un grand portrait de Davidson et de la traque ayant mené à son arrestation. Un journaliste du quotidien appelle le SPVM pour poser des questions. La direction comprend que le journal va dévoiler l'identité de la taupe dans son numéro du lendemain.

Deux policiers sont alors envoyés chez Davidson pour le prévenir. Philippe Paul est encore là. Il est accompagné de son confrère Nick Milano, un spécialiste de la mafia italienne.

Les policiers avisent Davidson que son nom va être dévoilé publiquement. Ils essayent aussi de le convaincre de collaborer à l'enquête, dans son propre intérêt. Milano, notamment, sait que des gens veulent s'en prendre à la taupe. Il lui parle de sa sécurité. Son collègue en rajoute.

— Écoute, quand ça va sortir... moi j'ai des informateurs sur la liste... on ne peut pas garantir qu'on va réussir à tous les retenir, dit Philippe Paul.

Davidson décline toute offre d'aide ou de collaboration. Il prend toutefois note de la parution imminente d'un article à son sujet. Il veut éviter le cirque médiatique qui risque de débarquer chez lui sous peu. Peut-être veut-il aussi éviter que quelqu'un s'en prenne à lui et à sa famille ? Il prépare quelques effets personnels et se rend avec sa conjointe à l'hôtel Châteauneuf.

Davidson ne donne pas son nom à la réception de l'établissement. C'est sa conjointe qui loue la chambre, en présentant son permis de conduire à la réception. Le nom de son mari n'apparaît pas sur ses pièces d'identité. Le couple se voit assigner la chambre 104, tout près des cuisines.

Davidson boit une bouteille d'eau, mange une tablette de chocolat aux amandes et ouvre un nouveau paquet de cigarettes. Il réussit à dormir grâce aux pilules prescrites par son médecin.

Le mercredi matin, vers 7 h 30, sa femme reçoit un appel sur son cellulaire. Quelqu'un l'avise que le nom de son mari est bel et bien cité dans *La Presse*, dans le cadre d'un reportage dévoilant les dessous de l'enquête dont il est l'objet. Selon ce que racontera sa conjointe plus tard, Ian Davidson n'a pas sursauté en apprenant la nouvelle.

Sa femme le quitte peu après pour faire des courses. Davidson reste seul, à faire le point sur sa vie. Sur son parcours au sein de la police. Sur ses enfants, sa famille, ses idées de grandeur qui ont tellement mal viré.

Il se lève. Entre dans la salle de bains.

Moins d'une heure après avoir laissé son mari seul, sa femme reçoit un bref message texte : *It's over*.

Elle craint le pire et contacte le 9-1-1. Ses craintes sont confirmées peu après : son mari s'est enlevé la vie.

UN RESSAC TERRIBLE

Le responsable des enquêtes criminelles de la police de Laval, l'inspecteur-chef Michel Parent, est rapidement mis au courant de l'affaire. Il comprend qu'il n'a pas droit à l'erreur.

Il désigne deux de ses meilleurs enquêteurs responsables de l'enquête sur la mort de Davidson et ordonne que la chambre d'hôtel soit bouclée, puis passée au peigne fin avec le plus grand souci du détail. Avec toutes les implications de l'affaire Davidson, il a une préoccupation : s'assurer que la mort de l'ex-policier n'est pas un meurtre camouflé en suicide. Ses agents passeront plus de huit heures dans la modeste chambre, filmant chacun de leurs gestes pour conserver une preuve béton de l'intégrité de l'enquête. Tous les occupants des autres chambres de l'hôtel seront interrogés.

« Compte tenu des circonstances, du contexte particulier de l'affaire et de l'identité de la victime, il fallait s'assurer qu'il n'y avait pas de *foul play* », racontera plus tard l'inspecteur-chef dans une rare entrevue au *Journal de Montréal*.

Plusieurs cadreurs et photographes attendent devant l'hôtel lorsque des employés de la morgue et des policiers sortent finalement de l'édifice en poussant une civière transportant un grand sac bleu, dans lequel on devine la forme d'une dépouille humaine. Leurs photos symboliseront la fin de la saga Davidson. Plutôt que de couler des jours paisibles auprès de sa famille en profitant de sa pension de retraite, l'ex-policier a voulu jouer les taupes et devenir millionnaire. Plutôt qu'à un repos paradisiaque au bord de la mer, son aventure l'a mené à la déchéance et au suicide.

En fouillant la chambre, les policiers constatent à quel point ils ont affaire à un as de l'informatique. Davidson a apporté tout son équipement avec lui : des clés USB, un lecteur MP3 iPod, une tablette électronique iPad et un ordinateur portable. Tous ces articles sont remis au SPVM pour analyse. Certains des fichiers informatiques étaient protégés avec des systèmes sophistiqués comportant jusqu'à sept niveaux superposés de cryptage. Malgré les efforts de ses meilleurs spécialistes, le SPVM ne réussira jamais à ouvrir tous les fichiers informatiques de Davidson. Il sera resté, jusque dans la mort, l'un des experts en informatique les plus doués de toute la police.

De son côté, après quatre mois d'enquête, une autopsie et des expertises médico-légales poussées, la police lavalloise rend un verdict formel : Ian Davidson s'est bien suicidé. Impossible que quelqu'un se soit introduit dans sa chambre pour lui trancher la gorge et maquiller l'affaire en geste volontaire. Le coroner qui mène sa propre enquête sur le décès arrive à la même conclusion.

L'affaire Davidson a profondément ébranlé le SPVM. Elle a forcé le corps policier à réévaluer toute la gestion de sa base de données sur les informateurs. Plusieurs policiers ont raconté avoir reçu des appels de leurs informateurs qui avaient lu les journaux et s'inquiétaient maintenant de voir leur identité compromise. Ce ne fut pas une mince affaire de les rassurer et de les convaincre de continuer à fournir de l'information.

Le SPVM a aussi dû rassurer ses partenaires, notamment la Sûreté du Québec, où certains ont commencé à se demander s'ils pouvaient avoir confiance en la police de Montréal pour conserver des informations sensibles.

Le président de la Fraternité des policiers de Montréal, Yves Francœur, a blâmé en partie la direction du SPVM pour le fiasco. Selon lui, la direction qui était en place quelques années auparavant avait refusé d'acheter un logiciel moderne de gestion des sources en raison d'un coût d'environ 180 000 $ jugé trop élevé.

« Ce qui me fâche, a-t-il déclaré à *La Presse*, c'est que cette affaire découle en partie d'économies de bouts de chandelle. Ils ont choisi de confier ce travail à un informaticien. Le problème, c'est que toute cette information sensible était concentrée à son niveau. »

Un membre haut placé de la direction du SPVM nous a toutefois confié que les enquêteurs devraient s'interroger sur la quantité de personnes qu'ils inscrivent sur la liste des informateurs sans leur faire comprendre clairement dans quoi ils s'embarquent.

Taupes: Infiltrations, mensonges et trahisons

« À la base, ils mettent trop de monde sur la liste. Ça fait *glamour* d'avoir beaucoup de sources, c'est bien vu chez les enquêteurs d'en avoir toujours plus. Parfois, les gars ont une conversation avec un criminel, il leur révèle une seule chose et ils l'inscrivent comme source. Parfois, la source ne sait même pas qu'elle est enregistrée ! Ensuite, son nom est là sans que ce soit vraiment utile », affirme cet officier.

Chose certaine, tout le monde, de bas en haut de la hiérarchie, était d'accord sur le fait que plus personne ne devrait être capable de copier la liste sur une clé USB, ni sur tout autre support mobile. Cette faille a été rapidement corrigée par les informaticiens du SPVM. Des caméras de surveillance ont aussi été installées dans les bureaux où il est possible d'accéder à la liste.

Lorsqu'il rencontre les médias pour faire le point sur la situation, le chef de police de Montréal, Marc Parent, est encore sous le choc. Il semble de mauvais poil.

« C'est un individu de mauvaise foi, malhonnête, qui a décidé de partager de l'information. On n'est jamais à l'abri d'une situation comme celle-là », laisse-t-il tomber. Il ajoute que rien chez Davidson ne laissait présager une telle trahison.

« C'est une personne sans histoire qui semble avoir eu une carrière très intègre et qui, pour diverses raisons, a décidé de faire ce geste à la fin de sa carrière », dit-il.

« Il y a toujours dans nos normes d'embauche des critères extrêmement élevés en matière de probité. C'est vraiment un cas exceptionnel », ajoute le directeur Parent.

Il l'ignore, mais au moment même où il prononce ces paroles, une autre histoire de taupe est en préparation au sein du corps policier. Un autre scandale auquel devra faire face le chef Parent. Nous en reparlerons plus loin.

Quant à la famille Davidson, elle ressort évidemment de cette histoire marquée au fer rouge. Non seulement les enfants ont-ils perdu leur père de façon atroce, mais son nom évoque maintenant les pires trahisons dans l'esprit du public. Dire que le fils aîné du défunt voulait devenir policier… «C'est triste, j'imagine que ses chances sont ruinées maintenant», a déploré un membre de la famille lorsque joint au téléphone.

Reste la question des fichiers qui avaient été dérobés. Des sources bien informées, tant du côté du crime organisé que de la police, affirment sous couvert de l'anonymat qu'une dernière clé USB subsiste. Elle viendrait de Ian Davidson et aurait été, du moins pendant un temps, entre les mains d'une relation de la mafia.

La direction du SPVM n'a jamais pu confirmer si c'est bel et bien le cas. Chose certaine, l'information qui circule dans la rue à ce jour veut que la clé USB soit cryptée. Personne n'aurait réussi à en ouvrir le contenu.

Pour l'instant, du moins.

Le 13 janvier 2012, Jeffrey Delisle est interrogé par un policier de la GRC. Au bout de quatre heures d'interrogatoire, il cède et avoue qu'il a trahi son pays.

Chapitre 3
—

JEFF DELISLE, LE « MARCHEUR » QUI EN SAVAIT TROP

Jeffrey «Jeff» Delisle, officier de renseignement de la marine canadienne.

OTTAWA, UN BEL APRÈS-MIDI DE L'ÉTÉ 2007. UN AUTOBUS D'OC Transpo s'immobilise, rue Charlotte. Un homme assez corpulent, les cheveux blond châtain, coiffé d'une casquette, lunettes de soleil sur les yeux, descend du véhicule, en jetant des regards furtifs à droite et à gauche. Il marche désormais d'un pas pressé. « Je suis mort… Je suis mort », ressasse-t-il sans cesse. Il s'arrête devant le numéro 285 et appuie fébrilement sur le bouton de l'interphone.

— Bonjour, que puis-je pour vous ? demande une voix nasillarde.

— Euh, bonjour, je suis un militaire canadien et j'ai des informations à livrer. Je souhaite parler à un agent de sécurité.

Cette scène se passe devant les hautes grilles noires de l'ambassade de la Fédération de Russie. L'édifice entouré d'arbres est situé dans un cadre enchanteur, sur les bords de la rive ouest de la rivière Rideau. Il est aussi mitoyen avec le magnifique parc Strathcona. Les diplomates russes aiment certainement déambuler dans ce havre de paix, admirer sa fontaine centenaire du sculpteur français Mathurin Moreau et ses jeux pour enfants, semblables à des ruines, imaginés par l'artiste Stephen Brathwaite. Rien de comparable avec leur lieu de travail : un véritable bunker rectangulaire et hautement sécurisé, aux fenêtres étroites comme des meurtrières et d'inspiration poststalinienne qui ne gagnerait aucun concours d'architecture.

Le visiteur, c'est Jeffrey « Jeff » Paul Delisle, un officier de renseignement de la marine canadienne ayant un accès illimité à une quantité incroyable de documents classés « Top Secret » grâce à sa fonction d'analyste. Accablé par des problèmes conjugaux et financiers, il s'apprête de son propre gré à trahir son pays, ses alliés et, plus grave encore, à compromettre la vie de ses sources. Delisle, qui est habillé en civil, vient offrir contre rémunération ses services d'espion à la Russie et, en particulier, au GRU (Glavnoye Razvedyvateinoye Upravlenie), son redoutable et agressif appareil de renseignement militaire fondé au début du 20ᵉ siècle.

Au sens propre comme au figuré, Delisle est l'archétype même du « marcheur » (*walk-in* en anglais), du « volontaire ». C'est ainsi, dans le jargon du renseignement, qu'on désigne ceux qui se jettent dans les bras d'une organisation adverse.

La haute grille noire s'ouvre. Jeffrey Delisle pénètre en territoire russe. « Je suis mort… Je suis mort… » C'est vrai. Il est mort, mais il ne peut plus revenir en arrière. Quelques minutes plus tard, le militaire canadien est conduit dans une pièce hautement sécurisée (« SCIF » en anglais) spécialement conçue pour le partage et le traitement d'informations sensibles à l'abri des oreilles indiscrètes.

Photo *Le Droit*

L'ambassade de Russie à Ottawa où Jeffrey Delisle s'est présenté, en 2007, pour offrir ses services.

« Je leur ai montré ma carte d'identité et ils m'ont posé un tas de questions, puis ont noté mon nom et je suis parti. » Lors d'un entretien en prison avec un agent des Services correctionnels juste avant de recevoir sa peine, Delisle affirmera même avoir rempli « un formulaire de demande d'embauche ». Étrange…

Quelque temps plus tard, il reçoit une lettre par la poste contenant des renseignements précis sur lui et, semble-t-il, sur sa famille (dont des photos, soutient-il) ainsi que des consignes à suivre scrupuleusement. Les services de renseignement russes n'ont pas la réputation de plaisanter et encore moins d'être des amateurs. L'officier canadien qui baigne depuis des années dans l'univers de l'espionnage le sait très bien. Dans son esprit, il est évident que s'il ne « joue pas le jeu », il en « subira de graves conséquences ».

C'est ainsi que, selon sa propre version des faits non corroborée, aurait débuté l'histoire invraisemblable de la taupe Jeffrey Delisle. Seul repère chronologique indiscutable connu, c'est le 6 juillet 2007, vers 14 h, que le militaire canadien se présente au « Cash Store », boulevard St. Joseph à Orleans (Ontario), pour encaisser un premier paiement de 5 000 $ US. Les fonds ont été virés le matin même par un certain Fedor Vasilev par l'intermédiaire de la Interregional Investment Bank, à Moscou.

L'officier naval canadien est désormais officiellement un agent infiltré à la solde des Russes et rémunéré par leurs puissants services de renseignement.

Au total, de juillet 2007 à août 2011, Delisle encaissera 23 paiements, pour un total de 71 817 $ US, plus 50 000 $ US remis en mains propres par son agent traitant (*handler*) russe lors d'un voyage éclair au Brésil, en septembre 2011. Trois mille dollars par mois, voilà le prix de la trahison. « Pas cher payé pour de si précieuses informations », fait remarquer avec dépit l'une de nos sources. Delisle expliquera plus tard que ce montant s'explique parce qu'il marque le seuil au-delà duquel il y a signalement automatique à CANAFE, l'unité du renseignement financier du Canada.

Cette affaire, qui fait penser en plusieurs points à celle de l'ex-policier du SPVM Ian Davidson (voir le chapitre 2), est l'illustration dramatique de la faillite d'un système de sécurité « troué comme du gruyère suisse », pour reprendre la formule employée par l'avocat de Delisle.

Le parcours de ce militaire canadien ordinaire, décrit par ses proches comme un chic et *sweet guy* depuis sa plus tendre enfance, comme un type tranquille et discret par ses anciens camarades d'école, comme un père attentionné envers ses enfants par ses voisins, comme un employé « ponctuel » à son travail et un « bosseur » acharné jamais stressé par des « échéanciers de travail serrés » par ses supérieurs, est jalonné de plusieurs drapeaux rouges qui se sont levés en vain. Ses problèmes financiers et sa fragilité psychologique qui le rendaient forcément vulnérable et candidat potentiel à la trahison auraient dû attirer l'attention de ses supérieurs. Mais ce ne fut pas le cas.

Qu'il ait été ciblé et recruté comme informateur par les Russes ou qu'il soit allé de lui-même cogner à la porte de l'ambassade comme il l'affirme, la vérité est que ce quadragénaire sans envergure et au profil bas, un prérequis malgré tout, a profité des failles béantes dans la sécurité informatique des Forces canadiennes pour ébranler avec une facilité déconcertante l'intégrité du système de renseignement canadien.

Pendant presque cinq ans, la taupe trop tranquille pour être suspecte a transmis au renseignement militaire russe des informations ultrasecrètes extraites de quatre bases de données de niveau « TRÈS SECRET », notamment BICES, le système d'échanges de renseignements des membres de l'OTAN, et STONE GHOST que se partagent les membres de l'alliance des Five Eyes / FVEY (États-Unis, Canada, Grande-Bretagne, Australie et Nouvelle-Zélande). Il a aussi fouillé dans SPARTAN, une autre base de données du renseignement militaire canadien destinée aux militaires canadiens, alimentée aussi par le Service canadien de renseignement de sécurité (SCRS), la GRC, les services frontaliers, le Bureau du Conseil privé, etc.

Les documents qu'il a communiqués aux Russes pendant des années contenaient non seulement des noms d'agents du renseignement canadien et de services amis avec leurs coordonnées, mais aussi, ce qui est plus grave, des indices pouvant permettre aussi aux services russes et leurs alliés d'identifier des sources humaines confidentielles, dont celles, on l'imagine aussi, infiltrées dans leur organisation.

Le « coulage » ininterrompu de ces informations inestimables « aux Russes depuis 2007 a causé des dégâts sévères et irréparables aux intérêts Canadiens », en plus de menacer « la sécurité des sources du Service et de ses proches partenaires étrangers », déplore le SCRS dans un « Rapport d'évaluation du préjudice » rédigé un mois après l'arrestation de la taupe. « Conséquences astronomiques », dira même son dernier superviseur direct.

Au-delà de l'enflure verbale, cette affaire d'espionnage digne des grandes heures de la Guerre froide a provoqué un véritable séisme au sein de la Défense nationale et du SCRS. Elle a empoisonné les relations diplomatiques entre le Canada et la Russie, malmené les ententes de coopération entre le SCRS et ses quatre autres agences partenaires de l'alliance des Five Eyes, sans oublier les répercussions au sein de l'OTAN. Voici l'autopsie d'un fiasco.

FIN DE PARTIE

13 janvier 2012, 19 h 40, détachement de la GRC de Lower Sackville, en banlieue d'Halifax, Nouvelle-Écosse. Un homme bedonnant, le visage bouffi, vêtu de jeans et d'un « sweat-shirt » à capuche bleu est affalé sur une chaise, dos au mur, dans une petite pièce aux murs grisâtres. L'air faussement détaché, désinvolte même, il tripote sans cesse avec sa main droite une petite bouteille d'eau posée sur un bureau à côté de restes de repas.

Jeffrey Delisle a été arrêté quatre heures plus tôt alors qu'il était au volant d'une camionnette de location. En face de lui, le sergent Jimmy Moffatt, de la GRC, basé au Québec (Division C) et affecté au « Projet Stoïque », nom de code de l'opération axée sur Delisle. Moffatt est un spécialiste de l'interrogatoire, une science qu'il maîtrise parfaitement et qu'il enseigne. Au même moment, à une dizaine de kilomètres de là, plusieurs agents de police fouillent de fond en comble la maison du suspect ainsi que sa Nissan Altima à la recherche d'éléments de preuve supplémentaires.

Le face-à-face entre Delisle et Moffatt va durer trois heures et demie. Un huis clos en deux actes : d'abord le déni, puis l'aveu. Tel le toréador affrontant son taureau dans l'arène, Moffatt va tranquillement tourner autour de Delisle et le fatiguer avant de lui planter une série de banderilles pour le déstabiliser et ensuite lui asséner le coup de grâce.

Tout au long de la première heure et demie d'interrogatoire, entre deux bouchées de sandwich, la présumée taupe se montre peu loquace dans ses réponses sur son travail, sa carrière au sein des Forces canadiennes ou son récent et mystérieux voyage au Brésil. Il reste imperturbable et a aussi réponse à tout lorsque le policier lui exhibe sous le nez, l'une après l'autre, des copies de ses factures d'hôtels et de restaurants lors de ce séjour au Brésil. Il sourit largement en évoquant de soi-disant gros gains au jeu, mais qu'il est incapable de chiffrer malgré l'insistance du policier.

Delisle est plus bavard lorsque vient le temps d'évoquer sa passion pour les jeux en ligne dont il rêvait de faire son gagne-pain. *World of Warcraft* ou *Call of Duty* étaient des drogues qui accaparaient ses soirées et ont ruiné leur couple, déplorera d'ailleurs plus tard Jennifer, son ex-épouse.

Très vite le policier tente une première attaque frontale lorsque Delisle le provoque :

— Ne tournez-pas autour du pot.

— Avez-vous illégalement transmis de l'information classifiée aux Russes ? lui demande l'enquêteur.

— Je dois invoquer la Charte des droits pour garder le silence, là. Désolé.

[…]

Il est 21 h 08. Delisle, qui a réclamé de s'absenter quelques minutes pour aller aux toilettes, est reconduit dans la salle d'interrogatoire. Jusqu'ici, il a tenu bon… Même lorsque Moffatt lui a prouvé, saisies d'écran à l'appui, que la GRC avait surveillé toutes ses activités informatiques.

Il est seul. Sa tête est appuyée contre le mur. Il semble perdu dans ses pensées. L'attente est interminable.

21 h 11. Moffatt fait son entrée, un dossier jaune sous le bras.

— T'as pu aller aux toilettes ?

— Oui... Juste un problème de diabétique, répond-il.

Delisle souffre en effet de diabète de type 2 et d'hypertension. Moffatt balance son dossier sur la table, se plante droit devant le militaire puis attaque directement, le ton ferme.

— Bon Jeff, martèle-t-il avec des hochements appuyés de la tête, j'ai mené une bonne enquête et je connais toute les preuves... et il n'y a aucun doute, pas de doute dans mon esprit, Jeff, que tu as transmis illégalement de l'information classifiée à la Russie. Pas de doute. Maintenant, Jeff, quelque chose a été de travers dans ta carrière dans l'armée parce que tu as perdu le contrôle de ton navire, quelque chose s'est passé, non ?

Le policier se rassoit, puis continue son monologue. Il insiste sur le fait qu'il sait que sa cible a « transféré de l'information », mais il cherche tranquillement son point de rupture et la cause de sa trahison. Alors, il flatte Delisle, lui dit que les évaluations qu'il a consultées lui donnent l'impression qu'il est « presque un dieu » dans son milieu professionnel, que c'est probablement une « erreur », que lorsqu'il s'est joint à l'armée, ce n'était pas dans l'optique de trahir son pays. Moffatt sait que les taupes sont souvent narcissiques.

— Tu avais probablement besoin d'argent, poursuit l'enquêteur... comme si tu avais traversé beaucoup de... de... douleur, et tu t'es dit à toi-même...

— Beaucoup de douleur, lâche alors Delisle, résigné.

Première faille, début d'explication, mais pas encore d'aveux formels. Moffatt poursuit. Il dit qu'il peut comprendre, que « personne n'a été blessé », que c'est juste un *fuck-up* et qu'ils vont passer au travers ensemble avant d'abattre sa première carte. Le policier lui glisse alors sous les yeux une feuille qu'il vient d'extirper de son dossier.

— Tu vois, en 2007 on te surveillait, Jeff, OK ? Et tu sais ce qu'on peut faire puisqu'on est tous les deux dans les mêmes affaires…

Le policier bluffe. Delisle n'était pas surveillé en 2007. Loin de là, même. Delisle semble désarçonné. Il a perdu son sourire narquois et son détachement désinvolte du début. Mais il est curieux de savoir si les enquêteurs ont des saisies d'écran « de tout ce qui est secret ».

— Je ne les ai pas ici, mais j'ai des saisies d'écran de ton ordinateur quand tu envoyais des messages aux Russes.

Jim Moffatt repart sur un registre plus émotif. Il fait comprendre au suspect que ces derniers temps, les enquêteurs de la GRC surveillaient à distance la moindre de ses activités informatiques. Rien ne leur a échappé. Chaque site qu'il a visité, chaque touche qu'il a tapée sur son clavier, chaque mot effacé, chaque courriel envoyé et reçu sur son compte Gmail, chaque correspondance secrète avec son contrôleur russe par l'intermédiaire de la messagerie Gawad. Tout.

Delisle observe attentivement le « document numéro 5 », une saisie d'écran de son Gmail que le policier vient de lui glisser du plat de la main sous les yeux.

— C'est mon Gmail…

— Tu veux voir la capture de ton Gawab ?… Tu sais, Jeff, on te tient. OK. On t'a attrapé, Jeff, crois-moi. […] Mais il y a toujours une explication aux gestes que les gens font. OK… Et…

Delisle opine de la tête.

— Et voilà !

— Voilà !… Et c'est pourquoi j'aimerais savoir, Jeff, parce que tu sais…

Le piège s'est refermé. Et pour la première fois depuis qu'il a mis les pieds dans cette petite salle lugubre, Delisle cède. Semblant au bord des larmes, à moins qu'il ne joue la comédie – ce que croient encore plusieurs –, le militaire déballe tout. Son ton trahit à la fois son dépit et son dégoût. Il égrène ses mots.

— Dave… euh Jim… J'étais mort. Tellement mort à l'intérieur.

— …

— Je suis mort. Je… Tout le monde, ma… ma femme, que j'aimais… depuis si longtemps… m'a tué.

Delisle s'ouvre. Il raconte que sa femme l'a trompé «deux fois». Elle lui a confié, dit-il, qu'elle ne l'avait jamais aimé pendant leurs 19 ans de vie commune, qu'elle le voyait plutôt comme une forme de «sécurité». Alors, il l'a mise à la porte. Puis, il n'a songé qu'à une chose : se suicider. En fracassant son auto contre le trafic en sens inverse ou sur un poteau. C'est son amour pour ses enfants qui l'aurait empêché de commettre l'irréparable, dit-il.

— Parce que tu es un bon père, répète l'enquêteur à plusieurs reprises.

Le militaire ne l'écoute pas. Il poursuit sa confession et dévoile comment, à la fois ivre de rage et désespéré, il en est venu à trahir. Ce qu'il décrit plutôt comme un «suicide professionnel».

Il est 21 h 33. Deux heures après le début de l'interrogatoire, il prononce enfin les mots que le policier attend :

— Je me souviens encore du jour. En 2007. Je suis entré directement dans l'ambassade de Russie… et… depuis ce jour… C'était la fin de ma journée en tant que Jeff Delisle. Le jour où ma femme m'a trahi… J'étais dévasté. Totalement écrasé. […]

Il semble retenir quelques larmes.

— Je suis entré dans l'ambassade et j'ai dit : *Me voici*. Ce n'était pas pour l'argent. Ça n'a jamais été pour l'argent. Mais je l'ai fait pour mes enfants…

Des explications et des sanglots qui ne convainquent pas dans le monde du renseignement. Surtout pas «JF», un de ses supérieurs de la base Trinity, à Halifax. Encore assommé par l'arrestation de son « employé », par les dégâts qu'il a pu causer et, surtout, interloqué de n'avoir jamais détecté quoi que ce soit de suspect chez Delisle, l'officier « senior » du renseignement y va de ce commentaire tranchant et sans équivoque à un enquêteur de la GRC : « S'il est coupable, j'espère qu'il finira ses jours en prison parce qu'il n'a aucune excuse. Je n'ai aucune pitié… aucune compassion pour… pour les traîtres ! »

DE L'AUTRE CÔTÉ DU MUR

Delisle a 25 ans en 1996 lorsqu'il intègre l'armée comme « spécialiste du renseignement » (*Intelligence operator*) dans la Réserve. Né en 1971 à Halifax et aîné de quatre enfants, le jeune homme a été élevé jusqu'à l'âge de trois ans par ses grands-parents maternels avant de revenir vivre avec sa mère et son beau-père, qui est dans la marine. Vers l'âge de 13 ans, la famille Delisle déménage à Montréal. Mais le jeune adolescent n'apprécie guère la vie dans la métropole québécoise. Il décide alors de retourner en Nouvelle-Écosse auprès de ses grands-parents. Il restera auprès d'eux jusqu'à ses 21 ans et à son entrée à l'université. Il a fait la connaissance de Jennifer, sa future épouse deux ans plus tôt à la *High School* de Lower Sackville. Pour Jennifer, Jeffrey est un vrai bon gars. Le gars droit, le gars idéal lorsqu'une jeune femme toujours « sur le party » comme elle s'assagit et songe au mariage. C'est d'ailleurs ce qu'ils font en mai 1997. Delisle déclare faillite l'année suivante. Il est incapable de payer son prêt étudiant et ses dettes de cartes de crédit. Le couple aura deux filles (la première naît en 1993 alors que Jennifer n'a que 19 ans et Jeffrey, 22 ans), puis deux garçons.

En 2001, Delisle entre à temps plein dans les Forces canadiennes comme caporal de l'armée de terre, à Halifax, avant d'intégrer l'École du renseignement militaire. En 2005, un premier drame affecte le couple lorsque ses deux filles sont frappées par une automobile dans une rue de leur quartier. Les deux petites s'en tirent, mais les soins que devra recevoir l'une d'elles pendant plusieurs mois grèveront sérieusement les finances des Delisle.

En mars 2006, la famille quitte la Nouvelle-Écosse pour l'Ontario. Le militaire est muté au bureau du « Chef du renseignement de la Défense », à Ottawa. Pour exercer cet emploi sensible, il doit avoir le « niveau III d'habilitation de sécurité Très Secret », le maximum au Canada.

C'est au SCRS que revient la charge d'effectuer le filtrage de sécurité pour les fonctionnaires, les militaires comme Delisle et les civils qui « dans l'exercice de leurs fonctions, ont accès à des biens ou à des informations classifiés du gouvernement ». Seule la GRC mène ses propres enquêtes sur ses membres. Sur son site Internet, le SCRS explique que « le niveau III d'habilitation de sécurité suppose la vérification des banques de données du SCRS et des entretiens avec le postulant, et peut aussi requérir une enquête plus approfondie, incluant des entrevues avec des amis, des voisins et des employeurs, ainsi que des consultations auprès des organismes d'application de la loi ou autres partenaires en matière de sécurité et de renseignement ».

Le SCRS nous précisera que son rôle se limite à fournir une « évaluation de sécurité ». C'est aux administrateurs généraux des ministères et des organismes qu'il revient au final d'octroyer ou non les habilitations de sécurité à l'employé concerné. L'armée, dans le cas de Delisle.

Selon ses dires et la preuve policière, c'est en juillet 2007 que Jeffrey Delisle, alors âgé de 36 ans, sonne spontanément à la porte de l'ambassade de Russie à Ottawa. Le couple Delisle affronte à ce moment-là une vraie tempête. Les époux sont devenus deux étrangers. Delisle passe une partie de ses nuits devant son ordinateur, son « premier amour » aux dires de Jennifer. Celle-ci se morfond dans son coin. Elle colle parfois des petits mots sur son écran pour rappeler avec humour, toutefois, son existence : « Que dirais-tu de venir draguer l'autre femme (elle) ce soir ? » Rien n'y fait, même si Delisle semble conscient de ses travers. L'ambiance dans leur appartement est à couper au couteau. Le naufrage est inéluctable. Les occupants des petites et modestes résidences à deux étages en brique et bardeaux blancs du 2296, Orient Park, à Orleans, ne manquent pas un mot des déboires conjugaux du couple. Après cinq ans passés à Halifax, Delisle, qui vient d'être promu sergent, a emménagé au printemps 2006 avec sa famille dans cette petite communauté tranquille, dissimulée de la route par un rideau d'arbres.

Photo *Le Droit*

En 2006, Jeffrey Delisle et sa famille quittent Halifax pour l'Ontario et emménagent au 2296, Orient Park Drive, à Orleans.

Leur vie de couple ressemble de plus en plus à un piètre scénario de téléroman. La liaison que sa jeune épouse et mère au foyer entretient avec un voisin est notoire et commence à faire jaser dans le voisinage. Tout comme leurs problèmes financiers qui les empêchent, entre autres, de se payer une auto. Heureusement, Jennifer peut compter sur une voisine assez serviable pour l'emmener faire ses courses en automobile. Le soir, le militaire noie sa déprime dans les jeux en ligne, une passion qui lui coûte cher. Ses cartes de crédit plongent dans le rouge. Les factures impayées s'accumulent. Le jour, il est perçu par ses voisins comme un type discret, travailleur, courageux. Mais les ragots vont bon train, surtout après avoir été surpris par une résidente, qui connaît bien le couple, caché derrière un buisson. L'espion est en train d'espionner son épouse, qui se trouve en compagnie d'un homme dans un logement voisin.

La voisine s'éclipse discrètement, en prenant soin de ne pas être repérée par le militaire. Sitôt rentrée chez elle, elle se jette sur le téléphone pour raconter à un voisin l'histoire croustillante dont elle a été témoin. En juin 2007, l'orage devenu inévitable éclate entre les deux conjoints. Jennifer quitte avec fracas le domicile familial. Le militaire reste seul avec leurs quatre enfants sur les bras pendant quelques semaines.

Delisle n'a jamais révélé la date exacte de sa « visite » à l'ambassade russe lors de son interrogatoire par la GRC, et l'enquêteur ne la lui a pas demandée non plus. Celle-ci n'a jamais été précisée lors des audiences en cour. Aucun indice, aucune mention non plus dans toute la preuve que nous avons consultée. Le mystère demeure, un autre mystère dans ce dossier. Mais toutes les affaires d'espionnage ne sont-elles pas, par nature, opaques ? Toutefois, selon les informations factuelles transmises par le FBI à la GRC, le premier paiement reçu de Moscou date du 7 juillet 2007. Il est plausible qu'il se soit écoulé un certain temps entre sa première rencontre avec les Russes et le moment où cette somme a été virée. Cette première visite est donc peut-être antérieure à la première semaine de juillet. D'autant plus qu'il situe en juin la crise majeure avec son ex-épouse, événement qu'il affirme être le catalyseur de sa trahison.

Il faut fouiller dans le rapport rédigé par un agent de probation un an après son arrestation pour découvrir des explications de sa part sur les circonstances entourant sa première visite chez les Russes. Une version des faits alambiquée et difficile à croire.

La thèse défendue par Delisle est celle de la « réaction émotive », du geste non prémédité causé par la rage, et même celle du hasard. Il a expliqué avoir été bouleversé après être passé devant la maison où résidait l'amant de son épouse. Il serait revenu chez lui, aurait bu de la vodka, coiffé sa casquette et mis ses lunettes de soleil avant de ressortir en « pleurs, en colère contre Dieu, sa femme et le monde entier ». Son idée première était de se jeter contre un bus, mais il aurait renoncé à son geste par amour pour ses enfants. Il a plutôt choisi de prendre un bus de ville et lorsqu'il en est descendu, il se trouvait « par hasard » devant l'ambassade de Russie. Il est entré, a rempli un formulaire, puis est reparti comme il était venu, en songeant au fait que le SCRS « finirait bien par l'attraper ». Delisle insiste beaucoup sur le fait qu'il levait consciemment des « drapeaux rouges » comme, par exemple, déposer sur son compte courant des fonds venus de Moscou, espérant ainsi inconsciemment être démasqué.

Autre point non élucidé : comment Delisle a-t-il pu convaincre les Russes de la crédibilité de sa démarche et de son potentiel ? Se peut-il qu'il soit venu avec une première pile de documents secrets, ce qui pencherait alors en faveur de la thèse de la préméditation ? La réponse réside probablement dans le sommaire des paiements effectués par Moscou. Delisle a encaissé en juin 2007 près de 10 000 $ canadiens répartis en deux paiements, l'un daté du 7 et un deuxième du 21 juillet. Ceci alors que, selon ses dires, il commençait à peine sa « collaboration ».

Malgré cet apport d'argent significatif et les paiements qui vont suivre, les finances de la famille Delisle sont au plus mal. Cela fait un moment déjà que le salaire du militaire ne suffit plus à payer l'hypothèque et à assurer le quotidien d'une famille de six personnes. Les factures s'accumulent. Delisle arrête même de payer les mensualités de la carte de crédit de son épouse après son « aventure extraconjugale ». En octobre 2007, elle déclare faillite pour éviter à son mari des répercussions néfastes sur sa vie professionnelle. « Il m'a dit que cela avait plus de sens que je déclare faillite pour les dettes à mon nom, sinon cela pourrait affecter son travail, entre autres parce qu'il avait une carte de crédit pour son boulot », a affirmé son ex-épouse. Le militaire lui coupe aussi l'accès au compte commun. Désormais, il peut y déposer l'argent de Moscou – même s'il lui avait été conseillé de s'en abstenir – sans risquer d'attiser la curiosité de son épouse sur ces fonds tombés du ciel.

CONTRE-ESPIONNAGE VICTIME DU 11 SEPTEMBRE

L'officier canadien aurait-il pu être identifié et neutralisé lorsqu'il s'est présenté à la mission diplomatique russe, à Ottawa, pour établir un premier contact avec le GRU, comme l'indique sa version des faits ?

À une autre époque, surtout durant la Guerre froide et les heures glorieuses du KGB, il aurait été photographié par des agents du SCRS (ou de son précurseur d'alors au sein de la GRC), planqués dans le poste d'observation positionné stratégiquement afin de ne rien manquer des allées et venues des diplomates et de leurs visiteurs. Lorsqu'un « suspect » sortait, il était alors systématiquement pris en chasse par une équipe de filature.

Il y avait un poste semblable dans l'immeuble en face de l'imposant consulat d'URSS situé avenue du Musée à Montréal, sur les contreforts du mont Royal. Les agents du SCRS avaient d'ailleurs assisté en direct à son incendie en janvier 1987 et observé avec stupéfaction les diplomates empêchant les pompiers de pénétrer dans ce haut lieu de l'espionnage nord-américain. Quelques secrets s'étaient consumés dans les flammes lors de ce sinistre inusité. Mais les services canadiens avaient toutefois réussi le tour de force de reconstituer des documents et objets incriminants à partir des débris récupérés lors d'une remarquable opération clandestine.

Ironie de l'histoire, l'ambassade de la rue Charlotte, à Ottawa, avait subi le même sort en 1956. Tout comme lors de l'incendie du consulat montréalais, les pompiers n'avaient pu approcher du sinistre, permettant ainsi aux agents secrets du KGB et du GRU de sortir des caisses de documents et de les mettre en sécurité. Les Soviétiques n'étaient pas naïfs, ils se doutaient que leurs homologues canadiens auraient profité de l'aubaine pour se glisser parmi les pompiers. L'ambassade actuelle a été rebâtie sur le même emplacement. Le service de renseignement de la GRC (ancêtre du SCRS) et le MI5 avaient d'ailleurs profité de sa reconstruction pour cacher des micros dans quelques pièces (Opération «Dew Worm»). L'occasion était trop belle...

Mais la chute du mur de Berlin, puis la montée en puissance du terrorisme, en particulier à la suite du 11 septembre 2001, ont sonné le glas de beaucoup de ces postes d'observation. Les budgets du contre-espionnage et les effectifs alloués ont été considérablement réduits. Si, autrefois, le contre-espionnage représentait 80 % des activités du SCRS contre 20 % pour le terrorisme, c'est désormais l'inverse. «On y va par ordre de priorités», ont coutume de dire ceux qui œuvrent dans ce domaine. Les postes d'observation physiques ont été progressivement désertés avant d'être remplacés par des dispositifs vidéo. Pas certain que ceux-ci fonctionnent encore ou, si c'est le cas, qu'ils soient contrôlés en permanence. Advenant cette hypothèse, beaucoup des spécialistes que nous avons consultés doutent que le simple analyste Jeffrey Delisle, avec sa casquette vissée sur sa tête et ses lunettes de soleil, ait pu être identifié.

Si le chasseur de taupes américain Aldrich Ames, chef du contre-espionnage soviétique à la CIA, a pu impunément, en pleine Guerre froide, frapper à la porte de l'ambassade d'URSS à Washington en avril 1985, selon la version officielle, pour offrir ses services d'agent double au *rezident* (chef de poste ayant une couverture diplomatique) du KGB, malgré la surveillance étroite du FBI à l'extérieur, Delisle, un bureaucrate anonyme au bas de la hiérarchie, avait a fortiori encore moins de soucis à se faire en 2007. L'obsession des Russes pour l'espionnage était plus que jamais considérée au sein des services occidentaux comme de la « vieille histoire », comparativement aux sanglantes activités des terroristes de la mouvance d'Al-Qaida. « Cela a fait perdre à l'Occident son *focus* sur l'espionnage, y compris la menace intérieure des taupes, et a facilité aussi l'explosion du cyberespionnage », déplore un fin connaisseur du monde du renseignement.

Le scandale Ames n'est pas unique. Par un drôle de hasard, la même année où cet officier de la CIA commence sa carrière d'agent double, un officier du KGB en poste à Washington, Viktor M. Degtyar, découvre avec stupéfaction dans la boîte aux lettres de sa résidence d'Alexandria une offre de service contre rémunération dactylographiée. Elle est rédigée par Robert Hanssen, agent du FBI ! Celui-ci lui annonce l'arrivée prochaine d'un colis contenant des informations sur les dossiers « les plus sensibles » traités par son organisation et la communauté du renseignement américain. Des secrets de haut calibre que Hanssen évalue à 100 000 $ US. Et, pour donner un gage de sérieux à son offre, l'agent du FBI livre trois noms d'officiers du KGB en poste aux États-Unis qui « ont été recrutés par (nos) services spéciaux ». Arrêté en 2001, échappant de justesse à la peine de mort, Hanssen, alias « B » pour les Russes, est assuré de croupir pour le restant de ses jours en quasi-isolement dans la prison SuperMax de Florence, au Colorado. Les Américains iront de mauvaise surprise en mauvaise surprise dans le cas de Hanssen, dont la trahison sera décrite par les officiels américains comme « possiblement le pire désastre dans l'histoire américaine du renseignement ». Bien après son arrestation, il avouera en effet avoir approché la première fois le KGB en 1979, à New York. Cette première collaboration ne durera que deux ans.

Quant à Aldrich Hazen Ames, arrêté en 1994 (peut-être à la suite d'un tuyau reçu d'un agent double… russe), il est également emprisonné à vie en Pennsylvanie sans possibilité de libération. Terminés le train de vie luxueux, les milliers de dollars dépensés en un week-end à New York avec son épouse, sa Jaguar rouge vif trop voyante et toutes ces folles dépenses, gracieusetés du KGB pour services rendus ! Fait à noter, Ames avait passé avec succès à deux reprises le test du polygraphe, auquel les responsables de l'agence étaient soumis tous les cinq ans, tout comme au SCRS, pour débusquer les taupes éventuelles.

La « Mère Russie » a elle aussi subi les affres et les conséquences dramatiques de la traîtrise d'un marcheur. Le cas le plus célèbre demeure celui du colonel Vladimir Vetrov, alias « Farewell », qui s'est jeté dans les bras des services français au début des années 1980 (voir chapitre 1). Un autre cas notoire remonte celui-là à mars 1992, peu après l'effondrement du Bloc soviétique, quand un homme se présente, une valise à la main, à l'ambassade de Grande-Bretagne en Estonie. Il affirme être un colonel retraité du KGB / SVR où il a terminé sa carrière comme responsable des archives et avoir de ce fait entre autres en sa possession, dans sa fameuse valise, des « documents intéressants à montrer ». Vladimir Mitrokhine troquera sa mine d'informations, planquée à l'origine dans des bidons de lait enterrés à la campagne, concernant notamment les réseaux d'« illégaux » russes et les noms d'agents d'influence grassement rémunérés par le KGB en Occident, contre une nouvelle vie pour lui et sa famille en Grande-Bretagne, où il mourra paisiblement en 2004.

Les marcheurs comme Delisle, Ames ou Mitrokhine offrent le meilleur rapport qualité / prix pour un service d'espionnage. Aucune formation, aucun investissement, presque aucun risque encouru non plus… tant que la taupe fait ses ravages sans être démasquée. Mais un service d'espionnage ne peut pas se permettre d'attendre qu'un marcheur sonne à sa porte, une mallette bourrée de documents à la main ou une clé USB bien garnie dans sa poche. Il doit donc continuer à recruter des sources, à subtiliser des secrets, petits ou grands, par tous les moyens. Et à ce jeu-là, le GRU n'est pas en reste.

GRU, L'« ENNEMI RESPECTÉ »

Pendant la Guerre froide, le GRU jugeait prioritaire la collecte des sciences et technologies utilisées par les puissances militaires étrangères, comme la technologie de radars développée au Canada. Mais, à l'image du KGB, le GRU a aussi connu ses hauts et ses bas. Néanmoins, l'appareil de renseignement militaire a mieux encaissé l'effondrement de l'Union soviétique que son frère, le KGB qui, dès 1991, s'est retrouvé embourbé dans une longue période de transition et de remaniement pour éclater en deux structures : l'une, le FSB, consacrée au renseignement intérieur, contre-terrorisme et contre-espionnage, et l'autre, le SVR, aux renseignement et opérations extérieurs.

Le GRU russe, qui compterait près de 60 000 employés et dont le budget est quasi illimité – la fin justifiant toujours les moyens –, a toujours été considéré comme un « ennemi respecté » au sein de la communauté du renseignement occidentale, y compris au Canada.

« Le SVR et le GRU ne sont pas seulement agressifs, mais plus agressifs qu'ils ne l'ont jamais été pendant la Guerre froide. Leur principale source de collecte de renseignement se fait par le biais de sources humaines (HUMINT en anglais) », affirmera James Joseph Dougherty, agent spécial du FBI spécialisé dans les opérations de renseignement russes, lors d'une audience dans la cause de Jeffrey Delisle. Des informations, expliquera-t-il, obtenues auprès de transfuges issus de ces services offensifs russes, en particulier Viktor Suvorov et Sergei Tretyakov (décédé subitement en Floride, en 2010).

Un ex-membre du renseignement canadien abonde dans le même sens : « Si l'on veut faire une distinction avec le SVR, je crois qu'ils sont restés fidèles et dédiés au renseignement humain. La pratique de l'HUMINT – où les sources sont recrutées au sein des organisations, même dans les cas les plus complexes comme des « clandestins » (illégaux) – est très probablement une priorité constante et un point de fierté de cette organisation. » Et parce que le GRU concentre toujours ses efforts sur les capacités militaires adverses et sur ceux qui possèdent des informations sensibles sur le sujet, des sources « officielles » de premier choix comme Delisle s'avèrent d'autant plus intéressantes à cultiver.

C'est d'ailleurs ce même GRU qui aurait recruté Steven Ratkaï, arrêté en 1988 à Terre-Neuve après avoir été piégé par une agent double, puis condamné à neuf ans de prison. Ratkaï voulait obtenir et transmettre à l'URSS des secrets militaires de la marine américaine, en particulier sur son système immergé de détection des sous-marins soviétiques. Tout comme dans le cas de Delisle, ces infos sensibles provenaient d'une base navale des provinces maritimes canadiennes. L'Histoire est un éternel recommencement.

Seuls six agents du GRU connaissaient, semble-t-il, l'existence de Jeffrey Delisle. Ce dernier n'aurait rencontré un représentant du GRU qu'une fois en sol canadien. Une rencontre « brève », selon ses dires. C'était en 2007 à Ottawa, en « secteur russe » – sous-entendu dans une mission diplomatique. Logique, selon l'ex-général du KGB Oleg Kalugin, aujourd'hui réfugié aux États-Unis : « Il y a peu de communications face à face. On préfère les moyens impersonnels et les rendez-vous à l'étranger », a-t-il expliqué dans une entrevue au réseau CBC. Il est aussi permis de penser que le GRU devait se méfier de Delisle comme de tout volontaire. Après tout, il n'avait pas été approché et « coopté » à l'issu d'une recherche-analyse poussée (*talent spotting*). Autant éviter de « brûler » un réseau clandestin patiemment bâti à cause d'un agent double peu fiable.

Delisle aurait reçu quelques conseils de « taupe 101 » à cette occasion. « Le galimatias habituel, se souvient-il. Ne soyez pas *flashy*, n'achetez pas de cadeaux coûteux, ne déposez pas l'argent dans votre compte bancaire, tout ça… » Cette rencontre avec l'émissaire du GRU a-t-elle eu lieu dès sa première visite à l'ambassade ou peu de temps après ? Quel en était le but, hormis de recevoir des consignes simplement logistiques ? Quelles questions lui a-t-on posées pour évaluer sa motivation et sa fiabilité ? On ne le sait pas. Delisle demeure toujours évasif lorsque vient le temps de raconter ses débuts avec le GRU et de dévoiler des détails opérationnels.

Tout juste a-t-il évoqué sa certitude de l'existence d'un réseau d'agents dormants russes au Canada, en particulier dans la région de la capitale nationale. Une conviction renforcée, dit-il, à la suite du démantèlement par le FBI, en juin 2010, d'un réseau d'agents dormants aux États-Unis dont faisaient partie notamment le faux Montréalais Donald Heathfield (voir chapitre 5) et la flamboyante «poulette rousse» (sic) Anna Chapman.

«J'ai reçu des lettres des alentours d'Ottawa et des adresses... Mais le réseau est là, pour sûr [...] Combien de fois j'ai lu des rapports... pas d'espionnage... pas d'espionnage. (Nous sommes) complètement aveugles. Je le jure devant Dieu, Ottawa est infesté d'agents du GRU », lancera-t-il lors de son interrogatoire par la GRC. Affirmation «peu crédible» et «exagérée» répliquent ceux qui connaissent bien le milieu du renseignement. Présent, oui, sous couverture diplomatique en particulier avec le statut d'attaché militaire. Ils sont d'ailleurs parfaitement identifiés et fichés (comme leurs homologues du SVR) par les agents canadiens. De là à parler d'infestation... Certains y voient une part de propagande, histoire de mousser son témoignage et surtout son rôle. «C'est un manipulateur comme beaucoup d'individus aux parcours semblables», de répliquer une de nos sources.

Si l'aventure tournait vraiment mal et qu'il perdait le contact avec ses contrôleurs russes, le militaire canadien devait appliquer à la lettre une procédure d'urgence. Le scénario qu'on lui avait fourni est en revanche typique des romans d'espionnage. Ce plan B consistait à se rendre dans une ambassade russe, «pas au Canada de préférence», et de s'identifier sous le nom d'Alex Campbell. Pour confirmer son identité, son interlocuteur devait poser la question suivante: «Est-ce que nous nous sommes déjà vus à un concours de saut d'obstacles en Autriche?» «Non, c'était à Ottawa», devait répondre Delisle.

Un scénario qui, s'il s'était concrétisé, aurait probablement constitué le seul moment pimenté de sa carrière d'espion bureaucrate condamné à passer ses journées sur une chaise, les yeux rivés devant ses écrans d'ordinateur.

L'« EFFET MOSAÏQUE »

De 2007 à 2011, mois après mois, Delisle fournit une masse d'informations classifiées à la Russie contre rémunération. Pas de photos ni de plans, jura-t-il après son arrestation. Que du «texte». «Des infos fraîches parce que de la vieille info n'est pas vraiment de la bonne info », se permet-il de préciser avec une certaine arrogance.

Quelles infos ? Combien ? Il ne le sait pas lui-même lorsque l'agent de la GRC lui pose la question pour réussir éventuellement à évaluer et contrôler les dommages causés par ces fuites. « Imagine un instant combien tu peux en empiler sur une clé USB, rétorque Delisle. Je ne me souviens même pas combien, mais c'était beaucoup. C'était beaucoup. » Le GRU est en effet gourmand : tant qu'à disposer d'une bonne source, autant l'exploiter au maximum. Le renseignement militaire russe veut tout ce qui peut intéresser la « Mère Russie », « n'importe quoi qui est relié à leurs activités, mais pas du technique », tout ce qui peut leur permettre de « combler des trous dans leur renseignement », tout ce qui concerne aussi le crime organisé russe, le domaine de l'énergie au sein du gouvernement canadien et aussi les « discussions dans ce secteur avec la Chine ». Mais leur priorité concerne toute information pouvant leur permettre d'identifier les agents occidentaux infiltrés en Russie et démasquer les taupes au sein de leur propre organisation.

Delisle assure n'avoir jamais livré de tels agents en pâture aux Russes parce que, dit-il, il n'avait pas accès à ce type d'information très sensible. Le type de renseignement qu'il manipulait, assure-t-il, provenait d'interceptions électroniques (SIGINT), y compris des « communications entre diplomates aux Nations Unies ». Donc illégales… « On espionne tout le monde et tout le monde espionne ses amis », dira-t-il. Quiconque a en mémoire les révélations au compte-gouttes d'Edward Snowden, l'ex-employé de la NSA, ne le contredira pas sur ce dernier point.

Dans son interrogatoire avec la GRC, Delisle tentera toujours d'amenuiser la gravité de ses gestes : « Le truc que je leur ai envoyé, dira-t-il à propos d'un rapport du SCRS subtilisé peu avant son arrestation, n'était pas un vrai… Ça ne posait pas un risque pour notre sécurité en tant que tel, c'était basé sur une source. Beaucoup était du SIGINT pour tout dire, tu sais, untel et untel parlaient à untel et untel, c'est classé secret maximum parce que c'est de l'écoute indiscrète. » Il a tout de même envoyé aux Russes une liste de contacts du chef d'état-major de la Défense travaillant dans le monde du renseignement, incluant leurs coordonnées téléphoniques et leurs adresses courriel…

Les organisations victimes des fuites de Delisle ne partagent pas son optimisme quant au sort réservé éventuellement à leurs sources. Dans un document qu'il a adressé à la GRC après l'arrestation de Delisle, le CSTC – les grandes oreilles du Canada – écrit craindre « raisonnablement » que la somme de toutes ces fuites d'informations permette à une « agence de renseignement étrangère » de tirer des conclusions sur les « cibles des services canadiens et alliés, leurs techniques, leurs méthodes et leurs capacités ». Le SCRS par exemple, dans son rapport d'évaluation des dommages rédigé en 2012, insiste sur le fait que ce sont les gestes répétés de Delisle qui permettraient au final l'identification de sources et d'employés du service. « De ce fait l'ampleur des dommages potentiels est considérée comme ÉLEVÉE (HIGH) », est-il écrit.

Les experts craignent en effet ce que l'on pourrait décrire comme un « effet mosaïque ». La plupart des rapports secrets contiennent souvent un paragraphe (*Intelligence source descriptor*) qui livre quelques indications sur l'origine des informations et la fiabilité de la ou des sources. Entre 2007 et 2012, Delisle a « coulé » beaucoup de documents, axés essentiellement sur la Russie. Il existe donc un risque extrêmement grave que des sources puissent être identifiées par les services russes à la suite de recoupements effectués parmi la masse de documents et d'informations obtenus par leur informateur.

Cette menace pour leur sécurité n'est pas à prendre à la légère. Revenons par exemple aux cas de Ames et Hanssen évoqués auparavant. Une vingtaine d'agents doubles à la solde de l'Occident ont été démasqués en URSS / Russie à cause des infos divulguées par ces deux individus. La plupart ont été exécutés pour trahison. Des exécutions qui sont survenues plus tard, néanmoins. « Je savais que certains seraient poursuivis et que d'autres seraient exécutés en raison de l'existence de la peine capitale dans ces pays. Mais je ne les ai pas trahis pour causer leur mort. Quand j'entre dans ma maison, quand je conduis ma voiture ou quand j'enfile mes costumes de prix, est-ce que j'ai l'impression d'avoir leur mort sur ma conscience ? La réponse est non », confiera ensuite froidement Ames.

Autre source d'inquiétude : Delisle assistait dans le cadre de ses fonctions à des rencontres avec divers fonctionnaires du gouvernement, incluant des agents du SCRS. Il est impossible a posteriori de dresser le bilan de ce qu'il a vu, lu et entendu au quotidien dans son bureau ou lors de réunions et de ce qui a pu prendre le chemin de Moscou. Il était surtout en mesure de fournir aux Russes des renseignements précis sur ses interlocuteurs en vue éventuellement d'une approche ultérieure. Dans le milieu de l'espionnage, cela s'appelle « l'évaluation de la personnalité ». Des infos précises sur leurs rangs ou fonctions, leurs états d'âme, des détails sur leur vie personnelle s'il en connaît, etc. Toute cette collecte peut faciliter leur approche par un service de renseignement « ennemi », soit socialement dans le cadre du travail lors d'une conférence, par exemple, soit en frappant à leur porte de chambre d'hôtel la nuit, soit en s'approchant d'eux dans un bar pour engager une conversation a priori anodine.

Et, enfin, il y a l'impact néfaste sur les nécessaires liens de confiance indéfectibles entre une source et son « employeur ». L'affaire Delisle, écrit le SCRS dans le même rapport, « peut envoyer le message à des sources actuelles ou potentielles que le Service n'est pas capable de garantir l'anonymat dont dépend leur sécurité ».

Tous ces dégâts sont encore très difficiles à évaluer, car ils sont potentiellement nuisibles à long terme !

« COPIER-COLLER-ENREGISTRER SOUS BROUILLONS »

Dès le début de sa collaboration avec le GRU, Delisle se voit imposer par Moscou des consignes de communication strictes.

S'il fantasmait sur une vie d'espion trépidante, le militaire canadien doit vite déchanter. Pas de « boîte aux lettres morte » dissimulée au fond d'un parc où il pourrait glisser furtivement des documents, pas de radio à ondes courtes pour capter les ordres envoyés de Moscou, pas d'échange furtif de sacs identiques dans un escalier de métro sombre, autant de procédés utilisés par des taupes tant dans la fiction que dans la réalité.

Les échanges avec son officier traitant ont plutôt lieu par courriel. Le système de messagerie choisi est Gawab, un fournisseur d'accès

« basé » au Moyen-Orient. Le compte ouvert par les Russes est au nom de cmanson1970@gawab.com. Le mot de passe utilisé est composé de 16 chiffres et lettres, de 0 à 3 et de P à E, qui doivent être tapés alternativement de gauche à droite, et de bas en haut, sur les deux lignes du clavier. Ce qui donne : P 0 O 9 et ainsi jusqu'à 3.

Delisle emploie la méthode bien connue du « brouillon », ou « boîte aux lettres morte virtuelle » longtemps prisée par les espions et les groupes terroristes pour éviter toute interception électronique par les NSA et CSTC de ce monde. Il n'envoie aucun message à son contact russe, et vice versa. Une fois rédigé, le message est enregistré dans le dossier « brouillons ». Il ne circule pas sur la toile. Expéditeur et destinataire peuvent accéder au compte et aux messages qui y sont enregistrés grâce à un mot de passe alphanumérique partagé en commun. Lorsqu'il est lu, le message est simplement effacé, ne laissant alors aucune trace.

La facilité avec laquelle Delisle, en particulier à la base Trinity, a pu extraire virtuellement du système informatique, puis sortir physiquement des informations sensibles des locaux de la Défense nationale, laisse songeur. Une disquette désuète et une clé USB, formatée à outrance et utilisée parfois même par son fils pour sa X-Box, seront ses seuls outils pour contourner le semblant de système de protection des données ultrasecrètes partagées par les alliés du Canada.

Copier, coller, copier, coller, etc. : c'était la base de la méthode Delisle. Un processus qu'il détaille ainsi : « C'est très simple : mettre une disquette dans la machine, copier (les informations) sur un bloc-notes, sauvegarder sur la disquette, sortir la disquette, mettre une clé USB dans un autre système, transférer les dossiers (de la disquette) sur la clé USB, l'apporter à la maison, la transférer. »

Son ordinateur branché sur le pipeline d'infos « Top Secret » provenant des quatre coins de la planète était en fait une passoire dans laquelle il suffisait d'insérer une disquette pour transférer les informations classifiées vers un second ordinateur « normal », « non classifié », acceptant les clés USB. Un jeu d'enfant. Il n'y avait aucun système pour empêcher, détecter et signaler tout téléchargement de données sur des dispositifs amovibles. Voilà qui rappelle une fois encore le cas de l'ex-sergent-détective Ian Davidson, du SPVM (voir chapitre 2).

Cette absence de mesures de sécurité efficaces dans les locaux du renseignement de la Défense nationale pour endiguer la fuite d'informations classifiées est le vrai scandale de l'affaire Delisle. Des failles inexcusables qui ont ébranlé les quatre autres partenaires du Canada au sein du groupe des Five Eyes, laissera entendre la directrice générale de la sécurité interne du SCRS lors des représentations sur sentence de Delisle, en janvier 2013.

La commission chargée en 2002 par le gouvernement américain, dans la foulée du scandale Robert Hanssen, d'examiner les procédures de sécurité en vigueur au sein du FBI a conclu que la «facilité» avec laquelle il avait réussi à «dérober du matériel décrit par lui-même comme extrêmement et remarquablement utile pour les puissances étrangères hostiles» est tout «aussi choquante que l'importance de sa trahison».

Ce laxisme des militaires relativement à la nécessaire protection de l'information fait sursauter les experts du milieu du renseignement. Dans leur univers, rares sont les ordinateurs qui permettent d'y insérer une clé USB. La liste des employés autorisés à utiliser des dispositifs amovibles, que ce soit pour télécharger sur un ordinateur ou copier vers ces dispositifs, est très restreinte. Des mécanismes bloquent et signalent tout téléchargement ou copie d'informations sensibles. La «norme» comprend aussi des procédures très strictes lorsque vient le temps de sortir des documents classifiés et des fouilles aléatoires à la sortie des bureaux qui pourraient permettre de découvrir une clé USB gorgée de secrets cachée au fond d'une poche... Normes tout aussi strictes dans la surveillance et l'évaluation en continu de la fiabilité et de l'intégrité des employés, tel Delisle, gravitant dans le monde du renseignement.

«Comment, nom de Dieu, quelqu'un a-t-il pu manquer tout cela? La réponse réside peut-être dans le fait que la sécurité est tout bonnement ridicule. C'est du fromage suisse», de s'indigner aussi l'avocat de Delisle.

LES RATÉS DE SA COTE DE SÉCURITÉ

En juillet 2008, le sergent Delisle fait une pause dans sa carrière et déménage à Kingston avec trois de ses enfants. Seule sa fille aînée reste auprès de sa mère, à Ottawa. Le couple vit séparé depuis le mois d'avril. Delisle continue néanmoins d'assumer les dettes du couple. Il entre à plein temps au Collège militaire, où il obtient avec succès son baccalauréat ès arts un an et demi plus tard. Il reçoit tout de même trois paiements de 3 000 $ US du GRU pendant ce laps de temps, même s'il a averti le renseignement militaire russe qu'il ne peut plus remplir sa mission clandestine. Le militaire en profite aussi pour apprendre le design web et graphique et parfaire sa formation en renseignement.

Après avoir décroché son bac ainsi que son brevet d'officier, Delisle retrouve son ordinateur «protégé» et ses banques de données. Toutefois, malgré son diplôme et son brevet d'officier, les Forces canadiennes ne reconnaissent pas son expérience passée comme sous-officier spécialiste de renseignement. Il doit donc compléter son cours d'officier de renseignement entre janvier et juin 2010. Les secrets du Canada et ceux de ses alliés reprennent le chemin de Moscou qui, en guise de remerciements, lui envoie son flux de dollars !

L'été 2011 tire à sa fin. Delisle, désormais sous-lieutenant, et ses trois enfants sont de retour depuis un an dans la capitale de la Nouvelle-Écosse. L'officier vient d'être transféré du Quartier général du secteur de l'Atlantique de la Force terrestre (SAFT). Il travaille plus précisément au sein de la base Trinity, plateforme du renseignement militaire maritime de la région Atlantique. N'entre pas qui veut à Trinity : ce centre névralgique du renseignement militaire en opération 24 heures sur 24 est cerné par deux rangées de clôtures barbelées et une batterie de caméras de surveillance. Protections visibles mais futiles, «l'ennemi» est déjà à l'intérieur !

Les paiements de 3 000 $ US continuent de tomber à un rythme de métronome. Dix paiements recensés rien que pour 2010, l'année la plus payante d'ailleurs pour Jeffrey Delisle depuis le début de sa collaboration. Sur le plan personnel, son divorce a été officialisé au printemps. Et il a rencontré Joy sur le web, avec qui il partage la même passion pour le Moyen-Âge, la pêche et les balades dans la nature! La jeune femme est au courant des déboires conjugaux de Delisle, un homme «aimant, affectueux et qui ferait n'importe quoi pour les autres» à ses yeux. Leur vie ressemble donc à un long fleuve tranquille. «Elle m'aime pour ce que je suis», de dire le militaire. Aux antipodes des dernières années de sa relation avec son ex-épouse, qui garde quand même le souvenir d'un père attentionné mais aussi d'un être contrôlant, casanier, sans amis, à la personnalité explosive avec des colères soudaines et blâmant toujours les autres pour ses propres fautes.

Au quotidien, Jeffrey Delisle prépare notamment des rapports d'«évaluation de la menace» destinés aux équipages des navires de la marine canadienne en mission partout dans le monde et aussi à la protection des édifices de la marine. Son rayon d'action dans sa pêche aux infos est large, de l'espionnage au terrorisme, au cyberespionnage, aux menaces dans le domaine de la santé, etc. Delisle sait aussi tout ce qui se passe sur l'eau et même sous l'eau, jusque dans les abysses, le terrain de jeu des sous-marins.

L'analyste travaille dans un petit espace cloisonné personnel. Deux ordinateurs sont à sa disposition, l'un étant spécifiquement réservé à l'accès et au traitement des informations «Top Secret – For Canadians eyes only» provenant des six bases de données sensibles à sa disposition. Toutefois, son habilitation de sécurité niveau III «Très secret», obtenue en mars 2006, aurait dû être révisée en mars 2011 au terme de sa durée de cinq ans, ce qui ne fut pas le cas. Continuer à exercer son emploi même avec une cote échue est une pratique tolérée et usuelle dans plusieurs organismes au Canada, mais contestable. Le SCRS nous précise qu'il revient aux ministères et aux organismes gouvernementaux de lancer les processus de demande, de mise à jour et de renouvellement d'habilitation de sécurité. Si tel avait été le cas, nombreux sont ceux dans la communauté du renseignement qui sont persuadés que l'enquête poussée du SCRS aurait certainement déclenché plusieurs alarmes.

Nous avons questionné la Défense nationale à ce sujet. L'armée a tenu à préciser qu'une cote «n'expire pas», mais qu'elle doit nécessiter des «mises à jour», et que celle de Delisle «a été soumise aux révisions appropriées». Nous apprendrons, surtout avec une certaine surprise, que le processus concernant Delisle a été lancé le 12 janvier 2011 par le biais du Système de traitement de cote de sécurité (SCPS en anglais). Mais, des ratés inexpliqués ont retardé d'un an l'enquête de sécurité concernant Delisle et permis ainsi à la taupe de continuer à sévir pendant de longs mois. La Défense évoque « une série de corrections effectuées au dossier de Delisle », faisant en sorte qu'il n'a pu être renvoyé avant le 13 janvier 2012 au Bureau de la vérification de la sécurité, afin qu'il puisse passer au stade de l'enquête proprement dite, incluant les investigations « financières » dans son dossier de crédit et les vérifications du SCRS. Or, le 13 janvier est le jour de son arrestation ! « C'est la dernière activité rapportée à son dossier puisque le militaire a été arrêté », conclut laconiquement la Défense nationale.

Sur le plan humain, Delisle se fait vite remarquer encore une fois pour sa tendance naturelle à la solitude et à l'isolement. Le militaire n'est pas le genre d'homme affable qui interagit facilement avec ses collègues. Il se plaît à cultiver la discrétion, se contente de réponses banales lorsqu'on le questionne sur sa famille et fuit comme la peste la moindre activité sociale organisée par son équipe. Delisle se décrira plus tard lui-même comme un être plutôt « introverti » de nature et peu enclin à tisser des liens à l'extérieur de son noyau familial étroit. Il dit préférer passer son temps avec ses enfants, jouer à la X-Box et être rivé devant son ordinateur pour jouer en ligne.

Sur le plan professionnel, grâce à sa longue expérience de spécialiste du renseignement, Delisle est perçu par ses supérieurs comme un homme dont les compétences sont supérieures aux normes établies pour un sous-lieutenant. Encore quelques mois et la promotion à titre de lieutenant ne sera qu'une formalité pour lui. « JF », son superviseur direct, a beau le considérer comme peu ambitieux et satisfait de demeurer dans l'ombre, il n'a rien à redire sur son assiduité, sa productivité et son attitude au quotidien. « Il était toujours à l'heure. Je ne l'ai jamais vu paniquer devant des échéanciers serrés », mentionne-t-il à un enquêteur de la GRC. Pas de problèmes de consommation d'alcool ou de stupéfiants non plus.

Alors, il est loin de s'imaginer que son officier modèle qui fait son 8 à 16 sans broncher, qui a toute sa confiance au point de ne pas juger nécessaire de le superviser, copie-colle, copie-colle et copie-colle sans cesse dans son dos des données confidentielles pour les vendre aux Russes.

LE VOYAGE DE TROP

C'est alors qu'un gros grain de sable pénètre dans cet engrenage jusqu'ici trop bien huilé. L'état de santé et la forme physique générale de la taupe se dégradent. Souffrant d'embonpoint, d'hypertension artérielle, du diabète de type 2 et d'un problème à l'épaule, Delisle échoue au test physique (PT test) obligatoire. Son supérieur l'avise que sa piètre condition va l'empêcher d'être déployé en mer, ce qui signifie à coup sûr la fin de son emploi d'officier du renseignement de la marine. Il y a quelques années, l'armée canadienne, qui souffrait de sous-effectif, aurait certainement passé l'éponge et trouvé une façon de lui conserver son emploi. Cette époque est révolue, l'armée est désormais plus « sélective » et a tendance à se débarrasser de ceux qui ne répondent pas à ses exigences.

De retour chez lui, Delisle ouvre son ordinateur portable et se connecte à son compte Gawab. Il prévient son *handler* que le robinet d'infos secrètes va bientôt se refermer. Delisle croit que les Russes n'auront alors pas le choix de lui ficher la paix. Qu'il va pouvoir passer à autre chose. Se rebâtir une nouvelle vie. Se consacrer à ses enfants qu'il adore et à Joy, son nouvel amour.

Mais le GRU a un autre plan pour Delisle. Il reçoit l'ordre de se rendre sans délai à Rio, au Brésil, pour une rencontre. Le militaire ne semble pas emballé par ce voyage, mais le GRU insiste et se montre presque menaçant, semble-t-il. Delisle comprend qu'il n'a pas le choix. Il doit alors inventer un prétexte avant d'en parler à Joy. Il prévient aussi son supérieur et remplit une demande de congé en bonne et due forme.

Le 16 septembre 2011, la taupe s'envole de l'aéroport d'Halifax vers Rio, avec deux escales aux États-Unis, à Philadelphie et Charlotte. Il a payé son billet d'avion comptant le jour même. Delisle s'installe à l'hôtel Rio Presidente, un établissement plutôt ordinaire situé au centre-ville. Il y passera d'ailleurs seulement deux jours avant de plier bagage pour le Copacabana Palace, situé au bord de la mythique plage brésilienne.

Cet hôtel de grand luxe, avec ses chambres à 700 $ la nuit, se décrit comme étant « le plus renommé d'Amérique du Sud au décor *glamour* empreint de nostalgie ».

Delisle n'est pas venu pour flâner ou bronzer au milieu des Cariocas. La rencontre avec Victor, l'agent du GRU, a lieu dans un parc de la ville. Victor n'est pas venu les mains vides. Il veut remettre 50 000 $ US à sa source, qui refuse. Il ne veut pas se faire prendre aux douanes avec un tel montant, qui dépasse cinq fois le maximum légal. Finalement, le militaire canadien empoche 10 000 $ US comptant en billets de 100 $ flambant neufs, et 30 000 $ répartis en montants de 10 000 $ sur trois cartes de crédit préautorisées.

— Fais attention à ne pas être trop flamboyant dans tes dépenses, Jeff, avertit Victor.

— Bien sûr…

— Jeff, on a un autre plan pour toi. Ton rôle va changer. Tu vas être notre courrier, notre « pigeon ». Ton travail sera d'assurer la liaison entre nos agents au Canada. Seulement, tu vas devoir d'abord te rendre en Autriche pour suivre une formation technique.

Jeff n'est pas emballé par ce projet, mais il acquiesce poliment.

— Pourquoi tu fais tout ça, Jeff ? reprend Victor.

— C'est idéologique… Nos valeurs occidentales sont de la foutaise. Tout le monde espionne tout le monde, même nos amis, mais on se tient par la main en souriant devant les caméras. Tout ça est tellement hypocrite…

Le retour à Halifax ne se passe pas comme l'agent double l'avait imaginé. À sa descente du vol US3706 en provenance de Philadelphie, Delisle passe le premier contrôle douanier sans encombre. Il présente son passeport, remet sa carte de déclaration et répond aux questions d'usage. La routine pour tout voyageur ordinaire. Delisle reprend ses documents et se dirige d'un pas pressé vers la sortie. Le second « barrage » douanier est en vue. Le militaire avance d'un bon pas. Quelques secondes encore et il sera à l'extérieur avec sa petite fortune en poche.

Il tend sa carte de déclaration au douanier. Celui-ci observe le document, puis dit :

— Monsieur Delisle, veuillez me suivre, s'il vous plaît.

Delisle est dirigé vers une pièce à l'écart, où ont lieu les « contrôles secondaires ». Il est nerveux et mal à l'aise. Il fuit le regard du douanier, une attitude suspecte qui n'échappe pas à la sagacité du fonctionnaire. L'employé de l'Agence des services frontaliers du Canada (SFC) note aussi avec intérêt que le visage du militaire n'est pas très bronzé. Bizarre, pense-t-il, pour un type qui revient tout juste d'un séjour sous le chaud soleil de Rio. Sa petite valise à roulettes est fouillée, auscultée même jusqu'au moindre recoin : aucune trousse de toilette, juste une brosse à dents, des « shorts » cargo, des chemises et des sous-vêtements. Mais, surtout, un bloc-notes avec ce qui ressemble à une mystérieuse adresse Internet écrite à la main sur la première page : gawab.com/2801-8089-4878/ PO BOX MAY/CM 1930/sabbatical? AC. En fait, les trois séries de chiffres correspondent aux numéros des trois cartes de crédit refilées par Victor.

Son portefeuille et ses poches sont vidées. Les douaniers font le décompte : quatre cartes de crédit, une carte de débit ainsi que la somme de 6 551 $ US en billets neufs de 100 $ sans aucune marque, ni pli. Mais pas un real brésilien. Bizarre aussi.

Les questions s'enchaînent. Où travaillez-vous ? D'où vient tout cet argent ? Pourquoi un voyage si court ? Étiez-vous seul ? Que faisiez-vous de vos journées ? Pourquoi avez-vous changé d'hôtel ? Qu'avez-vous visité là-bas ?

Delisle bafouille. L'officier du renseignement a réponse à tout, mais s'empêtre dans ses explications troubles et ses mensonges. Il explique qu'il a planifié ce voyage au mois d'août, mais qu'il n'a acheté son billet comptant que le jour de son départ, parce qu'il n'avait pas réussi à le faire sur le site Internet Expedia. Il précise d'ailleurs avoir expliqué tout cela aux douaniers américains lorsqu'ils l'ont interrogé eux aussi. Il raconte aussi n'avoir jamais voyagé de sa vie et qu'il s'est décidé sur un coup de tête, après avoir vu une pub vantant les charmes du Brésil à la télévision. Quant aux milliers de dollars trouvés sur lui, Delisle affirme qu'il s'agit du fruit de gains au jeu dans les casinos d'Halifax et Philadelphie, ainsi que de la vente d'objets sur eBay. Des billets qu'il a l'intention de mettre à l'abri dans son coffre , chez lui.

Le douanier note dans son rapport que Delisle est «vague au sujet de ses activités au Brésil. Il a dit qu'il s'était promené en ville et sur le *boardwalk*, mais il était incapable de citer une attraction touristique de Rio de Janeiro».

Le douanier est convaincu que l'analyste militaire ment : « Delisle s'est montré plus à l'aise au fur et à mesure que la vérification avançait. Cependant, je ne crois pas un mot de son histoire, compte tenu des trous et parce que tout cela n'a simplement aucun sens », écrit-il dans son rapport de l'événement. Il y joint des photocopies des cartes de crédit, de la facture de 4839 reals brésiliens (environ 2673 $ canadiens), de celle du Copacabana Palace payée comptant et d'autres documents pertinents découverts dans les effets de Delisle.

Après 45 minutes de fouilles et d'interrogatoire serré, Delisle est autorisé à partir. Tandis qu'il replace une à une ses affaires dans sa petite valise, il comprend que la chance est en train de tourner dans le mauvais sens. Cet événement est-il le fruit du hasard combiné au flair légendaire du douanier, d'une alerte des Douanes américaines ou bien une « commande » du SCRS avec qui l'ASFC, qui possède une capacité de renseignement, entretient une coopération étroite ?

Si l'on en croit les informations révélées depuis au compte-gouttes, le hasard n'a pas sa place dans cette histoire. Le SCRS et le FBI avaient déjà Delisle à l'œil à ce moment-là. Peut-être même avait-il été filé au Brésil par le FBI, comme l'avait été un des membres du réseau d'illégaux auquel appartenait le faux Montréalais Heathfield (voir chapitre 5) lorsqu'il se rendait dans un pays sud-américain – jamais divulgué – pour rencontrer un émissaire du SVR. Comme dans le cas de Delisle, ces rencontres avaient lieu dans un parc et étaient aussi l'occasion d'un échange d'argent.

Dans le cas de Delisle, nos contacts sont unanimes : il est évident que l'Agence des services frontaliers, partie prenante dans les enquêtes de sécurité nationale, y compris de contre-espionnage, a été appelée à la rescousse. Ce scénario faisait partie du « plan opérationnel » élaboré pour coincer la taupe. Les douaniers ont l'énorme avantage de pouvoir arrêter, fouiller, questionner un individu et même saisir des biens, sans mandat… Dans le cas de Delisle, ils ont ainsi pu documenter avec précision son itinéraire, le contenu de ses bagages et de son portefeuille. Des renseignements d'autant plus précieux qui, une fois déposés en cour par la GRC, sont admissibles comme preuve criminelle.

Mais, l'armée ne sera pas avertie du comportement suspect de son officier de renseignement…

De retour chez lui à l'heure du souper, Delisle avertit sans tarder son contrôleur de la mésaventure troublante qu'il vient d'avoir. Une deuxième tuile en peu de jours après celle de l'annonce de son éviction plus que probable de l'armée. Moscou suggère alors à Delisle qu'il serait plus sage de se « mettre en dormance jusqu'à la fin de l'année ». « Tout va bien, tout va bien », de répliquer Delisle, même s'il sent que sa fin est proche. Le suicide professionnel échafaudé il y a quatre ans dans son cerveau torturé est presque consommé.

Sa virée expresse au Brésil suscite l'étonnement chez ses collègues et supérieurs de Trinity. D'abord, parce que Delisle n'est pas du genre à partir en voyage. Ensuite, parce qu'il est parti en célibataire et non avec sa nouvelle flamme. Sans compter que ses difficultés financières sont devenues notoires. Le gouvernement canadien tente même de récupérer sans succès depuis 2009 près de 3 500 $ qu'il doit à la suite de l'utilisation à des fins personnelles non autorisées de la carte de crédit AMEX DTC (*Designated Travel Card*) qui lui est confiée par l'armée.

« JF », son superviseur, trouve ce voyage au Brésil quelque peu étrange. Mais c'est plus par curiosité qu'il tente de tirer les vers du nez de son analyste à son retour. Il aimerait bien qu'il lui raconte son séjour. Car, après tout, personne dans l'équipe à part Delisle n'a eu la chance dans sa vie de s'offrir quelques jours au Brésil. Sauf que l'officier n'évoque pas les charmes de cette métropole célèbre pour son carnaval de tous les excès, ne semble pas s'être extasié devant la forme unique du Pain de sucre et encore moins s'être offert une balade au coucher du soleil sur la plage de Copacabana. Au contraire, Delisle fait la moue. Il se contente de répondre qu'il n'a pas aimé son séjour et que ce n'est pas l'endroit où partir seul. JF sent le malaise. Il coupe court à la conversation.

«Quelque chose ne tourne pas rond, mais quoi?» se demande le superviseur. Il ne poussera pas davantage son «interrogatoire». Après tout, c'est sa vie privée et il n'a pas à en savoir plus. Sauf que sitôt rentré au travail, Delisle remplit une nouvelle demande d'autorisation de congé, cette fois pour se rendre une semaine à Cuba, dès le 5 novembre, avec sa copine. Un vrai séjour de vacances en amoureux dans un tout-inclus.

JF est interloqué. Deux voyages en moins de deux mois.

— Wow, OK, comment peut-il se le permettre? se demande-t-il. On ne peut pas punir quelqu'un parce qu'il part en voyage, se justifie-t-il plus tard auprès d'un enquêteur de la GRC.

OPÉRATION « STOÏQUE »

Officiellement, c'est le 2 décembre 2012 que la GRC reçoit pour la première fois de la part du FBI, son partenaire américain, des informations très précises concernant une affaire d'espionnage dans laquelle serait impliqué, de ce côté-ci de la frontière, «l'officier de l'armée canadienne Jeffrey Delisle». C'est du moins ce qui est écrit dans un document rédigé par la GRC et qui a été soumis à un juge afin qu'il autorise une perquisition au domicile de Delisle. Et c'est l'histoire qui a été étalée lors des procédures en cour: n'oublions pas que dans ce genre d'affaire, il arrive que la réalité soit dissimulée derrière un écran de fumée, distordue même, pour des impératifs de sécurité nationale et de protection des sources.

Dans sa lettre, à laquelle est joint un affidavit rédigé par un expert du FBI en contre-espionnage russe, l'assistant-directeur de la police fédérale américaine Frank Figliuzzi relie Delisle au GRU russe. Il insiste aussi sur le fait qu'une des priorités du GRU est de recruter des militaires canadiens qui ont accès «aux renseignements protégés du gouvernement américain». Le FBI est formel: Delisle «a été recruté comme informateur». Les Américains signalent aussi aux Canadiens que Delisle a fait « un arrêt » en sol américain à l'aller et au retour de son voyage à Rio, et qu'un des Russes impliqués dans ce dossier a pour nom Mary Larkin. Il s'agit d'un pseudonyme déjà utilisé dans le passé par les Russes, en particulier au sein du réseau d'agents « illégaux » découvert en 2010 aux États-Unis (voir le chapitre 5). Mary Larkin est aussi l'identité utilisée par Moscou comme expéditeur des cinq derniers paiements de 3 000 $ US versés à Delisle entre octobre 2010 et août 2011, comme en attestent les bordereaux de paiement de Western Union versés en preuve. (Delisle a toujours inscrit « webdesigner » dans la case « Profession » de ces bordereaux, sauf pour le premier encaissement de juillet 2007 où il avait mentionné son statut de militaire. Erreur de débutant !)

Tant le FBI que la GRC n'ont jamais voulu expliquer comment Delisle a surgi sur leur radar la première fois. Il est très rare que l'on apprenne l'origine d'une information aussi sensible, nous font remarquer les habitués du milieu. Les hypothèses sont nombreuses. A-t-il été balancé par un transfuge comme, par exemple, Alexander Poteev, celui-là même qui a contribué à décapiter le fameux réseau d'espions russes aux États-Unis ? A-t-il été découvert grâce aux interceptions de la NSA ? Ou alors, est-ce que ce sont les multiples transferts de fonds depuis Moscou, en particulier ceux attribués au fameux « Larkin », qui ont attiré l'attention ?

Tandis que le SCRS poursuit son travail dans son coin, la section des Enquêtes criminelles relatives à la sécurité nationale (ECSN) de la GRC met en branle l'opération « Stoïque ». Afin d'éviter tout risque de fuite et d'échec de l'opération, entre autres à cause d'une éventuelle autre taupe (car après tout, on ne sait jamais), il est décidé que l'enquête qualifiée de « multidimensionnelle » sera centralisée loin d'Halifax où opère leur cible. C'est donc à la Division C, à Montréal, que revient la tâche de mener à son terme cette mission jugée très délicate et hors des terrains battus habituels des ECSN, plutôt spécialisées dans la lutte au terrorisme. « On n'a jamais mené d'enquête liée à l'espionnage qui fut aussi complexe ou aussi grave », de reconnaître par la suite Larry Tremblay, directeur général des ECSN, dans la revue de la GRC.

Toujours dans le même souci de protection de cette opération ultrasensible et « Top Secret » contre d'éventuelles « communications non autorisées », l'enquête a été strictement compartimentée. Les différentes équipes – que ce soit les « O.T. » (Opérations techniques), les Affaires spéciales « I » (surveillance électronique), celles chargées des filatures / surveillances, etc., – avaient chacune une mission particulière à effectuer mais ne connaissaient pas les tâches des autres, et encore moins le portrait global de l'enquête. « *Le droit de savoir,* par opposition au *besoin de savoir,* a été l'un des principes directeurs de l'opération Stoïque », résume la GRC. « On a assez de nos dix doigts pour compter le nombre de membres de la GRC qui savaient ce que nous faisions et qui connaissaient l'identité de notre cible », a révélé Larry Tremblay. Une règle appliquée aussi à l'externe auprès des autres organismes partenaires impliqués dans le dossier Delisle.

Et l'armée dans tout ça ? L'officier commandant le Service national des enquêtes des Forces canadiennes n'est averti que le 9 décembre de l'existence d'une enquête « très restreinte et secrète » concernant l'un de ses militaires, sans autre détail. Il devra attendre le 13 décembre pour connaître de la bouche du responsable de la Sécurité nationale au sein de la GRC le nom du suspect et les détails du dossier. La pilule est amère pour la hiérarchie militaire. Ce ne sera pas la dernière qu'elle devra avaler dans cette affaire. Et ce n'est pas non plus le seul cas d'espionnage de ces dernières années où elle a été avertie au dernier moment, nous a-t-on dit. L'armée canadienne, qui possède pourtant des unités dédiées au renseignement et à la « contre-ingérence », doit se résoudre à être reléguée au rôle subalterne de force supplétive au service de la GRC et du SCRS. Ce sont eux qui vont garder la mainmise sur le projet « Stoïque ».

Delisle était d'abord apparu sur le radar du FBI puis sur celui du SCRS depuis plusieurs mois, bien avant l'envoi de la lettre officielle à la GRC. Les hauts responsables du SCRS ont appris l'existence d'une probable taupe au sein de la base Trinity recevant des paiements réguliers de Moscou lors d'une rencontre avec leurs partenaires américains, à Washington. La date de cette rencontre est inconnue, mais elle a forcément eu lieu avant le voyage de Delisle au Brésil. Dès lors, le « Service » a mis en branle une enquête et obtenu un mandat d'écoute électronique afin de pouvoir effectuer des « intrusions » dans ses communications. Delisle n'en a rien su puisque le SCRS, contrairement aux services policiers, n'a pas l'obligation de divulguer à un individu dans un délai imparti qu'il a été mis sous écoute.

Quant à la GRC, elle aurait été mise au courant de façon informelle, bien avant la réception de la lettre du FBI, de l'opération de contre-espionnage menée dans l'ombre de chaque côté de la frontière.

Le SCRS s'est toutefois retrouvé en fâcheuse position en mai 2013, quatre mois après la condamnation du militaire. Des sources ont révélé à deux journalistes de *La Presse Canadienne*, spécialisés dans les dossiers de sécurité nationale, que la GRC avait été volontairement tenue dans l'ignorance du cas Delisle par le SCRS pendant un certain laps de temps. Par la suite, ce sont des impératifs légaux qui l'ont emporté sur l'urgence opérationnelle. Une situation qui aurait engendré frustrations et grincements de dents chez les gendarmes.

À Washington, le FBI, lui, piaffait d'impatience de voir la taupe neutralisée, qui continuait pendant ce temps-là à « couler » de l'information ultra sensible au GRU. Une réunion fut organisée en secret à Ottawa entre les trois acteurs impliqués. C'est à ce moment-là que la GRC aurait entendu parler pour la première fois de cette affaire d'espionnage. Plusieurs plans furent échafaudés autour de la table pour piéger la taupe et l'attraper. Les représentants du FBI ont sorti de leur manche un scénario musclé qui consistait à envoyer Delisle dans les plus brefs délais aux États-Unis pour participer, par exemple, à un prétendu stage militaire et profiter de l'occasion pour l'arrêter. La solution retenue, plus *soft*, fut l'envoi, quelques jours plus tard, de la fameuse lettre officielle détaillée à la GRC. Par la suite, la GRC aurait été contrainte de repartir toute « l'enquête » à zéro, retardant d'autant plus l'arrestation de Delisle, toujours au grand dam des policiers américains.

Les échos de cette chicane GRC / SCRS ont eu des répercussions non seulement chez les partenaires « opérationnels » mêlés au dossier, mais aussi jusqu'entre les murs du Parlement, à Ottawa. Tandis que Vic Toews, alors ministre de la Sécurité publique, qualifiait ces révélations troublantes de « totalement incorrectes », des courriels internes obtenus par la Loi d'accès à l'information illustrent bien la frénésie qui s'est emparée au même moment de la Défense nationale. Un lieutenant-commandant de la marine se questionne notamment sur la raison pour laquelle le SCRS ne les avait pas aussi avertis, ce qui aurait permis «au moins d'endiguer la marée et de limiter les dommages» causés par leur officier de renseignement, peut-on lire.

Cette version des faits est nuancée par plusieurs des sources consultées dans le cadre de la rédaction de cet ouvrage. «Jamais le SCRS n'aurait gardé les bras croisés en voyant des documents et des informations classifiés "Top Secret" par les Américains filer allègrement vers la Russie», affirme un de nos interlocuteurs. Il est aussi notoire que les Américains sont «très chatouilleux» lorsqu'il s'agit de l'utilisation de leur renseignement par des partenaires étrangers. Ils préfèrent souvent que l'on ne sache pas qu'une information provient d'eux.

En épluchant la preuve amassée contre Delisle, il est évident que les Américains ont joué un grand rôle dans l'enquête en fournissant notamment à la GRC, deux partenaires de longue date entre qui il existe un accord d'entraide judiciaire, un volume cohérent d'informations factuelles et incriminantes, y compris le détail de tous les paiements effectués par la GRU depuis 2007. On peut presque parler d'une enquête livrée «clés en main» aux policiers canadiens.

RELATIONS COMPLEXES GRC / SCRS

Bref, la réalité sur le terrain est plus complexe qu'on peut l'imaginer de prime abord et elle peut alors être source d'incompréhension ou de mauvaise interprétation. Si l'on veut résumer succinctement, aucun dossier, pour des considérations opérationnelles et légales, ne part tel quel de la main gauche, celle du SCRS, pour atterrir dans la main droite, celle de la GRC. Depuis que le SCRS et la GRC sont devenus des entités séparées (jusqu'en 1984, le renseignement de sécurité canadien était assuré par le «Service de sécurité» de la GRC), ces deux organismes poursuivent des objectifs censés être diamétralement différents.

Le SCRS est un organisme civil consacré à la collecte de renseignement de sécurité. Ses renseignements sont issus de sources publiques, secrètes, voire clandestines. Son rôle, en vertu de l'article 12 de la loi de 1984 qui le régit, est de prévenir le gouvernement « sur les activités dont il existe des motifs raisonnables de soupçonner qu'elles constituent des menaces envers la sécurité du Canada ; il en fait rapport au gouvernement du Canada et le conseille à cet égard ». La même législation prévoit entre autres, pour éviter des dérapages, que « la responsabilité de prendre des mesures directes pour contrer ces menaces incombe toutefois à des ministères et organismes autres que le SCRS ».

C'est en revanche à la GRC que revient la tâche de déposer des accusations criminelles en s'appuyant sur sa propre preuve judiciarissable. Cette non-judiciarisation du renseignement de sécurité, bien que l'on note de plus en plus d'exceptions, est une spécificité canadienne qui complique souvent les enquêtes, déplorent certains spécialistes du milieu. Une spécificité qu'on ne retrouve pas, par exemple, chez nombre de ses partenaires naturels américains, français, etc.

Les représentants de la GRC et du SCRS ont quand même des échanges lors des réunions régulières des quatre Équipes intégrées de sécurité nationale (EISN) au cours desquelles leurs représentants respectifs font le point sur certaines enquêtes et se départagent éventuellement les rôles. Toute cette circulation de l'information, verbale ou écrite, est balisée par un protocole d'entente qui « tient compte du caractère secret du renseignement de sécurité nationale », reconnaît le commissaire O'Connor dans son volumineux rapport sur l'affaire Maher Arar (2006). Un document qui a le mérite de disséquer en profondeur les rôles et responsabilités des différents acteurs impliqués dans la sécurité nationale au Canada. Il avance notamment la nécessité de protéger « l'identité des sources » et de « respecter les conditions régissant la communication de renseignements fournis par des services étrangers si on veut assurer la pérennité des sources d'information ».

Une préoccupation relayée aussi par la juge de la Cour fédérale Anne L. Mactavish devant la Commission internationale de juristes, en février 2013. « Il est facile d'imaginer que la source d'une bonne part de nos renseignements se tarirait rapidement si le Canada se mettait à dévoiler unilatéralement des renseignements sensibles qu'il a reçus sous restriction d'un organisme de renseignement étranger. Les conséquences pourraient être désastreuses pour les Canadiens», de déclarer la juge.

C'est entre autres dans cette optique que, poursuit le commissaire O'Connor, «sous réserve des exigences des tribunaux, l'information fournie par l'une des deux parties ne sera pas utilisée afin d'obtenir des mandats de perquisition ou des autorisations en vue d'intercepter des communications privées, et ne sera pas employée comme preuve lors de poursuites judiciaires ou communiquée à des procureurs de la Couronne ou à tout autre tiers, sans l'approbation préalable expresse de la partie qui a fourni l'information».

Lorsqu'il a comparu, en février 2013, devant le Comité sénatorial de la sécurité nationale et de la défense, l'ex-DG du SCRS, Richard Fadden, a été «cuisiné» dans la foulée de l'affaire Delisle sur les mécanismes d'échange de dossiers entre son service et la GRC et les «éléments subversifs» qui pourraient exister entre ces deux entités. Son long exposé, où chaque mot semble soupesé, décrit parfaitement la complexité de la relation entre ces deux organismes:

De notre point de vue – et je suis passablement certain que la GRC serait d'accord –, si une activité particulière est préoccupante, que ce soit une activité terroriste ou une activité d'espionnage, il y a différentes marges de manœuvre dans le temps. Les lois et notre organisation ont été structurées de telle sorte que nous sommes maintenant concernés, et nous pouvons obtenir des pouvoirs considérables d'intrusion bien avant la GRC, qui doit respecter un certain seuil établi en droit criminel. Bien souvent, les choses avancent et, pour une raison quelconque, rien ne se produit. Nous avons conclu une entente assez claire avec la GRC, que nous mettons en œuvre lorsque ce seuil d'activité criminelle est atteint, selon les lois contre l'espionnage: nous essayons de mettre la GRC au courant de nos activités aussitôt que possible, puis nous menons des enquêtes parallèles. Il reste encore le problème lié à l'utilisation du renseignement de sécurité comme élément de preuve; en gros, nos renseignements ne peuvent pas être utilisés. Ce que nous avons convenu de faire avec la GRC, c'est de lui transmettre l'information que nous pouvons; la GRC peut entreprendre sa propre enquête, et nous travaillons en parallèle.

Parfois, par exemple dans l'affaire Delisle, les enquêtes aboutissent à une arrestation, à des poursuites et à une déclaration de culpabilité. Parfois, la GRC nous revient et nous dit que le cas est très intéressant, mais que le seuil n'est pas atteint. Elle nous dit de continuer le travail, et c'est ce que nous faisons. Pour nous, il s'agit essentiellement de voir, dans le spectre des activités, à quel moment le seuil fixé en droit criminel est atteint. De concert avec la GRC, nous avons élaboré une politique et une pratique qui nous donnent une vision commune. Nous en avons fait un document, que nous avons étayé par la jurisprudence. Selon moi, les choses fonctionnent assez bien.

LE RIDEAU VA TOMBER

Le 23 décembre 2011, soit une vingtaine de jours après la lettre du FBI, l'opération « Stoïque » entre enfin dans le vif du sujet. L'objectif est de réunir des preuves en vue du dépôt d'accusations criminelles à l'encontre de Delisle. Un mandat d'interception est signé par un juge de Montréal.

Dès lors, toutes ses communications téléphoniques privées sont aiguillées par les compagnies de communications concernées vers le CenSis (Central Communication Intercept System) de la GRC à Montréal. Écouteurs sur les oreilles, les « moniteurs », des employés civils de la GRC, ne perdent pas un mot de ses conversations, qu'ils retranscrivent et résument avec minutie. Les ordinateurs utilisés par le suspect, que ce soit chez lui ou à Trinity, sont aussi surveillés à distance. Nul doute aussi que le CSTC, l'alter ego canadien de la NSA, est aussi à l'œuvre.

Tandis que les « chapeaux » (surnom donné aux gendarmes de la GRC) s'activent dans la plus grande discrétion, la taupe continue néanmoins à vaquer à ses activités, y compris les plus occultes. Enfin, plus tout à fait occultes… Le 26 décembre, Delisle ouvre son ordinateur portable et se connecte au compte Gawab. Il clique sur le dossier « brouillons » et y découvre le message suivant rédigé dans un anglais approximatif :

S'il vous plaît, faites plus attention avec les cartes (de crédit) et suivez mes conseils. Utilisez seulement la carte que je vous ai indiquée au préalable et faites-le seulement après avoir reçu ma confirmation. N'utilisez pas l'autre tant que je ne vous l'ai pas dit. Vérifiez le solde à chaque fois que vous utilisez un guichet ATM. Les tentatives répétées de retirer des fonds alors que le solde est insuffisant n'est pas bon à tous points de vue. Vous ne pouvez pas obtenir des fonds qui ne sont pas là, mais vous perdez de l'argent à chaque tentative. Comme je vous l'ai déjà dit, vous pouvez utiliser la carte pour des achats. Souvenez-vous que je ne vais pas vous trahir. Attendez mon prochain message concernant les redevances, cette semaine j'espère.

Delisle efface le message, puis tape les mots suivants sur son clavier : *J'ai compris. Je ne savais pas que l'on pouvait vérifier le solde.* Il enregistre le brouillon et ferme sa session.

Le 9 janvier 2012, une équipe de filature s'installe à proximité d'une jolie petite maison blanche de deux étages et aux volets vert forêt située légèrement en retrait de la rue Lewis Drive, à Bedford. Le quartier a des airs de campagne avec ses maisons éloignées les unes des autres, ses arbres en abondance et ses grandes pelouses. C'est dans cet environnement bucolique, à une vingtaine de kilomètres au nord-ouest de la base Trinity, que résident Delisle et trois de ses enfants. Les policiers observent les moindres allées et venues de la taupe du GRU et ses déplacements au volant de sa Nissan Altima. Ceux-ci sont consignés quotidiennement dans un rapport de surveillance.

À ce dispositif de surveillance «humain» classique s'ajoute une caméra vidéo pointée sur sa maison. Celle-ci a été installée en toute discrétion par les équipes des Opérations techniques (OT) de la GRC. Tous ces renseignements sont importants, car ils doivent servir de socle au mandat de perquisition qui sera présenté au juge pour autorisation le 12 janvier 2012, veille de l'arrestation de Delisle.

En parallèle, toutes les activités informatiques sur les ordinateurs utilisés par Delisle, que ce soit à son bureau ou à son domicile, continuent d'être épiées et interceptées à distance. Elles sont aussi consignées avec minutie pour être recoupées avec les informations concernant ses mouvements et les périodes où il est présent à son bureau et à son domicile.

Le 10 janvier, les policiers obtiennent un mandat leur permettant d'avoir accès à sa boîte courriel Gawab ainsi qu'à une autre, ouverte sur un portail russe. Installé devant son ordinateur à Trinity, Delisle fouille avec frénésie dans les banques de données Mandrake, Spartan et StoneGhost avec les mots-clés «Russian», «Russians», «Russia», «Iran», Georgia», «Chechnya» et «Intelligence». Puis, il parcourt des rapports rédigés par le SCRS et les Affaires étrangères... Et toujours la même routine, faire défiler les pages, copier certains éléments qu'il juge pertinents dans un fichier Notepad pour les transférer par la suite sur une disquette et sa clé USB. Sur les neuf documents copiés ce jour-là, les policiers notent que trois n'ont absolument aucun rapport avec sa tâche : il s'agit de deux rapports du SCRS dont l'un a été produit le jour même – on ne peut pas être plus d'actualité – et un document intitulé *org chart*, qui «contient les noms et numéros de téléphone des membres du bureau du Conseiller de la politique étrangère et de la défense auprès du Premier ministre (Bureau du Conseil privé).

Le lendemain après-midi, sitôt à la maison, Delisle se connecte à son compte Gawab, ouvre un brouillon, insère sa clé USB, télécharge les fichiers sauvegardés, enregistre le brouillon, se déconnecte et retire la clé USB.

Nous sommes le 12 janvier. La fin approche pour la taupe. La dernière observation par l'équipe de filature est rédigée ainsi :

Vers 16:08 heures, Jeffrey Paul DELISLE est de retour à la résidence du 45 Lewis Drive, Bedford, Nouvelle-Écosse avec le Nissan Altima immatriculé EVZ 710 (N-É). Jeffrey Paul DELISLE est accompagné d'une fille.

Delisle vient à peine de rentrer chez lui qu'il ouvre son ordinateur portable puis se connecte au site Gawab pour accéder à son compte «cmanson». Il ouvre un nouveau message et rédige ces quelques mots : «*I checked the database for more on what you requested. That was the only reference.*»

Le matin même, avant de partir, Delisle a reçu le message suivant sur son portable : « *I have interest in my colleague in financial trouble. Please provide more detail. Royalty will be added.* »

Delisle efface le message, puis rédige une brève réponse : « *I shall* ».

Delisle échange dès lors sans le savoir avec un agent de la GRC, qui lui donne des ordres pour le piéger.

« C'est la GRC qui recevait la correspondance », dira seulement la procureure Lyne Décarie en cour, sans expliquer comment le GRU ne s'est pas rendu compte de cette imposture. Il ferme sa session, éteint son ordinateur puis se rend à son bureau. Tout comme les jours précédents, il effectue plusieurs recherches dans diverses bases de données protégées « SECRET » et « TOP SECRET », ainsi que dans une dizaine de rapports de renseignement avec les mots « GRU », « RUSSIE », « RUSSES » ainsi que les noms d'officiers de ce service secret militaire russe glanés dans les documents consultés.

La nuit tombe sur Lewis Drive. Le projet « Stoïque » touche à sa fin. Dernière nuit de liberté pour Jeffrey Delisle. À des kilomètres de là, un juge de la cour de Nouvelle-Écosse achève de lire le document de 25 pages soumis par un enquêteur la GRC de Montréal en vue d'obtenir l'autorisation de perquisitionner dès le lendemain, jour programmé de son arrestation, entre 6 h et 21 h.

Vendredi 13 janvier, 15 h 13. Jeffrey Delisle est en congé. C'est un grand jour dans sa nouvelle vie. Sa copine s'apprête à emménager chez lui à plein temps. Il a à peine garé une fourgonnette de location que deux agents de police sortis de nulle part se plantent devant lui :

— Est-ce que c'est vous, le conducteur du véhicule ?

— Euh… oui ! répond Delisle, l'air surpris.

— Avez-vous le contrat de location ?

— Le voici…

— Vous êtes bien Jeffrey Paul Delisle ?

— Ben oui.

Le militaire, qui rêvait d'être démasqué et dont la carrière d'espion prend fin, ne comprend pas que son vœu est exaucé! Il cherche plutôt désespérément dans sa mémoire quelle infraction au Code de la route il a bien pu commettre. Il n'a pas le temps d'achever sa réflexion qu'une dizaine d'agents de la GRC et de la police militaire investissent les lieux. Delisle est arrêté et conduit dans un véhicule banalisé. On lui présente la dénonciation sur laquelle sont mentionnés les faits qui lui sont reprochés.

La taupe est conduite, menottes aux poignets, au poste de la GRC de Lower Sackville pour y être interrogé. Ironie de l'histoire, il se trouve à quelques centaines de mètres d'une place qu'il connaît bien: le «Money Mart» où il a encaissé quatre de ses dernières «payes» du GRU.

Pendant ce temps-là, les policiers de l'Équipe intégrée de la sécurité nationale de Montréal, arrivés à bord d'une demi-douzaine de gros véhicules sombres, entament une longue perquisition dans sa maison. Ses trois enfants ont auparavant été conduits vers un des véhicules sous les yeux des voisins ébahis – avec des sacs, deux chiens et un chat.

Des échantillons d'ADN sont prélevés minutieusement avec des écouvillons sur le clavier de deux ordinateurs portables, d'une clé USB, d'un cellulaire et d'un iPod. Tard dans la nuit, les policiers quittent les lieux en emportant des dizaines de pièces à conviction: des factures, des documents, des clés USB, cinq cellulaires, des modems et des routeurs, une X-Box, deux ordinateurs portables, trois appareils photo avec leurs cartes mémoire, des CD et même un stylo marqué au nom du Rio Presidente, souvenir de son séjour brésilien.

À la base Trinity, le choc est grand. «JF», le supérieur direct de Delisle, se cogne presque la tête contre les murs. Comment aurait-il pu imaginer un instant qu'un de ses gars était en fait un agent double au service de la Russie? Était-il aveugle ou naïf au point de ne s'apercevoir de rien? «Quels… quels signes j'ai pu manquer ou quels signes j'ai mal interprétés… mal interprétés?» Subitement, l'histoire du voyage impromptu au Brésil, celui à Cuba dans la foulée, l'impact annoncé de ses problèmes de santé sur sa carrière, prennent une tournure plus dramatiques. « JF » se sent trahi et, surtout, responsable de tout ce gâchis qui peut s'avérer néfaste, craint-il, dans ses relations avec les partenaires externes de son unité de renseignement. Son cauchemar : des alliés qui coupent le pipeline des informations et voici la marine canadienne catapultée dès lors dans « l'âge de pierre » du renseignement.

Pendant ce temps-là, Delisle laisse éclater, souvent de façon confuse, toute son amertume, son cynisme et sa rancœur lors de son interrogatoire par le sergent Jim Moffatt. Sa vie professionnelle et sa vie personnelle ne semblent être qu'une litanie de désillusion, désabusement, mensonges et duperies. Extraits choisis :

… Nous espionnons tout le monde. Le Canada espionne tout le monde. Les États-Unis espionnent tout le monde. Les États-Unis espionnent le Canada. Le Canada espionne les États-Unis. C'est... c'est... c'est... (soupir), c'est démoralisant. Tu grandis en suivant les valeurs de ton pays. Et tu vois tout ça. Ensuite t'as un couteau planté dans le cœur. Je suis mort ce jour-là. Je suis mort ce jour-là, et depuis ce jour je suis mort.

Tu sais... c'est toujours donnez l'exemple, donnez l'exemple, donnez l'exemple et tu ne le vois pas. Tu ne le vois pas. Et ensuite tu as tous ces gens qui sont super, ont de bonnes idées et ensuite ils obtiennent ces postes et ensuite ils succombent aux mêmes trucs, n'est-ce pas. Ils surveillent leurs arrières, ils font progresser leurs carrières sur le dos des autres et... c'est une honte. C'est quand t'es supposé être tous unis pour un but commun. Ensemble, ensemble unis, ensemble... ces valeurs qu'ils prêchent mais qu'ils ne mettent pas vraiment en pratique.

J'suis plus le même Jeff, j'étais (inaudible), mon, mon intérieur tout entier, mon système de valeurs était mort et quand j'ai rencontré Joy, c'était comme un rayon d'espoir là, mais ça été de courte durée.

Ces problèmes de sécurité ont été prédominants pour, depuis toujours. Durant les 16 ans que je l'ai vu. Les gens disent "non, non, ça doit changer." Ça ne change pas. J'ai vu des gens qui ont un rang plus élevé que le mien commettre des infractions à la sécurité sans jamais avoir de problèmes. J'ai vu des gens me rabaisser, me donner de la merde pour quelque chose de moindre gravité que cette personne avait fait, d'autres gens l'ont fait. Et c'est... tu sais, la sécurité est une farce. C'est... une question de... de... gens.

PANIQUE ET FRUSTRATION

Delisle considérait donc la sécurité au sein des Forces canadiennes comme une « farce ». Un constat réaliste lorsqu'on parcourt les multiples mémos, rapports internes et autres notes de *briefing* rédigés par les militaires dans les semaines et les mois qui ont suivi l'arrestation de la taupe. Le réveil est brutal pour les militaires. Ils ne peuvent plus se mettre la tête dans le sable et sont forcés de reconnaître que leur sécurité interne est déficiente et leurs pratiques en la matière plutôt « mauvaises » et laxistes. « L'affaire Delisle démontre plusieurs lacunes dans le programme de sécurité de la Défense », lit-on dans un des documents rendus publics et obtenus par la Loi d'accès à l'information. « Les éléments qui ont fait défaut vont de l'aspect purement électronique à la sécurité physique, en passant par les autorisations de sécurité », résume en février 2013 Richard Fadden, alors patron du SCRS. « Dans tous les cas, les procédures ont été resserrées ou sont en voie de l'être. »

La sécurité coûte très cher et est souvent perçue comme un obstacle, ont coutume de regretter les membres du milieu du renseignement chaque fois qu'une affaire similaire éclate. Le mérite de ce genre d'incident est qu'il force l'organisation touchée à revoir ses méthodes et ses procédures internes.

Au moment d'écrire ces lignes, le ministère de la Défense nous confiait être toujours en train d'élaborer « un plan global de sécurité » et de « réviser tous les processus de sécurité ». Mais ce même ministère soutenait ne compiler aucune statistique sur les degrés de sécurité de ses membres, et était donc incapable de nous préciser le pourcentage des dossiers en retard pour leur révision dans les délais.

Les menottes sont à peine refermées autour des poignets de l'officier de renseignement de la base Trinity que l'armée lance une vaste opération de contrôle et de vérification des dommages potentiels et réels. Il y a urgence. La panique est légitime. Les alliés du Canada, en particulier les Américains, sont nerveux et ils le font savoir en haut lieu. Il faut trouver les brèches et les colmater d'urgence. Sinon, le pipeline d'infos dirigé vers le Canada va s'assécher. Un scénario cauchemardesque pour le superviseur de Delisle, qui songe déjà aux conséquences graves, craint-il, pour la sécurité et même la vie des militaires et des agents du SCRS en mission secrète au Moyen-Orient : « Ne plus obtenir d'informations est aussi dangereux que les fuites d'informations. Parce que si nous perdons ce renseignement de la part de nos alliés, nous ne pourrions pas, dans le pire cas, disposer d'indications sur une attaque terroriste imminente. »

Première priorité dans cette première phase de recherche des dommages collatéraux, le réseau informatique de la Défense. Est-il infiltré ? Est-il saboté ? À l'ère du cyberespionnage, chacun de ces scénarios n'a rien d'une utopie. Pour en avoir le cœur net, l'armée lance l'opération « Tiger Team Delisle ». Les deux ordinateurs de Delisle sont scrutés. Les techniciens veulent s'assurer que l'officier n'a pas « implanté / déployé » pour le compte des Russes des chevaux de Troie et des logiciels « malveillants » dans le système « sécurisé » ainsi que sur les postes de travail qu'il avait l'habitude d'utiliser. Un balayage est aussi entrepris à la recherche d'éventuels micros / caméras cachés.

Le chef du renseignement de la Défense met de son côté sur pied une équipe spéciale (DAT-Damage Assessment Team) chargée de « recueillir, rassembler et analyser toutes les données disponibles » sur les informations sensibles auxquelles Delisle a eu potentiellement accès. Toutes ces initiatives sont coordonnées au plus haut niveau par l'unité SIMAT, une autre structure échafaudée à la hâte et dont le mandat aussi est de brasser les cartes à l'interne et de réfléchir à une nouvelle organisation afin d'empêcher qu'il y ait d'autres taupes.

Les documents rédigés laissent aussi entrevoir cette frustration de la hiérarchie militaire envers la GRC et le SCRS qui « n'ont pas une connaissance approfondie des enjeux stratégiques militaires ». Frustration aussi que Delisle n'ait pas fait l'objet d'une enquête à l'interne et n'ait pas été jugé par ses pairs, en Cour martiale. « Il semble y avoir eu peu ou pas de discussions concernant les avantages d'utiliser les services de la police militaire pour mener l'enquête criminelle, l'Unité nationale de contre-ingérence pour l'enquête de contre-espionnage et porter des accusations en vertu du système de justice militaire », écrit-on à ce sujet dans le rapport du SIMAT (septembre 2012). Chaude ambiance…

Pendant que les militaires canadiens tentent d'y voir plus clair, les services de renseignement canadiens et alliés observent la situation de très près et tentent de savoir ce qui a pu être divulgué au GRU. « La technique utilisée par Jeffrey Delisle lui a permis d'éliminer les renseignements transmis après leur réception », constate le patron du SCRS Richard Fadden. « La GRC et le SCRS ont trouvé quelques dossiers parmi ceux qu'il envoyait. À partir de cela, nous avons déduit par extrapolation ce qu'il a pu envoyer, et c'est grave. » En Australie, par exemple, on s'inquiète de l'utilisation probable par les Russes du renseignement collecté par leur Defence Signals Directorate (équivalent du CSTC canadien) dans cette région du globe, en particulier sur la Chine, la Corée du Nord, le Pakistan et l'Afghanistan, et « compromis par un officier subalterne dans la lointaine Halifax ».

Peu après l'arrestation du militaire, le conseiller à la sécurité nationale de Stephen Harper invite d'ailleurs la plus haute représentante de l'Australie au Canada à un briefing sur le sujet. Des rencontres entre hauts responsables des *Five Eyes* sont aussi organisées. Selon un média australien, l'une d'elles se déroule dans le plus grand secret en février 2012, en Nouvelle-Zélande.

Sur le terrain, le SCRS est mis à contribution pour rencontrer les agents de liaison des services « amis » accrédités au Canada et leur dresser le portrait de la situation. Quant aux Américains, ils s'assurent surtout que leurs alliés canadiens resserrent au plus vite leurs normes de sécurité, en particulier au sein de ses centres de renseignement maritimes, de la côte ouest à la côte est.

« Une violation à une si grande échelle est impardonnable dans le monde des *Five Eyes* », fait remarquer, sévère, un ancien haut responsable du renseignement américain cité par le quotidien *The New York Times*.

« Toutes sortes d'expressions ont été utilisées pour décrire l'ampleur des dommages que cela a causés pour notre sécurité nationale et nos relations avec nos proches alliés. Je pense que ce qui nous sauve – s'il s'agit du bon mot – dans ces cas particuliers avec nos alliés, c'est le fait que chacun d'eux s'est retrouvé dans une situation semblable un jour», tempère Richard Fadden, un mois après l'arrestation de Delisle.

La tempête souffle aussi en coulisses sur le front « diplomatique ». Tempête discrète et sans vagues apparentes, comme il se doit. Le Canada s'abstient de blâmer publiquement la Russie et les deux pays s'abstiennent de commenter l'affaire, en vertu d'un accord signé entre ces deux puissances « dans l'intérêt des bonnes relations ». Mais, en coulisses, les mesures de rétorsion ne se font pas attendre. Des diplomates russes, dont un lieutenant-colonel et deux attachés militaires, couverture diplomatique habituelle des membres du GRU, quittent de façon subite le Canada (en réalité, deux d'entre eux auraient plié bagage juste avant l'arrestation de Delisle). Expulsion – c'est la «norme» dans le jeu de l'espionnage –, affirment certaines sources à Ottawa. Roulement routinier de personnel, soutient mordicus Moscou. C'est la norme également, dans ces affaires obscures, de nier et d'invoquer une rotation de personnel… Ottawa restera muet sur le sujet. Ni démenti. Ni confirmation. Cette omerta plane toujours sur le dossier. La GRC a d'ailleurs annulé à deux heures d'avis une entrevue qu'elle devait nous accorder sur le projet «Stoïque». Aucune explication ne sera fournie pour justifier cette soudaine volte-face.

« Il ne faut jamais oublier l'importance de l'aspect diplomatique dans les dossiers d'espionnage », nous explique une source. « Les Russes sont agressifs, il faut les ménager sinon leur riposte peut être assez musclée. »

Du fond de sa cellule du centre correctionnel Nova-Centre, à Halifax, Delisle n'a probablement aucune idée de l'étendue des dégâts. Ses moments de distraction sont rares, sauf lorsqu'il profite des visites de proches ou qu'il réussit à parler au téléphone avec ses deux jeunes garçons, qui vivent désormais avec leur mère, à Ottawa. À de trop rares occasions, regrette-t-il, car les appels interurbains coûtent cher en prison.

Le 10 octobre 2012, le sous-lieutenant fait son apparition en Cour provinciale de Nouvelle-Écosse pour son enquête préliminaire. Survient un coup de théâtre: Delisle plaide coupable aux trois accusations déposées contre lui, soit d'avoir communiqué des renseignements protégés, d'avoir tenté de communiquer des renseignements protégés (en vertu de la nouvelle Loi sur la sécurité de l'information) et à un chef d'abus de confiance en violation de l'article 122 du Code criminel.

—Confirmez-vous ce plaidoyer et êtes-vous conscient de ce que cela implique ? lui demande alors le juge.

—Oui, monsieur, de répondre simplement Delisle.

Pas de procès, pas de cirque médiatique. C'est ce que souhaitait Delisle.

VINGT ANS !

Le 30 janvier 2013, au petit matin, Jeffrey Delisle sort de sa cellule pour être conduit, dans un fourgon sous bonne escorte et les mains menottées dans le dos, au palais de justice d'Halifax où doivent avoir lieu les représentations sur sentence.

La taupe fait son entrée dans la salle d'audience vêtue de son sempiternel gilet ouaté bleu, capuche sur la tête, le regard baissé, fixant le sol à travers de grosses lunettes marron. Dans l'espace réservé au public, quelques curieux, des journalistes et des proches, dont sa mère et une de ses filles. Assis à côté de son avocat derrière une table, Delisle écoute attentivement Me Lyne Décarie, procureure de la Couronne fédérale, égrener les informations contenues dans l'exposé conjoint des faits de cinq pages.

—Êtes-vous d'accord avec tout ça ? demande le juge Patrick Curran à l'intention de l'accusé, une fois l'exposé de la Couronne achevé.

—Oui, Votre Honneur, murmure Delisle.

La suite sera un duel classique entre deux camps, deux visions. Côté Couronne, on met le paquet pour convaincre le juge de l'abomination du geste et noircir les conséquences pour la sécurité nationale et les impacts terribles sur la coopération entre services alliés ; du côté de la Défense, on s'évertue à créer le doute et minimiser la portée du geste.

La Couronne fédérale fait parader à la barre trois hauts responsables du SCRS, du CSTC et de la Défense nationale, habitués en temps normal à demeurer dans l'ombre. Lors de son témoignage, la directrice générale de la sécurité interne du SCRS assure que son service évalue comme élevés les dommages potentiels et les risques pour la sécurité de leurs sources si les Russes ont en main leurs rapports « coulés » par Delisle. Elle avertit aussi qu'il faudra attendre des années avant de mesurer l'impact réel des gestes du militaire. Mais, surtout, elle rappelle que la confiance est la base du système d'échange et de partage d'informations entre alliés. Et que si, à la suite de ce scandale, la méfiance venait à l'emporter sur la confiance, les services amis, en particulier ceux du club des Five Eyes, pourraient décider d'être plus avares en informations secrètes partagées avec le Canada.

Mike Taylor, l'avocat de Delisle, l'interrompt pour dénoncer les mesures de sécurité défaillantes au sein du renseignement militaire. « Si la fenêtre du salon est cassée, cela ne vous autorise pas à entrer pour y voler la télévision », de répliquer, cinglante, la responsable du SCRS.

Delisle choisit de ne pas témoigner au cours des deux jours de l'audience. Le seul témoin appelé à la barre pour le compte de la Défense est Wesley Wark, un universitaire torontois et expert du monde du renseignement. M. Wark évoque un « préjudice théorique ». Il fait remarquer que les autorités échafaudent depuis son arrestation des scénarios catastrophes, alors que personne n'est capable de recenser les informations et documents passés aux Russes depuis 2007, mis à part lorsqu'il était épié par la GRC. De plus, selon lui, le GRU devait forcément se méfier de Delisle, comme de tout « volontaire ». Le militaire, selon ce qu'il a pu constater dans la preuve, n'a pas été exploité comme aurait dû l'être quelqu'un ayant accès aux renseignements les plus sensibles.

Des arguments et une crédibilité écartés sans ménagement du revers de la main par Me Lyne Décarie : « Monsieur Wark est un universitaire qui n'a aucune expérience dans les dossiers de sécurité nationale », lance-t-elle.

L'avocat de Delisle plaide que son client était vraiment dans un trou noir à la suite de sa séparation et ne savait plus trop ce qu'il faisait. Il insiste aussi sur le fait que jamais l'officier n'avait livré aux Russes des noms d'agents ou des renseignements tactiques.

Delisle est le premier Canadien accusé en vertu de la nouvelle Loi sur la protection de l'information. La peine maximale prévue est la prison à vie. Me Décarie énumère seize facteurs aggravants, dont le fait d'avoir été volontaire, d'avoir mis la vie d'individus en danger et de rejeter le fardeau de la faute sur les autres, en particulier sur son ex-épouse. Elle réclame donc une peine de vingt ans pour la transmission d'informations secrètes à un pays étranger, et une autre de cinq ans à purger simultanément pour le chef d'accusation d'abus de confiance. Me Taylor suggère plutôt une peine « plus juste » de dix ans maximum.

À la fin de l'audience, Jeffrey Delisle se lève pour prononcer quelques mots d'excuses à sa famille et à ses collègues. Ses dernières paroles en public depuis son arrestation : « Si je pouvais revenir en arrière, je le ferais mais je ne peux pas », dit-il avant de se rasseoir.

Dans son entrevue avec un agent des Services correctionnels dans les semaines qui ont précédé cette audience cruciale, Delisle confiait espérer, bien qu'il soit conscient que la loi est « noire et blanche », ne pas passer le restant de ses jours en prison au milieu de « criminels et de toxicomanes » pour être capable de voir un jour ses futurs petits-enfants.

Le couperet tombe une semaine plus tard : vingt ans d'emprisonnement et une amende de 111 000 $, soit l'équivalent des sommes reçues de Moscou. Le juge Patrick Curran dit ne pas s'être laissé impressionner par les remords de Delisle et son argumentaire du « suicide professionnel ». Pour lui, le militaire était conscient de ses gestes. Il a trahi « froidement et rationnellement ». Des larmes coulent sur le visage d'une de ses filles. Delisle, lui, le visage appuyé sur la paume d'une main, ne bronche pas. Il se lève, rabat sa capuche sur sa tête et quitte sans un mot, sans un regard pour ses proches.

En plus de la honte, Delisle doit subir le déshonneur militaire. Peu après sa condamnation, il est expulsé des Forces canadiennes, dépouillé de ses décorations, tandis que son brevet d'officier est révoqué sur ordre du Gouverneur général du Canada.

Delisle n'a pas fait appel de sa condamnation. L'ex-taupe du GRU purge désormais sa peine au pénitencier à sécurité moyenne de Dorchester, au Nouveau-Brunswick. Il a décliné nos demandes d'entrevue et n'a pas répondu à nos lettres.

Delisle pourrait être autorisé à faire quelques sorties dès 2016 si la Commission des libérations conditionnelles donne son aval. Mais il devra patienter jusqu'en 2019 pour espérer profiter d'une libération conditionnelle complète.

Avec le recul, Delisle est aujourd'hui perçu par ceux qui ont une bonne connaissance du dossier comme un personnage «complexe», parfois même «manipulateur», des traits de caractère qu'on retrouve aussi chez d'autres agents doubles comme Hanssen ou Ames. En même temps qu'il exprime des remords, il cherche à apparaître comme un homme torturé, rongé, victime du comportement de son ex-femme. Il ne semble pas mesurer l'impact de son geste, qu'il qualifie de «réaction émotionnelle», hormis sur sa famille, son amie et ses collègues de travail, soutient un rapport des Services correctionnels le concernant.

«Ils sont morts parce que Ames voulait une grosse maison et une Jaguar», dira le chef de la CIA R. James Woosley en 1994, à propos de la dizaine d'agents exécutés parce que balancés par la super taupe du KGB infiltrée au sein de l'agence américaine.

L'avenir dira peut-être si, quelque part dans le monde, en Russie notamment, des hommes ont reçu une balle dans la tête parce qu'un certain Jeffrey Delisle a décidé de les vendre pour 3 000 $ par mois afin de se venger de son ex-épouse volage, de s'adonner à sa passion débordante du jeu en ligne et d'éponger ses dettes.

L'ex-douanière Marilyn Béliveau alors qu'elle se défendait de graves accusations au Palais de justice.

Chapitre 4

—

MARILYN BÉLIVEAU, LA DOUANIÈRE AMOUREUSE

SAMEDI, 1ᴱᴿ DÉCEMBRE 2006. LE TEMPS EST MOROSE AU POSTE frontière de Lacolle, en Montérégie.

Une violente tempête de verglas menace de paralyser la région de Montréal, à 60 kilomètres de là. La radio ne parle que de ça. Les mains agrippées à leur ceinturon, les douaniers canadiens en uniforme bleu marine scrutent le ciel, se demandant s'il va aussi leur tomber sur la tête.

Ils attendent une voyageuse bien particulière. Une de leurs collègues, douanière comme eux, doit revenir de ses vacances à New York, où elle a célébré son 27ᵉ anniversaire avec sa nouvelle flamme. Ils ont ordre de l'arrêter dès qu'elle arrivera en sol canadien.

Il y a déjà dix jours que Marilyn Béliveau fait l'objet d'un mandat d'arrêt. La nouvelle a semé une onde de choc dans les rangs de l'Agence des services frontaliers du Canada (ASFC). La Gendarmerie royale du Canada (GRC), dans le cadre de sa vaste enquête sur le crime organisé italien baptisée «Colisée», a déterminé que la jeune femme avait été corrompue par une cellule de la mafia montréalaise. Elle aurait aidé des caïds dans leurs plans d'importation de drogue au Canada. Elle était bien placée pour le faire : son travail consistait précisément à dédouaner les milliers de conteneurs qui arrivent chaque année à Montréal par bateau, par train ou par camion.

Marilyn Béliveau était à l'extérieur du pays le 22 novembre lorsque la GRC a conclu l'enquête « Colisée » et arrêté plus de 70 suspects. Mais son avocat, Gary Martin, a vite averti la police qu'elle était simplement en vacances et qu'elle n'avait pas l'intention de fuir la justice.

Voilà pourquoi ses collègues se tiennent prêts en ce 1er décembre. À l'heure convenue, la jeune et jolie femme aux cheveux blonds se présente au poste frontière, coiffée, maquillée et habillée à la dernière mode, comme d'habitude. Elle est visiblement très nerveuse et peine à contenir ses larmes. Surtout, elle respire une honte profonde. Ses collègues la placent immédiatement en état d'arrestation, comme une vulgaire criminelle.

Sa vie bascule à cet instant. Elle vient tout juste d'avoir 27 ans. Elle ne sera plus jamais la même.

Son cas est complètement différent de ceux de Ian Davidson, Jeffrey Delisle ou Donald Heathfield. Marilyn Béliveau n'a pas trahi pour faire fortune, même si elle espérait un petit coup de main financier. Elle n'a pas trahi par idéologie ou frustration envers ses collègues. Marilyn Béliveau avait seulement besoin d'amour. Elle cherchait à être aimée. À être rassurée. À trouver des gens qui s'occuperaient d'elle. Qui s'intéresseraient à elle. Qui l'empêcheraient d'être seule.

« C'était une femme d'une anxiété incroyable. J'ai rarement vu des gens aussi en détresse et qui avaient tant besoin de s'agripper à quelqu'un », racontera plus tard une psychologue qui l'a évaluée après son arrestation.

La mafia et ses sbires ont bien vu comment elle était. Ils ont senti sa détresse. Des exploiteurs et des manipulateurs professionnels ont lentement tissé une toile autour d'elle. Ils en ont fait leur outil.

Ils en ont fait une taupe.

LES AMIS D'ENFANCE

« Depuis que j'étais jeune, je me faisais avoir facilement par les gens à cause de ma personnalité », racontera Marilyn Béliveau lors de son procès.

La petite Marilyn naît le 22 novembre 1979. Enfant unique, elle grandit dans le nord-est de Montréal auprès de parents aimants dont elle est le petit trésor. À la maison, dans son cocon, elle semble filer le parfait bonheur. C'est lorsqu'il s'agit d'affronter le monde extérieur que les choses se gâtent.

Selon la psychologue Mariette Lepage, celle qui fut chargée de l'évaluer des années plus tard, Marilyn Béliveau a été surprotégée par sa famille pendant son enfance. Elle a ensuite souffert de l'angoisse de l'abandon et d'un grave manque de confiance en elle. Elle voyait aussi la vie «avec des lunettes roses», et s'est vite retrouvée entourée de mauvais garçons, à qui elle n'arrivait pas à dire non.

Au début de l'adolescence, Marilyn Béliveau fréquente l'école secondaire Antoine-de-Saint-Exupéry, à Saint-Léonard, près des boulevards Robert et Viau. Elle se lie d'amitié avec de jeunes garçons du coin, souvent plus âgés. Ce ne sont peut-être pas des enfants de chœur ni des élèves modèles mais, pour l'instant, même leurs pires mauvais coups n'ont l'air que des pitreries d'adolescents inoffensifs.

À l'école, il y a ceux qu'elle appelle les «mousquetaires»: Ray Kanho et Rony Bardales. Le grand et le petit. Des inséparables, qui ont deux ou trois ans de plus qu'elle. Marilyn Béliveau a 15 ans lorsqu'elle se lie avec Bardales, un adolescent de courte taille au visage rond. Ils demeureront très proches jusqu'à l'aboutissement de l'enquête «Colisée». À l'aube de la vingtaine, la jeune femme vit une relation très difficile avec son premier copain, un amour carrément destructeur. Elle est dévastée, démolie, mais Bardales est là pour la consoler et lui remonter le moral avec ses mots doux. Elle le décrit elle-même comme son grand frère, le grand frère qu'elle n'a jamais eu dans la réalité.

C'est aussi au secondaire que Marilyn Béliveau rencontre Ray Kanho, le grand ami de Bardales, un costaud qu'elle considère comme «un gros ourson en peluche un peu nono», avec sa silhouette légèrement enveloppée. Kanho est fils d'immigrants libanais. C'est aussi un pur produit du Saint-Léonard multiculturel de l'époque: il parle «au moins» cinq langues, incluant l'arabe, le créole haïtien, l'italien, le français et l'anglais. Vif d'esprit, ultrasociable, il est devenu polyglotte en côtoyant dans les parcs et les ruelles les autres enfants issus de l'immigration. Il semble connaître tout le monde dans le quartier. Il souffre d'avoir à porter des lunettes ou des verres de contact inconfortables pour corriger sa vue. Lorsqu'il en aura les moyens, à 25 ans, il se fera d'ailleurs implanter directement dans l'œil des lentilles correctrices à 6 000 $.

À peu près à la même époque, l'adolescente devient très amie avec un jeune garçon d'origine latino-américaine qui habite avec sa mère et son frère la maison directement derrière celle de ses parents. Leurs cours arrière sont adjacentes. Éric Semino a le même âge qu'elle, mais elle le considère lui aussi comme un grand frère. La mère de Semino voyage beaucoup à cette époque, et l'adolescent et son frère sont laissés seuls à la maison parfois pendant plusieurs jours. La mère de Marilyn Béliveau a pitié des deux garçons laissés à eux-mêmes. Elle les invite souvent à manger chez elle. Très tôt, Éric Semino commence à fréquenter des membres de gangs de rue. Dès ses 18 ans, il commence à cumuler les arrestations, notamment pour des possessions d'armes à feu illégales. Sa «petite sœur» Marilyn constate vite qu'il s'engage dans un chemin dangereux, pour lui et pour les autres. Mais il ne lui vient jamais à l'esprit de laisser tomber son voisin, qui n'a pas eu une enfance facile.

DOUANIÈRE, UN EMPLOI VALORISANT

Craintive, incertaine quant à ce qu'elle veut faire dans la vie, Marilyn Béliveau entrevoit soudain une belle opportunité d'avenir après avoir terminé ses études : elle s'inscrit à la formation d'agent inspecteur des douanes, qui lui fait miroiter un emploi stable, prestigieux, avec de bonnes conditions de travail et des possibilités d'avancement.

Au campus de l'Agence des services frontaliers du Canada (ASFC), situé près d'une forêt à Rigaud, à 30 minutes de Montréal, elle travaille d'arrache-pied. La formation est difficile, mais elle tient bon. Lorsqu'elle réussit enfin tous ses examens, elle est embauchée comme douanière. Ses parents exultent de fierté. Elle aussi est rayonnante.

« J'adorais mon travail. J'ai travaillé très, très fort pour l'obtenir. Ce n'est pas nécessairement facile à avoir, ça prend plusieurs mois », racontera-t-elle plus tard.

Marilyn Béliveau entre en fonction le 13 janvier 2003, à un salaire de base avoisinant les 50 000 $ par année. Elle travaille à l'édifice des Douanes, Place d'Youville dans le Vieux-Montréal. Le grandiose édifice en pierres de huit étages se veut officiellement « un immense monument édifié à la gloire du Canada ». C'est un rappel quotidien de l'importance du travail des douaniers pour l'État canadien, dont ils gardent les frontières. À l'intérieur, la grande salle des guichets est baignée de l'éclat de grands puits de lumière qui ajoutent à l'aspect solennel des lieux.

Marilyn Béliveau constate rapidement que son nouvel emploi change la perception que les gens ont d'elle, la jolie jeune fille toute menue qui était toujours la plus petite dans un groupe, qui voulait toujours plaire aux garçons, qui aimait les discothèques et les cosmétiques, mais que personne ne prenait vraiment au sérieux.

« Les gens me prenaient pour la petite blonde naïve qui ne connaît rien. Quand je leur disais ce que je faisais dans la vie, ça changeait leur vision. Je n'étais plus si stupide. Ça me rendait très fière », a-t-elle expliqué des années plus tard en revenant sur cette époque.

Le travail de Marilyn Béliveau est de dédouaner les tonnes de marchandises hétéroclites qui entrent à Montréal chaque mois par bateau, par train ou par camion. Elle doit s'assurer que tout est en règle. Elle peut être appelée à vérifier les papiers d'un importateur de fruits, à fouiller des conteneurs de matériel électronique ou à autoriser le relâchement d'une cargaison de vêtements détenue pour vérification. Les agents doivent vérifier les documents et décider s'il y aura examen secondaire, c'est-à-dire une vérification physique de la marchandise.

Comme elle est de loin la plus petite de l'équipe, c'est souvent elle qui est appelée à entrer dans les conteneurs pour une fouille. Elle adore ce genre de mission.

« C'est la réussite de ma vie, ce travail. C'était un métier qui suscitait un peu d'intérêt. J'aurais dû moins le dire, ça m'a conduit dans les problèmes », conclura-t-elle plus tard lors de son procès.

LE RECRUTEMENT

Printemps 2005. La musique joue à tue-tête dans une discothèque de la région de Montréal. L'alcool coule à flots et les fêtards se démènent sur la piste de danse. Le tube de l'heure est *Don't Phunk with my Hearth*, du groupe Black Eyed Peas. «*I wonder, if I take you home, would you still be in love, baby?*» demande la voix de la chanteuse, recrachée avec des basses ultra-amplifiées par les colonnes de son du bar.

Juchée sur ses talons hauts, Marilyn Béliveau rougit lorsque son amie lui présente un beau jeune homme d'origine haïtienne qui la domine de toute sa stature. Il se fend d'un large sourire. Elle tombe complètement sous le charme. Et se retrouve rapidement dans ses bras.

Encore une fois, elle est attirée par ce qu'elle-même appelle «un mauvais garçon». Fritz Dorsainville, le frère d'une des amies de Béliveau, n'est pas un enfant de chœur. C'est un petit revendeur de cannabis de bas niveau, qui manque toujours d'argent et qui fraye avec des réseaux de voleurs et de receleurs. La jeune femme, complètement sous le charme, développe malgré tout une relation amoureuse avec lui.

Malgré cette idylle, tout n'est pas rose pour Marilyn Béliveau à l'époque. Le travail ne suffit pas à la rendre heureuse, même s'il la rend fière. Après son embauche comme douanière, la jeune femme passe à travers quelques moments de dépression. Elle doit prendre des antidépresseurs lorsque la déprime devient trop lourde. Elle demeure craintive, avec un besoin maladif de plaire, d'être aimée et acceptée. Elle ressent un certain vide existentiel qu'elle ne sait pas comment combler.

«Ma vie ne se résumait pas à grand-chose», dira-t-elle ensuite. Elle n'avait pas de loisirs ou de passe-temps particulier. Elle combattait l'ennui de façon superficielle.

«Boire, magasiner, sortir, plaire aux hommes. Je travaillais et je sortais. J'avais le corps d'une adulte mais la pensée d'une petite fille. Je ne suis pas très fière de ça», dira-t-elle des années plus tard.

Ses amis de l'école secondaire, les «mousquetaires» Rony Bardales et Ray Kanho, ont maintenant beaucoup d'argent. Ils se présentent comme de prospères entrepreneurs qui roulent en voiture de luxe et se payent toutes sortes de dépenses extravagantes. Kanho habite un véritable petit château en pierres, rue de l'Empereur à Laval. Bardales est établi au bord du lac des Deux-Montagnes, à Senneville.

« Eux ils ont réussi dans la vie ! » se dit-elle.

Elle se trouve chanceuse d'être encore leur amie et de se faire gâter par eux. Bardales et Kanho emmènent souvent la douanière et ses amies pour des virées dans des restaurants et des boîtes de nuit tape-à-l'œil, comme le Moomba à Laval, un endroit fréquenté à l'époque par plusieurs mafiosi ou membres de gangs de rue cherchant à étaler leur fortune.

Quand elle sort avec eux, Marilyn ne paye jamais rien. Les hommes s'occupent de tout et « ils ont la main facile », comme elle le dit. Elle ne pose pas trop de questions. Elle croit que ses amis sont propriétaires de bars et d'épiceries et qu'ils ont des actions en Bourse. « C'est sûr qu'on entrait pas dans les détails. Moi, je considérais que c'étaient des trucs d'hommes », dira-t-elle plus tard. Elle se fait séductrice avec eux et aime les voir répondre à ses avances.

— Je t'ai laissé un message sexy sur ta boîte vocale, dit-elle à Rony Bardales.

— Je ne l'effacerai jamais, répond-il.

Béliveau voit bien que Bardales semble avoir beaucoup de contacts et plusieurs commerces. Il lui fait d'ailleurs miroiter la possibilité d'ouvrir une boutique de vêtements, elle qui aime tant magasiner. Pour elle, il s'agit d'un vrai rêve. Le projet ne se concrétisera pas, mais elle aime en parler avec lui.

En fait, Béliveau n'aspire pas à grand-chose. Elle conduit une petite Volkswagen Jetta et s'en porte très bien. Elle aimerait bien pouvoir s'offrir quelques gâteries, de nouveaux vêtements par exemple, mais elle ne cherche pas la richesse à tout prix. Elle ne cherche pas l'aventure non plus. Quand elle se projette dans l'avenir, elle s'imagine vivre une vie stable, être une bonne mère de famille avec un conjoint aimant.

Mais, sans qu'elle le remarque, les « mousquetaires » sont en train de l'attirer vers un monde inconnu pour elle, un monde plein d'intrigues, de manipulations, de tromperies et de danger.

Un soir de l'été 2005, Marilyn Béliveau et un groupe de filles sont invitées par Kanho et Bardales à un souper au restaurant Cavalli, rue Crescent à Montréal. Sur place, toutes les serveuses ont l'air de top modèles. Les clients, assis aux grandes tables à nappes blanches, sont aussi tirés à quatre épingles. Les « mousquetaires » sont accompagnés d'un ami élégant qui prend place à leur table. L'homme a le regard perçant, comme s'il avait constamment une idée derrière la tête. Sa barbe forte est rasée de très près. Il semble sortir de chez le coiffeur.

« Je te présente "Pep", c'est un ami d'affaires », lui dit Kanho.

Marilyn Béliveau est intriguée par Pep. Il a le comportement de quelqu'un d'important. Il est particulièrement sûr de lui. Et il s'intéresse à elle. Lorsqu'elle lui parle de son métier de douanière, Pep ouvre grands les yeux. Il semble impressionné. Il lui mentionne que lui-même s'intéresse à l'import-export.

Marilyn Béliveau est flattée. Décidément, son travail produit tout un effet sur les hommes.

LA PORTE D'ENTRÉE DE LA COCAÏNE

Giuseppe « Pep » Torre n'est pas n'importe qui. Personne ne l'a dit à Marilyn Béliveau, mais on vient de lui présenter un joueur important de la mafia italienne de Montréal. Pep est le fils d'un ancien associé du clan Cotroni, le clan qui dirigeait la mafia à Montréal jusqu'à l'aube des années 1980 et dont les associés se sont ensuite ralliés aux nouveaux maîtres, le clan Rizzuto, lorsqu'un changement de garde est survenu au sommet du crime organisé italien.

Âgé de 34 ans, il est actif dans les importations de drogue au Canada, principalement de la cocaïne. Les stupéfiants sont cachés dans des valises de voyageurs complices ou dans les faux plafonds des conteneurs à bagages et à nourriture dans les avions. Lui-même ex-travailleur d'un sous-traitant de l'aéroport de Montréal, il utilise une bande de complices à l'emploi de diverses compagnies basées sur les installations aéroportuaires. Ceux-ci sont chargés de faire sortir en douce la cargaison.

Torre et son groupe ont beau verser une lourde taxe au clan Rizzuto pour chaque kilo de drogue qu'ils font entrer au Canada, ils font tout de même des affaires d'or. Torre habite une immense maison rue de l'Amiral, à Laval, avec sa femme. Celle-ci, une ancienne hôtesse de l'air, roule en voiture de luxe et est couverte de bijoux et de vêtements griffés. Le couple a aussi une villa au Mexique et une gouvernante pour s'occuper de ses trois enfants. Il voyage en première classe.

Torre possède de surcroît plusieurs entreprises légales, dont un café où il ne se vend pas que du café. Il passe le gros de son temps dans les bars, de jour comme de soir. Grand joueur de poker, il a déjà flambé 5 000 $ dans une soirée de cartes. Il parie aussi de gros montants – jusqu'à 15 000 $ – sur les résultats des matchs de football américain.

Le mafioso travaille en partenariat étroit avec Ray Kanho. Rony Bardales fait aussi partie de leur bande. Pour eux, l'emploi de Marilyn Béliveau aux Douanes semble un véritable cadeau du ciel.

En août 2005, Torre et les mousquetaires commencent à échafauder un nouveau plan : ils ont un contact en Inde qui pourrait les aider à exporter clandestinement au Canada une grosse cargaison d'éphédrine.

L'éphédrine est un produit chimique utilisé dans la production de méthamphétamine, du « speed » comme on appelle cette drogue de synthèse illégale dans la rue. Une drogue très populaire et très payante pour le crime organisé. À l'époque, la précieuse poudre blanche d'éphédrine peut être achetée en barils de 25 kilos sur le marché noir, à un prix avoisinant les 40 000 $ ou 50 000 $ le baril. L'Inde est le principal producteur mondial d'éphédrine. Des membres de la bande de Torre parlent entre eux d'un « jackpot » qui pourrait carrément leur permettre de prendre leur retraite et de ne plus jamais travailler, si le plan fonctionne.

Pour faire entrer les barils au Canada, Torre et Kanho ne peuvent utiliser des valises de voyageurs ou de faux plafonds d'avions, comme ils le font avec la cocaïne en provenance d'Amérique du Sud. Les barils devront arriver dans un conteneur, par bateau.

C'est là que «la petite blonde naïve», la petite douanière qu'ils comblent d'attentions, pourrait leur être très utile. S'ils arrivent à la convaincre de leur rendre quelques services…

Ce qu'ils ignorent, c'est que la GRC est présentement lancée dans la plus grosse enquête antimafia de son histoire. Elle est sur la piste de l'ensemble des mafiosi qui travaillent à Montréal sous la tutelle du clan Rizzuto, incluant la cellule de Torre. Des dizaines de téléphones sont placés sous écoute électronique. À distance, les policiers pourront suivre les tractations du groupe. Leur tâche n'est pas facile, car Torre et ses acolytes sont prudents au téléphone : ils parlent peu, utilisent des codes, des paraboles. Mais leur proximité avec la douanière attire vite l'attention de la police. Les enquêteurs notent tout ce qui se rapporte à elle. Ils s'interrogent quant à la nature exacte de sa relation avec les importateurs de drogue. Ils notent scrupuleusement tout ce qui se rapporte à elle dans les conversations qu'ils entendent.

On ignore exactement quand Torre et Kanho font part à Marilyn Béliveau de leur projet d'importation d'éphédrine. Chose certaine, ils continuent de la voir, de l'appeler et de la gâter pendant qu'ils essaient de coordonner le tout avec leur contact en Inde. L'affaire est compliquée, ils doivent se coordonner avec les fournisseurs étrangers et prendre plusieurs arrangements quant à l'approvisionnement, le transport, la livraison une fois au Canada, les paiements, tout cela en camouflant les traces le mieux possible.

Le 17 août 2005, alors que les préparatifs vont bon train, Kanho annonce dans une conversation téléphonique avec Marilyn Béliveau qu'il a de «bonnes nouvelles» pour elle. Au bout du fil, les policiers de la GRC sont aux aguets.

Kanho dit à Béliveau qu'il va venir la voir chez elle avec son ami Pep. Elle n'aura qu'à sortir de la maison deux minutes «puis on va s'en aller, il va rentrer chez lui», assure-t-il. Le trio se rencontre effectivement dans la rue. Torre et Kanho veulent évidemment réquisitionner ses services pour les aider à faire passer leurs barils d'éphédrine aux douanes.

Ray Kanho, Giuseppe Torre, leur complice Omar Riahi et Rony Bardales multipliaient les projets d'importation de drogue.

UNE DEMANDE POUR UN AMI

Mais Béliveau aussi aimerait avoir leur aide pour quelque chose. Son ami d'enfance Éric Semino, le petit voisin d'en arrière que sa mère nourrissait lorsqu'il était laissé seul par sa propre mère, a de gros problèmes. Il continue de s'enfoncer de plus en plus dans l'univers malsain des gangs de rue. Il est mêlé à des affaires d'agression et de possession d'armes. Semino est présentement détenu à la prison de Rivière-des-Prairies, sa défense s'annonce compliquée et il ne roule pas sur l'or. Béliveau aime répéter qu'elle ne le juge pas pour ses choix de vie. Elle lui écrit d'ailleurs de belles lettres d'encouragement à chaque fois qu'il se retrouve derrière les barreaux.

Mais elle veut faire plus pour l'aider. Elle souhaiterait que Torre et Kanho, en tant qu'« entrepreneurs » pleins de ressources, tirent des ficelles pour donner un coup de main à son ami Semino.

Aussitôt dit, aussitôt fait. Le lendemain, la police capte une autre conversation téléphonique entre Torre et Kanho. Ils parlent de la façon dont ils pourraient aider l'ancien voisin de Béliveau.

— Fais-le pour la fille, insiste Kanho.

Torre contacte donc un avocat pour aider Semino. Les honoraires sont élevés. Mais la générosité du mafioso n'est pas désintéressée.

Torre décide d'inclure Semino dans son plan. La douanière l'adore et lui fait confiance. Par ailleurs, comme il n'a pas d'intérêt personnel apparent dans l'importation d'éphédrine, il pourra encourager Marilyn, la manipuler et la garder dans un état coopératif, sans avoir l'air de prêcher pour sa paroisse. Surtout, il pourra espionner Béliveau pour le compte de Torre et lui rapporter tout problème potentiel avec elle.

Torre décide d'offrir un premier cadeau de 2 000 $ à Semino pour ses services et 1 000 $ additionnels si l'importation d'éphédrine fonctionne. Le mafioso demande à un de ses acolytes de faire le message au jeune ami de Béliveau une fois qu'il est sorti de prison.

— Dis-lui que la seule chose qu'on lui demande, c'est de garder la *booze* de notre côté.

La « *booze* », c'est un des surnoms dégradants que la bande attribue à Béliveau dans son dos. Ils savent que c'est le terme utilisé par les gangs de rue haïtiens pour désigner leurs prostituées. Comme elle s'est amourachée du petit caïd Dorsainville, c'est leur façon de se moquer d'elle.

Semino marche volontiers dans le plan. Il est bien trop heureux de jouer dans les ligues majeures avec Torre et sa bande. Au cours des semaines suivantes, il sera toujours là pour rassurer son amie, la garder du côté de Torre. Lorsqu'elle l'apprendra plus tard au procès, Marilyn Béliveau sera démolie. « Je n'aurais jamais cru que mon meilleur ami de l'époque aurait été payé pour me garder proche. Même lui était peut-être malhonnête avec moi », témoignera-t-elle.

À la fin de l'été et à l'approche de l'automne 2005, les agents de la GRC qui enquêtent dans le plus grand secret sur la mafia continuent d'observer une proximité préoccupante entre Béliveau et la bande de Torre. Ils interceptent encore de nombreux appels qui en témoignent.

Torre cherche notamment une bonne compagnie d'importation ayant pignon sur rue à Montréal qui pourrait servir de façade légitime à son projet d'importation d'éphédrine. Une entreprise qui aurait un motif réaliste de faire venir des conteneurs de l'Inde par bateau. Et, de préférence, une entreprise déjà bien établie qui jouit d'une crédibilité auprès des douaniers canadiens. Car chaque nouvelle compagnie qui souhaite faire de l'importation en quantité importante doit obtenir du gouvernement canadien un numéro d'importateur. Lorsqu'un nouveau numéro d'importateur est donné, son détenteur verra automatiquement ses trois premières importations envoyées à «l'examen secondaire», par mesure de sécurité. Des douaniers vont vérifier en profondeur la marchandise à la recherche de drogue ou d'autres produits de contrebande, à moins d'une décision exceptionnelle d'un responsable douanier pour lui donner le feu vert.

Béliveau conseille et épaule Torre dans ses recherches. Le mafioso trouve finalement une entreprise montréalaise d'importation de chaussures qui pourrait faire l'affaire. Beaucoup de chaussures sont fabriquées en Inde, l'affaire semblerait donc réaliste.

Utiliser une compagnie qui fait de l'importation depuis longtemps et qui n'a jamais eu de problèmes aux douanes réduit le risque d'inspection. Mais cela ne l'élimine toutefois pas complètement. L'Agence des services frontaliers est avisée à l'avance de tous les chargements de marchandises déclarées en route vers le Canada. Elle utilise de complexes systèmes d'évaluation du risque qui tiennent compte du pays d'origine, des comportements louches, des articles les plus souvent utilisés pour camoufler la drogue et des informations qui lui ont été transmises par diverses sources afin de cibler certains conteneurs à inspecter. Elle dispose aussi d'habiles chiens renifleurs et d'appareils spéciaux à rayons X. Et, évidemment, elle mène aussi des fouilles aléatoires.

Giuseppe Torre est bien conscient du fait que Marilyn Béliveau pourrait constituer un atout formidable pour faciliter l'entrée de la drogue, mais il se pose encore des questions sur l'ampleur de ce qu'elle peut faire : il sait qu'elle peut vérifier dans le système informatisé des Douanes si sa cargaison a été ciblée pour une inspection. Peut-être pourrait-elle même marquer le conteneur à son arrivée pour indiquer qu'il est en règle et qu'il peut être libéré ? En cas de fouille, serait-il possible qu'elle soit elle-même chargée d'entrer dans le conteneur ? Il a plusieurs questions pour elle.

Les agents de la GRC qui espionnent ses appels téléphoniques entendent Torre, à cette époque, rassurer un de ses partenaires d'affaires en lui disant qu'il a «un ami» qui peut vérifier dans le système informatique pour s'assurer que les douaniers n'ont rien détecté de louche. Peu après, ils entendent Béliveau sur la ligne, qui lui annonce fièrement: «J'ai fait mes devoirs!»

Mais Béliveau n'est pas comme les fidèles sbires de la mafia que Torre est habitué de diriger au doigt et à l'œil. C'est une jeune femme insouciante, immature à bien des égards, portée sur la fête et les sorties. Elle n'est pas toujours disponible dans la minute s'il a besoin d'elle. Elle n'a pas toujours les réponses à ses questions. Surtout, il lui arrive souvent de ne pas répondre à son cellulaire, ce qui met Torre hors de lui.

«Elle va reculer, cette "plotte"!» lance-t-il, furieux, le 7 septembre, après plusieurs tentatives infructueuses pour joindre la douanière. Kanho, qui connaît Béliveau depuis bien plus longtemps que lui, se fait rassurant. Le lendemain, en soirée, il arrive à joindre la douanière. Il est passé 22 h. Kanho explique à Béliveau que lui et Torre doivent la voir immédiatement.

«On va venir devant chez toi pour ne pas que tu te déplaces pour rien», dit-il.

À quelques kilomètres de là, dans une salle d'écoute clandestine de la police, les agents sursautent. Une rencontre planifiée entre les trafiquants et la douanière! Il ne faut pas laisser passer une telle chance. La GRC déclenche un branle-bas de combat. Comme les organisations policières le font souvent dans les dossiers de filature hautement stratégiques, les enquêteurs font appel à des collègues d'un autre corps policier qui sont disponibles à cette heure.

Simon Godbout, un policier de la Sûreté du Québec, un expert de la dissimulation, est envoyé d'urgence rue de Lafontaine, près du pont-tunnel Louis-Hippolyte-La Fontaine, devant le modeste duplex des parents de Béliveau. Le temps presse. Il doit vite trouver une cachette s'il veut filmer la scène. La résidence d'en face, de l'autre côté de la rue, est bordée d'un petit buisson et de fleurs. Sans hésiter, l'agent plonge dans les branchages. Il sort sa caméra, puis voit un gros véhicule utilitaire sport blanc de marque Ford qui s'arrête à quelques pas de la maison.

Un policier caché dans un buisson a croqué cette photo de Marilyn Béliveau lors d'une rencontre avec Giuseppe Torre et Ray Kanho, en 2005.

Deux hommes descendent du véhicule. Un grand costaud, un peu enveloppé, coiffé d'une casquette de baseball. Et un homme plus court à la stature plus modeste et à la calvitie naissante sur le front. Kanho et Torre. Il est 22 h 45. Béliveau sort de chez elle quelques instants plus tard. De son buisson, le policier la reconnaît immédiatement. Il braque son objectif sur elle. Ses cheveux blonds sont impeccablement lissés au fer plat, comme d'habitude. Elle est vêtue de coquets pantalons trois quarts à motifs imprimés. Même à cette heure, pour sortir discuter quelques instants dans la rue, elle chausse des talons hauts vertigineux. Elle paraît tout de même minuscule aux côtés de Kanho lorsqu'elle s'étire pour l'embrasser sur les deux joues. Celui qu'elle surnomme le « gros nounours » la dépasse encore de plus d'une tête, même avec ses talons.

Impossible d'entendre ce que les trois interlocuteurs se disent. La discussion dure une dizaine de minutes à peine. Tous ont l'air décontracté. Le policier ne rate rien de la scène. Bien dissimulé, il observe Béliveau qui sourit aux deux hommes, faisant ressortir ses pommettes saillantes.

Dès qu'elle les quitte pour rentrer chez elle, Torre appelle un de ses partenaires dans le projet d'importation. Il se fait catégorique : d'après ce qu'on lui a dit, le mot « souliers » ne doit apparaître nulle part dans les manifestes d'importation.

« Si ça dit ça, alors oublie ça », laisse-t-il tomber avant de raccrocher.

Les policiers qui épient la conversation comprennent immédiatement ce qui vient de se passer : Béliveau a donné des conseils à Torre pour éviter les soupçons et réduire les risques de fouille. Elle a probablement fait des vérifications à son travail au sujet de la compagnie d'importation de chaussures qu'il souhaitait utiliser, et a constaté qu'elle n'était pas le choix idéal.

COPIE MIROIR

La police décide de mettre l'Agence des services frontaliers dans le coup. La supérieure de Marilyn Béliveau est informée des graves soupçons qui pèsent sur la douanière. La gestionnaire est chargée d'aider les enquêteurs à amasser des preuves de la complicité de Béliveau avec les criminels.

Une copie miroir de l'ordinateur de Béliveau est créée. Sans qu'elle le sache, tout ce qu'elle fait sur son écran est maintenant visible par ses supérieurs et consigné en mémoire. Le constat est clair : elle fait plusieurs vérifications dans le système sur des compagnies d'importation qui pourraient être utilisées par Torre et son groupe.

« Ce que j'ai checké, y'a rien de bon », annonce-t-elle finalement, hésitante, à la bande.

Torre et ses acolytes explorent alors une nouvelle option : peut-être serait-il possible de cacher la drogue dans une cargaison de produits alimentaires importés par un fournisseur de restaurants, par exemple des amandes et de l'acide citrique, un additif issu du citron et largement utilisé dans l'industrie alimentaire.

Béliveau reste en contact constant avec eux pendant qu'ils peaufinent leurs préparatifs. La police ne manque rien de leurs conversations. Le 27 septembre, ils entendent Torre qui demande à Kanho de préparer son argent pour la *booze,* comme il le dit.

Combien Marilyn Béliveau doit-elle recevoir pour son aide ? Elle-même ne semble pas toujours le savoir. Ce n'est pas sa principale préoccupation. Dans les conversations captées par la police, il est question successivement d'un montant de 100 000 $, ou encore d'un simple voyage qu'on lui payerait dans le sud à l'occasion du *spring break,* la grosse semaine des réjouissances pendant la relâche scolaire américaine.

Béliveau vit sous pression à cette époque, et pas seulement à cause du projet d'importation d'éphédrine. Elle étouffe, au domicile familial, entourée de ses parents. Pressée de voler de ses propres ailes, elle emménage dans un logement du Vieux-Montréal avec sa nouvelle flamme, Fritz Dorsainville, à partir du mois d'octobre. Les deux se connaissent à peine depuis quelques mois, mais Marilyn est obnubilée par son nouvel amant avec qui elle veut partager sa vie, même s'il se comporte en voyou. « Il a ses problèmes, mais moi je vais le changer », se dit-elle intérieurement.

Mais Dorsainville ne change pas. Dès le début de leur cohabitation, il se montre incapable de payer le loyer de l'appartement. La jeune femme laisse tout passer. Elle avouera plus tard qu'elle était totalement dépendante affective. « Il me parlait mal, me rabaissait verbalement… J'étais un peu soumise », se souviendra-t-elle.

Dorsainville ne participe pas du tout au complot de Béliveau avec la bande de Torre. Il refuse même qu'elle invite ses complices à l'appartement. « Moi, je ne rentre pas mes clients chez nous et toi ne rentre pas tes clients chez nous, OK ? Quand je fais ma business, je vais dans un restaurant ou un café ! » lui dit-il sèchement.

Pourtant, Dorsainville tient pour acquis que Béliveau partagera avec lui son magot lorsqu'elle sera payée pour ses services à Torre. Si jamais elle reçoit 100 000 $, il semble trouver tout à fait naturel de s'en approprier quelques dizaines de milliers, simplement parce qu'il est son conjoint. Béliveau semble aussi accepter cet état de fait.

Les deux amants s'échangent des messages textes par cellulaire. « Il reste deux semaines avant qu'on soit riche », écrit-elle alors qu'elle croit l'importation imminente.

— Ça veut dire que c'est réglé ? On est supposé être millionnaires là ? répond-il.

Béliveau lui répond que lui et son cousin, qui est son partenaire dans la vente de pot, pourront tous deux laisser leurs activités criminelles derrière eux.

— C'est en plein ça. Fait que vous êtes tranquilles, vous n'avez plus besoin de travailler, dit-elle.

— Les deux, on arrête tout? On partirait les trois en vacances, suggère-t-il.

Les choses demeurent toutefois compliquées avec Torre et sa bande. Les gars ne connaissent rien au monde de l'import-export, ils ont constamment des questions sur les formulaires, les enregistrements obligatoires, les procédures, la paperasse. La douanière est constamment sollicitée par le groupe. Le 4 octobre 2005, Rony Bardales appelle Béliveau. Il veut la voir au Steve Bar, rue Jarry dans Saint-Léonard, un de ses points de chute habituels. Il est avec Éric Semino. Ils doivent encore discuter des détails du plan.

Encore une fois, en entendant la bande fixer un rendez-vous avec Béliveau, les policiers bondissent. Pour étayer leur preuve contre la douanière, ils doivent prendre des images d'elle avec les bandits. Mais Béliveau n'habite pas si loin du Steve Bar, un petit établissement de quartier niché dans un des petits centres commerciaux en briques blanches typiques de Saint-Léonard. Elle s'y rend en voiture.

Le sergent-détective de la SQ Simon Godbout, celui-là même qui avait filmé Béliveau, Torre et Kanho en se cachant dans un buisson, est encore appelé en renfort. Il se précipite rue Jarry et cherche un point d'observation discret. Il est presque 21 h.

De l'autre côté de la rue, en face du centre commercial où loge le bar, le policier aperçoit un immeuble commercial, inoccupé à cette heure. Il tente d'ouvrir les portes, sans succès. Elles sont toutes barrées. Il grimpe alors sur un gros compresseur derrière l'immeuble. Il fixe le balcon de l'édifice. La distance qui l'en sépare est appréciable. Il n'est pas sûr de pouvoir sauter sur cette distance. Il s'élance… et l'atteint de justesse. Cette petite prouesse athlétique lui permet d'entrer à l'intérieur et de s'installer confortablement au dernier étage pour filmer la scène, de l'autre côté de la rue. Il confirme fièrement à ses collègues que tout est en place.

— Ah, regarde, hostie, je suis dans les loges, j'ai tout ça solide. C'est comme un film ici! lance-t-il à son collègue au téléphone.

Le policier filme Marilyn Béliveau qui arrive en voiture puis en descend avec son chien; elle est vêtue d'un chandail sans manches qui laisse ses épaules dénudées. Elle embrasse Rony Bardales qui est à l'extérieur avec ses amis pour fumer une cigarette. Elle discute quelques minutes avec lui, l'air de bonne humeur, en se passant la main dans les cheveux pendant que son chien tire constamment sur sa laisse. Les garçons la taquinent affectueusement. Elle rit. Elle a l'air bien avec eux.

Après quelques minutes, elle embrasse ses amis et rentre à la maison. Elle recommence vite à s'inquiéter. La bande de Torre, y compris ses amis d'enfance comme Rony Bardales, Ray Kanho et maintenant Éric Semino, ont tout le temps plein de choses à lui demander, mais ils ne lui offrent pas grand-chose en retour, pour l'instant. Et le risque qu'elle court à son travail, en faisant des vérifications pour eux, lui cause un certain stress.

Dans les moments de doute comme celui-là, c'est vers son ami Éric Semino qu'elle se tourne, sans savoir qu'il est maintenant payé par Torre pour la garder à l'œil. Il la rassure en lui disant que les autres gars l'ont informé récemment qu'ils allaient acheter un manteau en cadeau à Béliveau. Il fait aussi mine de s'inquiéter pour elle, pour aussitôt lui faire miroiter une vie meilleure lorsque l'importation aura réussi.

— Tu penses-tu que tu vas devenir folle avec tout ça? lui demande-t-il un soir, dans une conversation épiée par la police.

— Folle? Comment ça? réplique-t-elle.

— Ben je sais pas, c'est beaucoup…

— Non je ne pense pas, réplique-t-elle, rassurante.

— Tu penses-tu que tu vas faire quelque chose de bon?

— Je pense que oui, dit-elle.

Semino commence à lui faire miroiter ce qu'ils pourront faire avec l'argent de la drogue.

— On pogne un bloc. On achète un bloc, sur ton nom !

— Ouais, ça peut être ça, répond-elle.

— Plus un condo dans le Vieux-Montréal !

— Ça c'est bon !

Semino assure Béliveau qu'ils pourront revendre rapidement le condo en faisant un demi-million de dollars en profits, selon son estimation du marché immobilier. Béliveau lui explique que l'argent ne lui montera jamais à la tête.

— Mettons que ça ne marcherait pas, là, je ne vais pas me mettre à brailler, tu comprends ? Moi, j'ai déjà un bac, là, je pourrais me trouver autre chose, mais si ça marche tant mieux, dit-elle.

Elle explique qu'elle aimerait seulement s'offrir quelques gâteries, comme un massage une fois par semaine, une visite au spa, s'acheter des vêtements.

— Je ne viendrai pas folle pour autant, là. Tu sais... profiter de la vie, dans le fond.

Mais dans les semaines suivantes, alors que le projet piétine, même Semino a du mal à la calmer lorsqu'elle s'impatiente. Sa situation financière est difficile, avec son conjoint qui n'assume aucune dépense.

— Faut que ça bouge, là, moi j'ai besoin de cash !, lance-t-elle à Semino.

Il a toujours réponse à tout. Il lui explique que des tremblements de terre ou des ouragans semblent avoir retardé les préparatifs du côté de l'Inde. Qu'elle est avec les bonnes personnes, que Torre est l'homme de la situation, qu'il va tout arranger.

— Je le sais, mais je suis dans la merde, là. Mes cartes de crédit sont loadées. Je ne suis pas capable de les payer, sont trop pleines ! se plaint-elle.

De son côté, Dorsainville, qui utilise déjà Béliveau pour payer son loyer, est toujours intéressé par le coup d'argent que la douanière pourrait faire grâce à Torre. Il pose constamment des questions sur le projet, dans lequel il n'est même pas impliqué. Début décembre, elle lui avoue être découragée.

— Sincèrement, là, si ça ne marche pas demain, je pense que je me tire une balle dans la tête!

Le plan ne marche pas le lendemain, mais Béliveau s'abstient de tout geste dramatique. Au fil des jours, elle multiplie toujours les vérifications dans le système informatique pour aider les préparatifs de Torre et de son groupe. Elle y passe des heures et des heures. Il ne s'agit pas d'une simple petite vérification en passant. C'est une participation active à un complot majeur d'importation de drogue. Ses patrons, en collaboration avec la police, voient tout ce qu'elle fait grâce à la copie miroir de son ordinateur. Elle tente d'organiser l'affaire pour que Torre soit assuré de ne pas voir sa marchandise saisie.

— Il ne va pas me donner son avance s'il n'y a aucune garantie, là. Lui, il veut une garantie comme quoi sa compagnie n'est pas ciblée et comme quoi on ne va pas saisir son conteneur, comme quoi il ne va rien arriver, explique-t-elle à Dorsainville.

Celui-ci est insistant et continue de lui faire la vie dure. À l'appartement, elle ne fait que se disputer avec lui. Elle est malheureuse. À l'approche de Noël, elle finit par lui sous-louer carrément l'appartement en demeurant responsable du bail, et retourne vivre chez ses parents.

SUSPENDUE SANS RAISON

Avril 2006. Un groupe d'enquêteurs est réuni au quartier général de la GRC au Québec, un imposant bâtiment en béton boulevard Dorchester, à Westmount, dans la riche enclave anglophone de l'île de Montréal.

Le sujet à l'ordre du jour : quoi faire de la douanière Marilyn Béliveau ? Voilà des mois qu'elle est apparue sur le radar des policiers, dans le cadre de l'enquête «Colisée» sur la mafia italo-montréalaise. Les enquêteurs l'ont d'abord simplement soupçonnée d'entretenir de mauvaises fréquentations, possiblement de simples amis du secondaire avec qui elle a gardé contact.

Mais la preuve s'est accumulée et il ne fait plus aucun doute que la jeune femme est partie prenante d'un gros complot d'importation de drogue par la mafia. Elle est une taupe du crime organisé, en plein cœur de l'appareil stratégique de défense des frontières. Ses patrons ont été mis au courant et ont accepté de ne rien dire pour laisser l'enquête se poursuivre, mais la situation devient inacceptable. Les autorités ont beau la surveiller de près, il est impossible de savoir tout ce qu'elle accomplit pour eux. Quels secrets leur révèle-t-elle lorsqu'elle rencontre les trafiquants en personne, hors d'atteinte des systèmes d'écoute électronique ? Quels dommages peut-elle faire à l'interne sans que la police ne l'arrête à temps ? Il faut agir, insistent certains officiers.

Mais comment ? L'enquête « Colisée » est loin d'être terminée. Il faudra encore plusieurs mois de travail pour obtenir toute la preuve voulue sur les dirigeants de la mafia et pouvoir démanteler l'organisation du clan Rizzuto au grand complet. Des millions ont été investis dans cette enquête sans précédent sur le crime organisé à Montréal. Les policiers ne peuvent pas abattre leurs cartes tout de suite pour coincer une douanière, et révéler ainsi à tous les mafieux qu'ils sont sur leurs traces : les bandits détruiraient immédiatement des preuves, ils cesseraient de parler sur les lignes téléphoniques et dans les cafés que la police a placés sous écoute et où elle recueille une mine d'informations.

Il faut donc trouver un moyen de mettre Béliveau hors d'état de nuire, sans prévenir la mafia qu'une enquête d'envergure est en cours. Un policier a une idée.

— On devrait regarder du côté de son ancien chum, celui qui a gardé l'appartement.

L'idée est attrayante. Elle fait vite son chemin. Béliveau a entretenu une relation intime avec Fritz Dorsainville. Elle a habité avec lui et l'a laissé continuer de vivre dans l'appartement après son départ, tout en gardant le bail à son nom. Dorsainville habite chez elle, dans les faits. Il n'est pas lié à la mafia et il n'est pas mêlé au complot de Giuseppe

Torre. Mais c'est un vrai voyou, un petit criminel qui a certainement beaucoup de choses à se reprocher. Il suffirait de quelques jours de travail aux policiers pour trouver une accusation criminelle mineure qui permettrait de l'arrêter et d'éclabousser Béliveau par la bande.

Une descente de police est rapidement organisée à l'appartement. Ils y trouvent un manteau volé. Assez pour une accusation de recel. Bingo! Comme le bail du logement est au nom de Béliveau, elle se voit accusée, elle aussi. Voilà un prétexte en or pour que l'Agence des services frontaliers déclenche une enquête interne sur la douanière.

En mai 2006, les patrons de Béliveau lui annoncent qu'elle est suspendue sans salaire à la suite de l'enquête interne. Les douaniers sont des agents de la paix et il est inacceptable qu'ils conservent chez eux des biens volés et possiblement destinés à la revente, lui explique-t-on gravement. Le sort définitif de son emploi sera réglé après son procès criminel.

La dounière n'y comprend rien. Elle est sous le choc Elle n'a rien à voir avec ce manteau volé!

Béliveau retient les services de l'avocat criminaliste d'expérience Gary Martin pour la représenter. Lui aussi est perplexe devant les faits qui lui sont reprochés.

Jamais elle ne soupçonne que ses déboires puissent avoir quoi que ce soit à voir avec Torre, Bardales et Kanho. Naïvement, elle se croit blanche comme neige et intouchable de ce côté, car la drogue n'est pas encore entrée au pays. De toute façon, elle se dit que personne n'est au courant de ses accointances avec le groupe. Et même les gestes qu'elle a faits pour eux lui semblent acceptables: dans les faits, elle a fourni des conseils à des amis entrepreneurs sur la façon d'importer des chaussures, des amandes et de l'acide citrique, se dit-elle. Elle n'est pas obligée de savoir que c'était dans le but d'y camoufler de la drogue. Elle a aussi fait des vérifications dans le système pour s'assurer que les compagnies et les routes que souhaitait utiliser la bande n'étaient pas ciblées à l'avance pour des inspections, mais ce sont des vérifications qu'elle fait déjà dans son travail, alors que peut-on lui reprocher?

Comme elle le découvrira bientôt, la justice ne voit pas les choses du même œil.

L'accusation de «possession de marchandises volées de moins de 5 000 $» est retirée à peine un mois plus tard. Mais, à sa grande surprise, Béliveau n'est pas autorisée à retourner au travail pour l'instant. De longs mois s'écoulent sans que son dossier soit réglé. On lui laisse même entendre qu'il pourrait être plus simple pour elle de démissionner, ce qu'elle refuse de faire.

— J'ai un dossier meilleur que la moyenne au travail! s'insurge-t-elle.

Elle n'a plus autant de contacts avec la bande de Torre : les gars semblent beaucoup moins intéressés, maintenant qu'elle ne peut plus leur être de la moindre utilité. L'importation d'éphédrine indienne par bateau leur semble d'ailleurs d'une difficulté presque insurmontable. Ils n'arriveront jamais à concrétiser leur plan. Ils se contentent de leur bonne vieille source de revenus traditionnelle : l'importation de cocaïne par avion.

Elle demande à son avocat de l'aider à obtenir sa réintégration, mais le dossier piétine. À l'automne, pour se changer les idées, elle part à New York célébrer son anniversaire avec un nouvel amant américain rencontré récemment, un résident de la Grosse Pomme, qui l'aide à changer d'air. Dans les bras de son homme, au cœur d'une des villes les plus excitantes du monde, elle espère passer un 27e anniversaire de rêve, le 22 novembre.

La journée marquera plutôt le début d'un long cauchemar.

UN MONDE QUI S'ÉCROULE

Très tôt le matin, longtemps avant le lever du soleil en ce 22 novembre, 700 policiers québécois se présentent à divers points de rassemblement qui leur ont été assignés. Ils sont prêts à lancer la plus importante opération antimafia de l'histoire du Canada.

L'enquête «Colisée» est enfin terminée, après plus de quatre ans d'un travail titanesque. Les mandats d'arrestation et de perquisition sont rédigés et autorisés par la justice. La GRC, aidée de ses partenaires de la SQ, du SPVM et d'autres corps de police municipaux, est prête à frapper au cœur l'organisation du clan Rizzuto. Des têtes dirigeantes jusqu'aux hommes de main, 90 suspects sont visés.

Répartis aux quatre coins de la région métropolitaine, devant des commerces, des appartements, des entrepôts ou de gigantesques manoirs, les agents frappent à 6 h précises. Ils arrêtent rapidement 80 de leurs cibles et lancent des avis de recherche pour une dizaine d'autres.

Le vieux patriarche Nicolo Rizzuto sort de chez lui menotté et solidement encadré par les policiers. Avec son chapeau de feutre mou à la mode dans les années 1940, sa chemise boutonnée jusqu'au cou et son long manteau, il ressemble au cliché typique du mafioso popularisé par des films comme *Le Parrain*.

Presque au même moment, un représentant d'une autre génération mafieuse sort de sa luxueuse résidence lavalloise, lui aussi menotté. Giuseppe Torre arbore un style vestimentaire beaucoup moins classique, avec ses jeans délavés et le capuchon de son gros blouson d'hiver remonté sur sa tête.

Giuseppe Torre, lors de son arrestation.

Photo Alain Roberge, *La Presse*

À quelques kilomètres de là, Ray Kanho est épinglé lui aussi. Avec un tel colosse, les policiers ne courent pas de risques. C'est dans le dos qu'on lui attache les deux mains avant de le faire parader devant les caméras de télévision, vêtu de son blouson de sport noir, rouge et blanc.

«On croit avoir percé le crime organisé italien», déclare fièrement aux journalistes le porte-parole de la GRC, Luc Bessette.

Son collègue Richard Guay explique que le coup de filet démontre surtout «les nombreuses ramifications du crime organisé traditionnel de souche italienne dans plusieurs sphères d'activité».

La police explique que l'enquête a démontré l'implication de la mafia montréalaise dans l'importation massive de cocaïne sud-américaine, dans les paris sportifs illégaux, l'extorsion, le blanchiment d'argent et la corruption d'agents de l'État, notamment. Car Marilyn Béliveau n'est pas la seule taupe démasquée ce jour-là : la GRC confirme qu'une autre douanière travaillait pour l'organisation criminelle, ainsi qu'une dizaine d'employés d'entreprises basées à l'aéroport.

Le journaliste du *Journal de Montréal* David Santerre, l'un des mieux branchés sur les milieux judiciaires au Québec, révélera le lendemain de l'opération que plusieurs mafiosi avaient été prévenus qu'ils seraient arrêtés ce matin-là. Disposaient-ils aussi d'une taupe dans la police ? Impossible de le dire. Toujours est-il que plusieurs criminels avaient appelé leurs avocats pour les avertir de se tenir prêts, car ils seraient arrêtés au petit matin.

Mais personne n'a averti Marilyn Béliveau. Le 22 novembre, elle fait partie de la dizaine de suspects toujours recherchés qui ont échappé au ratissage policier. Les agents se sont rendus chez ses parents. C'est sa mère qui l'appelle chez son nouveau copain à New York et qui lui apprend qu'elle est en état d'arrestation. Elle panique. Les médias parlent de mafia, d'une organisation tentaculaire, puissante et richissime. Béliveau n'a jamais soupçonné l'ampleur de tout ça.

Elle téléphone nerveusement à son avocat. Me Gary Martin la rassure et prend les choses en main. Il contacte la GRC pour faire savoir que Béliveau va se constituer prisonnière à son retour au pays dans quelques jours. Elle ne cherchera pas à fuir la justice. Le mandat d'arrestation lancé contre elle précise qu'elle sera accusée de corruption et complot pour importation de drogue.

Son arrestation par ses collègues, le 1er décembre, est particulièrement éprouvante pour elle. Elle comparaît le jour même devant un juge dans l'imposant Centre judiciaire Gouin, dans le quartier Ahuntsic, au nord de Montréal. Ce tribunal spécial relié à la prison de Bordeaux par un tunnel a été construit pour y tenir les mégaprocès des grosses organisations criminelles, caractérisés par une logistique très complexe, un grand nombre d'accusés et des risques sécuritaires potentiels. Les accusés y prennent place derrière une vitre protectrice, contrairement à ce qui se fait habituellement au Québec. Et les salles y sont gigantesques : Marilyn Béliveau a l'air encore plus petite dans l'immensité de cette arène judiciaire fortement éclairée aux néons, avec ses innombrables rangées de bureaux pour les avocats et de bancs pour les spectateurs.

Le procureur de la Couronne s'oppose à la remise en liberté de Béliveau, comme il le fait pour la plupart des accusés de l'opération « Colisée ». Elle est envoyée à la prison pour femmes de Tanguay, située tout juste derrière la prison de Bordeaux.

Les serrures cliquettent, les portes s'entrechoquent violemment. En entrant dans sa cellule, Béliveau se sent mal. Elle n'en revient tout simplement pas d'être échouée là, elle, une douanière, une fille sans histoire. Elle n'est pas une dure, elle n'est pas à sa place en prison. Elle a peur de tout. Elle sent les murs se refermer sur elle, elle étouffe. Elle commence à souffrir de claustrophobie, d'anxiété et de crises de panique à un point tel que les médecins de la prison lui administrent des sédatifs pour la calmer.

Dans les prisons pour hommes, un douanier passerait certainement un très mauvais quart d'heure. Il faudrait le placer en isolement pour le protéger des membres de gangs et autres criminels endurcis qui voudraient l'intimider, le battre, voire le tuer à titre d'agent de la paix représentant de la loi et allié de la police tant détestée.

Mais l'ambiance est différente à la prison Tanguay. En voyant le piteux état de Marilyn Béliveau, les autres détenues ont pitié. Elles la prennent sous leur aile, tentent de lui remonter le moral, de l'aider à survivre derrière les barreaux. Cette année-là, Béliveau célèbre Noël en prison.

Le 29 décembre 2006, la Cour consent finalement à la remettre en liberté dans l'attente de son procès. Elle doit toutefois se plier à de sévères conditions: ses parents, morts d'inquiétude pour leur fille, acceptent de verser un dépôt en argent de 10 000 $ comme caution. Si elle tente de fuir ou si elle brise ses conditions, l'argent pourrait être saisi. Ses parents ne sont pas riches, le dépôt représente un énorme sacrifice pour eux.

La douanière déchue remet aussi son passeport aux autorités. Elle s'engage à se présenter deux fois par semaine au quartier général de la GRC et à se soumettre à un couvre-feu chaque soir.

Elle respire mieux une fois sortie, mais elle n'est pas au bout de ses peines. Son histoire a fait les manchettes. Presque tout le monde a entendu parler d'elle en mal. Elle et ses parents se disent traqués par les médias, qui tentent de lui soutirer une entrevue. «Je me sentais harcelée, comme en prison. Ils venaient sonner chez nous», dira-t-elle plus tard au sujet des journalistes.

Sa santé mentale et physique est dorénavant si fragile qu'elle est incapable de se chercher un nouvel emploi. Criblée de dettes, sans le sou, elle déclare faillite en février 2007, puis sombre dans une dépression majeure. Le médecin qui la suit diagnostique un stress post-traumatique et lui prescrit des antidépresseurs.

Elle n'est plus que l'ombre d'elle-même et le procès est encore loin. Sa vie est en lambeaux. En mars 2007, elle n'en peut plus. Elle fait une tentative de suicide et se retrouve hospitalisée à l'hôpital psychiatrique Louis-H. Lafontaine, où les médecins augmentent encore sa dose d'antidépresseurs.

Le malheur semble s'acharner sur elle. À l'été, elle se trouve un nouvel emploi, mais après quelques mois, son employeur qui la voit à la télévision parce qu'elle doit comparaître en cour la congédie immédiatement.

Au cours des années suivantes, Marilyn Béliveau consacre presque 100 % de ses revenus à sa défense, alors que son procès n'a même pas débuté. À un certain moment, elle cumule trois emplois en même temps et ne dort presque plus. Son état se détériore encore à l'été 2010 et elle doit retourner à Louis-H. Lafontaine, où sa dose de médicaments est encore une fois augmentée. Une psychologue qui l'évalue à cette époque ne parle plus de simple détresse psychologique mais de « détresse extrême ».

RÉCONFORT AVANT LE PROCÈS

Après cet épisode, l'ex-douanière cherche du réconfort dans une église chrétienne évangélique montréalaise. Elle participe à des rencontres de discussions et de prière qui lui font du bien. C'est là qu'elle voit vraiment la lumière au bout du tunnel, et ce, d'une façon inattendue. Un soir, à l'église, elle fond en larmes, seule dans son coin, en réfléchissant à sa situation. Un homme s'approche d'elle et commence à la consoler. Elle est tout de suite frappée par sa beauté. Il s'appelle Frank Antonio. C'est un immigrant salvadorien profondément religieux, un mécanicien qui occupe un emploi stable et agit en véritable gentleman avec elle. Il la fait se sentir bien.

Les deux deviennent amis, amants puis fiancés. Le 2 juillet 2011, vêtue d'une grande robe de mariée blanche avec une longue traîne, elle oublie l'espace d'un instant le procès qui lui pend au bout du nez, le risque de croupir en prison pour des années et son argent qui passe au complet en frais d'avocat. L'espace d'un instant, elle est profondément heureuse, jurant fidélité pour toujours à son homme. Elle l'embrasse sous les applaudissements.

Mais Marilyn Béliveau n'est pas sortie du bois pour autant. Il lui reste la difficile épreuve de son procès, qui s'ouvre quelques mois plus tard, à la fin de septembre 2011. Elle a maintenant un nouvel avocat, Mᵉ Charles Montpetit, qui ne ménage pas ses efforts et travaille d'arrache-pied sur sa cause. L'interrogatoire est pénible, tout comme l'écoute des conversations enregistrées par la police, où on entend la bande de Torre la traiter de façon dégradante.

À la cour, lorsqu'on lui demande ce qu'elle pense des propos tenus à son endroit dans ces conversations, elle ne peut retenir ses larmes.

— Ça m'a beaucoup peinée, il y avait des noms dégradants. Je n'avais jamais perçu ça, j'ai été naïve, répond-elle en reniflant. Je croyais que c'étaient mes amis...

En larmes, elle insiste aussi sur la fierté que lui procurait son emploi de douanière

— J'ai pas encore fait le deuil de cet emploi-là. J'ai même encore l'uniforme à la maison. Je ne suis pas capable de m'en défaire.

Le procureur de la Couronne, Me Yvan Poulin, enfonce le clou.

— Vous n'avez pas, honte, en tant que douanière? lui demande-t-il.

— Après six ans, je suis gênée, avoue-t-elle en pleurant toujours. Aujourd'hui, je me sens mal d'avoir menti. Je ne suis plus du tout comme ça, les personnes autour de moi sont saines d'esprit. C'est six mois de ma vie que je regrette et que je paye cher.

Elle dit se sentir coupable d'avoir fait «des mauvais choix de vie», mais affirme ne jamais avoir eu d'intentions criminelles. Elle maintient, tout au long du procès, qu'elle ignorait que le complot impliquait l'importation de drogue. Elle affirme qu'il aurait pu s'agir de n'importe quelle importation de marchandise légale.

La juge Sylvie Durand n'en croit pas un mot. La preuve est claire. Béliveau savait qu'elle participait à une importation illicite qui devait rapporter beaucoup d'argent à une organisation criminelle. Au moment des faits, «elle sait donc très bien que plusieurs personnes sont impliquées et qu'elle fait affaire avec une grosse organisation. Des gens qui ont de l'argent et qui lui en promettent aussi. Qui la font rêver de changer de vie».

«Ces hommes, riches, prodigues et expérimentés, ont vite su reconnaître chez elle les traits de personnalité qui la rendaient vulnérable, en flattant son ego et en lui faisant miroiter une vie meilleure. Ils agissaient comme des gentlemen avec elle. Et c'était tout le contraire quand ils parlaient d'elle entre eux», poursuit la juge.

Assise au premier rang dans la salle d'audience, Marilyn Béliveau pleure en écoutant la juge prononcer son verdict. Autour d'elle, ses proches secouent la tête négativement, comme pour contredire les conclusions du jugement.

« La preuve est donc sans équivoque, martèle la juge Durand : Marilyn Béliveau a, en toute connaissance de cause, alors qu'elle était douanière, donné des conseils en vue d'aider les conspirateurs à importer une drogue. »

Coupable. Elle est coupable. Béliveau n'en revient pas. Elle pourrait être passible de plusieurs années de prison. Elle se lève et quitte le palais de justice en pleurs, solidement encadrée par sa famille, qui tente de la dérober aux objectifs des nombreux photographes et caméramans qui l'attendent.

L'ex-douanière doit revenir en cour quelques jours plus tard pour les représentations sur sentence. C'est un moment crucial où son avenir se joue. Son avocat, Me Charles Montpetit, a l'intention de demander qu'elle purge une sentence dans la collectivité, sans aller en prison. Le procureur de la Couronne, Me Yvan Poulin, qui a mené de front la majorité des dossiers de l'opération « Colisée », va demander quant à lui qu'elle soit incarcérée pour au moins cinq ans.

Dans l'espoir d'obtenir la clémence de la cour, Me Montpetit sort une carte de sa manche : il fait témoigner la mère de Marilyn. C'est sa chance de sauver son bébé. La mère y met tout son cœur. Elle se dresse devant la juge et décrit l'épreuve pénible que vivent l'accusée et sa famille depuis plus de 2 400 jours.

— Oui, je compte les jours, madame la juge, dit-elle. Pour les gens et les médias, Marilyn a toujours été coupable avant même de se défendre. J'ai le profond sentiment que Marilyn purge sa peine depuis six ans, et nous avec elle, conclut-elle. Puis elle se rassoit, laissant la place au mari de sa fille.

Le mécanicien, incapable lui aussi de retenir ses larmes, explique comment sa femme a fait de lui un homme meilleur. Depuis sa condamnation, elle ne dort pratiquement pas, dit-il. Il raconte qu'elle s'implique à l'église et qu'elle s'occupe d'un groupe de femmes.

— Je l'aime plus que tout, c'est une femme forte, dit-il.

Avec émotion, il détaille aussi leur nouveau projet de vie commune.

— Moi, mon rêve, c'est d'avoir des enfants et une famille. Marilyn va avoir bientôt 33 ans. À son âge, si elle s'en va en prison, il va falloir mettre une croix là-dessus, laisse-t-il tomber.

L'avocat de Béliveau insiste quant à lui sur le fait que la douanière était manipulée, utilisée par la mafia dans cette affaire.

— Il ne faut pas oublier la façon dont on la traitait quand on parlait d'elle, on utilisait toujours des termes grossiers qui démontraient qu'on n'avait que du mépris, on l'utilisait comme une enfant, et les gens qui l'ont utilisée c'étaient des connaissances à elle qu'elle avait connues au collège, jeune. Elle ne s'était pas méfiée de ces personnes-là, dit-il.

— Elle a été utilisée à titre de ressource, poursuit l'avocat. On a exploité sa naïveté. Madame Béliveau est une bonne personne. On l'a vu avec Fritz Dorsainville. Elle s'est amourachée d'un petit truand et voulait le changer.

Puis, c'est au tour de Béliveau de témoigner pour demander la clémence de la juge. Elle explique avoir complètement changé depuis l'époque des crimes qui lui sont reprochés.

— Aujourd'hui, je vais à l'église. La Bible est devenue le manuel de ma vie, plaide-t-elle.

Mais lorsque vient son tour, le procureur de la Couronne Yvan Poulin peint un tableau moins favorable de la jeune femme. Elle n'avait pas une fonction ordinaire, en tant que douanière. Il veut que la cour marque la gravité de la trahison chez un serviteur de la loi au Canada. Il faut un exemple pour marquer les esprits des autres agents de la paix qui pourraient être tentés de devenir des taupes.

— On parle d'une employée de l'État qui a contrevenu aux principes de politiques judiciaires. Les tribunaux doivent insister sur la dissuasion collective. Il faut dissuader les gens qui pourraient être tentés de commettre ce genre de crime, argumente-t-il. Marilyn Béliveau était douanière. Sa responsabilité première était la protection de nos frontières. Or, au lieu de les protéger, elle en a donné la clé à une organisation criminelle puissante, martèle-t-il.

La juge prend quelques semaines de réflexion pour déterminer la sentence appropriée. L'attente est interminable pour Béliveau. Puis, le 21 février 2013, six ans et trois mois après le mandat d'arrestation contre la douanière, la sentence est prononcée : la juge fait preuve de clémence et évite la prison à Béliveau. Celle-ci pousse un immense soupir de soulagement.

« Elle est un simple exécutant au bas de l'échelle », commente la magistrate, qui lui impose une peine de deux ans moins un jour à purger dans la collectivité, assignée à résidence, chez elle, sauf pour des raisons médicales ou des motifs religieux. La juge la condamne aussi à effectuer 240 heures de travaux communautaires pendant la première année de cette peine. Viendront ensuite trois ans de probation, après la peine dans la collectivité. La Couronne a annoncé son intention de porter la sentence en appel. Au moment d'écrire ces lignes, l'appel n'avait pas encore été entendu.

Les têtes dirigeantes du complot, Giuseppe Torre et Ray Kanho, auront pour leur part écopé de 14 ans de prison pour leur rôle dans l'affaire. Rony Bardales a écopé de près de cinq ans de détention.

Quant à Béliveau, elle tente de profiter de sa sentence purgée à la maison pour se reconstruire une vie. À l'hiver 2014, elle accouche finalement d'un petit garçon. « Mon fils, mon cadeau du ciel », commente-t-elle en montrant à ses proches une photo du bambin.

DES AS DU RÉSEAUTAGE

La mafia est souvent appelée « la pieuvre », en raison de ses réseaux tentaculaires qui s'infiltrent partout et se reconstruisent naturellement après qu'on a tenté de lui couper la tête.

Au Québec, les tentacules de la pieuvre étaient bel et bien infiltrés partout. Marilyn Béliveau était loin d'être la seule taupe bien placée de la mafia. La conclusion de l'opération « Colisée » a permis de démasquer une dizaine d'employés d'entreprises basées à l'aéroport, qui travaillaient en sous-main pour le réseau de Giuseppe Torre.

La bande avait aussi soudoyé une autre douanière, Nancy Cedeno, en utilisant un manège presque identique au cas de Béliveau.

Nancy Cedeno était une mère de famille lavalloise de 30 ans. Elle ne travaillait pas à la Place d'Youville avec Béliveau, mais était plutôt affectée à l'aéroport de Montréal. Elle était en charge de l'accueil et de la vérification des arrivées de voyageurs plutôt que des conteneurs.

Elle était malheureuse à la maison, où sa relation avec son conjoint s'était dégradée. Elle avait des tendances dépressives et des difficultés financières elle aussi. Un jour, à l'aéroport, elle croise un charmant policier militaire du nom d'Omar Riahi, qui avait déjà fait un stage à l'Agence des services frontaliers avec elle. Riahi lui fait la cour à coups de compliments et de petites attentions. Il lui dit à quel point elle était belle.

— Il me disait tout ce que je voulais entendre, a-t-elle dit à son procès.

— Quelque chose que votre mari ne faisait pas ? demanda son avocat.

— Exactement, dit-elle.

Riahi travaillait en fait lui aussi pour Giuseppe Torre. Il réussit à convaincre Cedeno de lui fournir des cartes de douanes pour voyageurs déjà estampillées. Chaque voyageur qui arrive au Canada à l'aéroport doit remplir une de ces cartes. Les douaniers qui les accueillent peuvent appliquer une étampe qui leur donne le feu vert pour entrer au pays sans plus de vérifications, ou encore, s'ils ont des doutes, rediriger le voyageur vers un lieu de fouille secondaire.

Les « mules » utilisées par le réseau de Giuseppe Torre pour ramener de la cocaïne sud-américaine n'avaient ainsi qu'à brandir leur carte déjà estampillée par Cedeno et ils passaient les douanes sans plus de problèmes. Jusqu'au jour où un voyageur a été arrêté en embarquant dans un avion à Haïti, en possession de neuf kilos de drogue. Dans ses bagages, les autorités ont trouvé une carte de douanes canadiennes déjà estampillée par Cedeno, révélant ainsi le pot aux roses.

Peu après l'opération « Colisée », la GRC avait même découvert une taupe dans les rangs de ses employés civils affectée à la vaste enquête antimafia. Angelo Cecere, un employé civil de la GRC affecté à la traduction des conversations interceptées en italien, travaillait pour le corps policier depuis plus de 25 ans. Son divorce avait avalé la moitié de son salaire. Il prenait des antidépresseurs. Comble de malheur, il souffrait d'une grave maladie dégénérative des yeux, qui l'avait rendu presque aveugle.

La GRC l'avait placé sous surveillance, car quelque chose clochait chez lui. Il apportait à la maison beaucoup de documents confidentiels reliés aux enquêtes antimafia. Un soir de 2007, après avoir travaillé à des traductions dans l'enquête « Colisée », il a appelé son fils, en lui disant de venir à la maison avec « son ami », que c'était « important ».

Les policiers, qui épiaient la maison, ont vu le fils avec son ami, Nicola Di Marco, un soldat de la mafia montréalaise. Ils l'ont intercepté après sa sortie et ont trouvé des transcriptions d'écoutes électroniques annotées par M. Cecere, avec des suggestions de moyens de défense en cour, notamment des questions que les avocats pourraient soulever sur la qualité des traductions.

M. Cecere, qui a été condamné pour abus de confiance, a avoué qu'il voulait vendre des documents importants de l'enquête « Colisée » à la mafia pour 250 000 $ afin de renflouer ses finances.

Pendant l'enquête « Colisée », la police a aussi découvert des informations sur des entrepreneurs qui étaient en relation avec la mafia et qui semblaient pouvoir obtenir des traitements de faveur à l'Agence du revenu du Canada en matière d'impôt. Une enquête interne au sein du fisc a permis par la suite de démasquer des employés corrompus, qui aidaient des entreprises à payer moins d'impôt. L'un des vérificateurs fiscaux placés sous enquête interne s'était d'ailleurs intéressé de très près au dossier de Giuseppe « Joe Sauce » Sollecito, le fils d'un des chefs de la mafia à Montréal.

Les caméras cachées par la police au Café Cosenza, le quartier général de la mafia, au cours de l'enquête « Colisée », ont aussi permis d'identifier clairement l'intermédiaire qui faisait le lien entre l'organisation criminelle et un grand groupe d'entrepreneurs en construction italo-montréalais qui lui versait une part de ses profits sur les contrats publics municipaux.

Nicolo Milioto, surnommé «Monsieur Trottoir» parce qu'il remportait une quantité incroyable de contrats de réfection de trottoirs à Montréal, était la courroie de transmission de la mafia : la GRC l'a vu 236 fois au Café Cosenza rencontrer les chefs mafieux, parfois en leur apportant de grosses liasses d'argent comptant provenant de l'industrie de la construction.

Or, la fille de Milioto, Caterina, travaillait à la direction des travaux de construction de la Ville de Montréal, de 2006 à 2010. Caterina Milioto avait été embauchée à la Ville par Robert Marcil, un gestionnaire qui a démissionné en 2009 après le déclenchement d'une enquête sur un voyage en Italie que lui avait payé Joe Borsellino, un entrepreneur qui entretenait lui-même des liens avec le clan Rizzuto.

Les experts disent souvent que ce qui fait la force de la mafia, c'est son réseau de contacts, ses relations qu'elle entretient avec des collaborateurs dans les sphères les plus diverses de la société, des ruelles mal famées jusqu'aux grands salons chics. Toutes les personnes mentionnées plus haut pouvaient être très utiles au clan Rizzuto et l'aider à engranger des millions en produits de la criminalité.

Selon une source qui a bien connu plusieurs acteurs de l'affaire, Giuseppe Torre et Ray Kanho ont gagné beaucoup de prestige et d'envergure au sein du crime organisé en ayant leur propre taupe de grande valeur, peut-être celle qui présentait le plus grand potentiel parmi celles citées plus haut.

«C'était un accès dans le système d'une grande valeur», observe la source. Pour eux, elle était un trophée.»

Très « américanisés », Donald Heathfield et sa femme Tracey Ann Foley, des espions-caméléons russes vivant sous des identités fictives, étaient en mission d'infiltration aux États-Unis.

Chapitre 5

DONALD HEATHFIELD, LE FANTÔME DE MOSCOU

Vous avez été envoyé aux USA pour une mission à long terme.
Éducation, comptes de banque, auto, maison, etc., tout ceci n'a
qu'un objectif: remplir votre mission principale, i.e. de rechercher
et développer des liens dans les cercles décisionnels américains et
envoyer des rapports de renseignement au Centre.

***

C'EST UNE SIMPLE STÈLE EN BRONZE PARMI DES CENTAINES d'autres, toutes identiques et parfaitement alignées sous les arbres dans ce cimetière-jardin coincé entre l'autoroute Métropolitaine et l'arrondissement Saint-Laurent, dans le nord de Montréal. Il faut balayer avec le pied la petite neige automnale qui la recouvre déjà pour y découvrir l'identité des défunts.

Officiellement, le petit Heathfield est bel et bien mort à l'âge de sept semaines, le 22 mars 1962, et enterré à cet endroit aux côtés de ses grands-parents. Un avis de décès publié le lendemain dans le quotidien anglophone *The Montreal Star* mentionne le décès d'un « bébé » âgé de sept semaines nommé David Howard Heathfield – et non pas Donald. Une coquille (David est son frère aîné qui est toujours bel et bien vivant). Il y est mentionné qu'il repose alors à la maison funéraire J. P. Ferron au 2252, rue Saint-Antoine à Montréal. Sa famille habite alors dans l'ouest de l'île. Elle déménagera dans les années 1970 à

Burlington, en Ontario, où le père, Howard William Heathfield, mourra le 23 juin 2005, à l'âge de 70 ans.

Officieusement, ce poupon québécois n'est jamais décédé. Un officier des services secrets russes en poste à Montréal l'a ressuscité pour attribuer son identité québécoise à l'une de leurs supertaupes. À la fin des années 1980, alors que l'URSS vacillait, cet agent très secret a été infiltré d'abord au Canada puis aux États-Unis avec sa conjointe, Tracey Ann Foley, elle aussi agent secret, elle aussi « Canadienne » de pure fiction.

Le 17 septembre 1962, tandis que le maire de Montréal Jean Drapeau visite, bottes aux pieds, le chantier de la première ligne du futur métro, les quotidiens anglophones *The Montreal Star* et *The Gazette* publient un court texte annonçant la naissance, trois jours plus tôt à l'Hôpital général de Montréal, d'une petite fille nommée Foley, fille de E. J. Foley et de Pauline Boire. Tant la maman que la

Les avis de naissance et de décès du vrai petit Heathfield publiés les 6 février et 23 mars 1962.

La tombe du vrai Donald Heathfield et de ses grands-parents, à Montréal.

Photo Ivanho Demers, *La Presse*

petite fille, dont le prénom n'est pas mentionné, « se portent bien », peut-on lire. Or, ce 14 septembre 1962 à Montréal est aussi la date et le lieu de naissance inscrits sur le passeport canadien de l'espionne russe. Il s'agit bien de la même personne. Malgré nos recherches, nous n'avons pas pu en apprendre davantage sur le destin de la vraie petite Foley.

La belle aventure occidentale du couple Heathfield / Foley et de neuf autres illégaux (quatre faux Canadiens au total dans le groupe) a pris fin en juin 2010 à la suite d'une longue enquête du FBI baptisée « Histoires de fantôme » (« Ghost Stories »). Un nom de code tout à fait de circonstance pour des espions nés dans des cimetières.

« Cette histoire insensée a été un choc pour notre famille », convient des années plus tard David, le frère aîné du défunt Donald. Le vrai. Même stupéfaction légitime chez sa mère, sa tante qui réside en Montérégie, sans oublier tous ceux qui ont côtoyé professionnellement le Montréalais fictif.

Donald Heathfield et Tracey Ann Foley – Don et Ann pour les intimes – sont des « illégaux ». C'est le terme utilisé pour désigner ces espions-caméléons russes vivant à l'étranger sous des identités d'emprunt, fictives, avec une certaine prédilection pour l'Amérique du Nord. (La Russie a aussi parfois recours à des illégaux exerçant sous leur véritable identité.)

Ces illégaux sont une spécialité de longue date du Bloc soviétique. Déjà dans les années 1970, la division du renseignement extérieur de la défunte STASI, la petite sœur est-allemande du KGB, en envoyait, dit-on, des bataillons entiers de l'autre côté du « mur », en Allemagne de l'Ouest. Certaines de ces taupes étaient surnommées, non sans humour, les « Casanova rouges » (ou aussi les « Roméo »). Bien entendu, leur mission principale consistait à séduire des femmes ouest-allemandes œuvrant dans des postes stratégiques, que ce soit au gouvernement et même au sein des services de renseignement.

L'un de ces « Casanova rouges » avait ainsi piégé une femme de 15 ans son aînée, « affamée de sexe », et qui avait le malheur de travailler pour un haut gradé du renseignement de la défunte Allemagne de l'Ouest, raconte l'ex-général du KGB Oleg Kalugin. Quarante ans plus tard, celui-ci se souvenait encore de la teneur des rapports opérationnels que Berlin-Est envoyait à Moscou. L'agent « Casanova » y relatait avec moult détails « pornographiques », semble-t-il, ses ébats frénétiques avec cette *fraulein* adepte du « sexe oral », mais qui l'épuisait tellement qu'il avait « de plus en plus de difficulté à maintenir une érection » (sic). La pauvre femme devait néanmoins être assez comblée puisqu'elle avait fini par lui refiler des documents « Top Secret »…

Le KGB lui-même semblait être passé maître dans l'art du pot de miel (piège sexuel tendu à des cibles prédéterminées) et des confidences volées sur l'oreiller entre deux ébats sexuels torrides. « Nous avions moins de scrupules (que les services de renseignement adverses) à utiliser le sexe comme arme », dira Oleg Kalugin à ce sujet.

Moscou avait aussi implanté un « illégal » au Japon dans les années 1980 sous de multiples identités. Pendant presque 30 ans, soit jusqu'à ce qu'il soit démasqué par les services secrets japonais, l'homme au faciès asiatique a réussi à passer sous le radar pour bâtir des réseaux d'espionnage au sein de l'empire du Soleil levant.

Pour certains, ces illégaux venus de la lointaine Russie demeurent « la crème de la crème » dans le grand jeu de l'espionnage, même si plusieurs cas ont tourné à la déroute ces dernières années, notamment au Canada. « Ce sont des individus triés sur le volet lors de leur formation en raison de leur maîtrise des langues étrangères et de leur faculté d'adaptation dans une autre société », de mentionner Frank Figliuzzi, ex-assistant-directeur chargé du contre-espionnage au FBI.

Leur mission s'étale sur de longues périodes, parfois des décennies. Leur rôle principal n'est pas de voler des secrets, mais plutôt d'infiltrer en douceur – pas seulement lors des pièges sexuels évoqués plus haut ! – certains milieux, en particulier les « cercles de politique étrangère », tisser un réseau de contacts puis d'ouvrir leurs oreilles ou leurs yeux et, enfin, faire « remonter » à Moscou des informations captées ici et là jugées pertinentes. Ou bien encore de cibler de potentielles futures taupes, des « objectifs » qui seront approchés par la suite par des agents « légaux », précaution nécessaire afin que le réseau clandestin ne puisse être démasqué.

Chaque cible jugée « vulnérable » au recrutement par les illégaux est par la suite l'objet d'une évaluation psychologique poussée et d'une vérification de sécurité dans les bases de données du « Centre » (le quartier général du SVR), afin de rejeter tout candidat suspect de lien direct ou indirect avec des agences de renseignement occidentales.

L'illégal n'est pas seulement un agent de renseignement menant une vie casanière ou même bourgeoise, pour certains. Au plus fort de la Guerre froide, l'illégal avait aussi été préparé et entraîné – tel l'agent dormant d'un groupe terroriste – à perpétrer en cas de confrontation armée avec l'URSS des actions plus musclées de sabotage, d'assassinats ciblés, d'empoisonnement massif de population, etc. C'est dans cette éventualité qu'au préalable, sur leur territoire respectif, des cibles considérées stratégiques avaient été identifiées (y compris au Québec) et des caches d'armes et d'explosifs implantées discrètement. Ces illégaux de combat étaient alors placés sous la responsabilité du très secret département V du KGB.

Les illégaux russes n'ont rien à voir avec leurs collègues postés « officiellement » et pour une période limitée sous couverture diplomatique dans des ambassades ou consulats, mais qui risquent à tout moment une expulsion. En cas d'arrestation, l'illégal ne jouit pas de cette immunité diplomatique. Il peut donc être arrêté, accusé et emprisonné comme tout criminel.

L'illégal ne fonce pas non plus dans une rue en sens interdit au volant d'une Aston Martin modifiée ou ne bondit pas de toit en toit agrippé au guidon d'un motocross. Au contraire, il mène une vie normale, discrète, aux antipodes de celle mouvementée de 007, la créature caricaturale née de l'imagination de Ian Fleming. « Nous ne sommes pas dans un film d'action. Si vous vous comportez comme James Bond, vous n'allez pas tenir plus d'une journée avant d'être repéré », a confessé Donald Heathfield lors d'une unique entrevue publiée dans un magazine russe (entrevue accordée à un journaliste russe quasi inconnu qui nous a indiqué avoir rencontré l'espion « par hasard »).

L'espion et son épouse Tracey Ann Foley personnifiaient en effet parfaitement un couple choyé de la classe moyenne américaine, vivant avec leurs deux garçons blondinets à Cambridge, près de Boston.

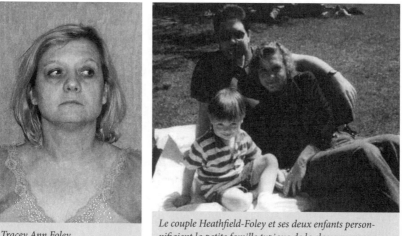

Photo US Marshalls

*Tracey Ann Foley,
lors de son arrestation*

*Le couple Heathfield-Foley et ses deux enfants person-
nifiaient la petite famille typique de la classe moyenne
américaine (photo prise en 1997).*

L'illégal est donc un comédien qui finit par être totalement habité par son personnage. Ces deux faux Canadiens naturalisés américains parlaient français et anglais couramment. « Vous ne pouvez pas utiliser votre langue d'origine, même à la maison, poursuit Heathfield. Vous devez toujours garder le contrôle sur vous. Mais, après quelques années de travail, cela devient tout à fait naturel. Vous finissez même par rêver dans d'autres langues. »

UN RÉSEAU BIEN ÉTABLI

Heathfield et Foley ne sont pas seuls en mission d'infiltration aux États-Unis, loin de là. Plusieurs autres illégaux ont soit déjà été parachutés plusieurs années auparavant, ou soit les ont rejoints par la suite, y compris dans les années 2000. Au total, c'est une dizaine de ces taupes russes qui vont se retrouver dans la mire du FBI dès 1999. Il ne s'agit pas à proprement dit d'un réseau, mais de plusieurs groupes, voire d'individus, qui, dans la majorité des cas n'interagissent pas entre eux et ne se connaissent probablement pas.

Les neuf autres Russes ciblés par l'enquête « Ghost Stories » sont les suivants – les noms mentionnés entre parenthèses seraient leurs identités réelles telles que déclarées aux autorités américaines, mais non prouvées hors de tout doute :

1 – Christopher R. Metsos. Ce quinquagénaire « canadien » dont le vrai nom est inconnu parcourt le monde sous une flopée d'alias (au moins 11). Il est considéré comme le bailleur de fonds de plusieurs membres du groupe. Il ne réside pas aux États-Unis, mais y fait de fréquents séjours, en particulier à New York.

2 et 3 – Richard Murphy (Vladimir Guryev) et son épouse Cynthia Murphy (Lydia Guryev). Surnommés « Les conspirateurs du New Jersey » par le FBI, ils habitent avec leurs deux petites filles de 9 et 11 ans sur Marquette Road, à Montclair, dans une petite maison de deux étages de 400 000 $ et se déplacent dans une banale Honda Civic 1998. Certains voisins sont intrigués néanmoins par leur accent est-européen prononcé. Ils auraient été infiltrés par Moscou aux États-Unis vers le milieu des années 1990. Cynthia Murphy, nom de code « N » pour le SVR, est vice-présidente dans un cabinet d'experts comptables réputé. En 2009, elle réussit à tisser des liens avec un bailleur de fonds influent proche du couple Bill et Hilary Clinton, au grand plaisir de Moscou qui salive face au déluge de « potins » potentiels en provenance de la Maison-Blanche portant sur la politique étrangère du pays. Son conjoint, dont le nom de code est « A », semble impliqué étroitement dans le fonctionnement du groupe. Il est vu à plusieurs reprises avec des diplomates russes. C'est souvent par lui que transitent les remises de fonds. Le couple est aussi mis à contribution avant la visite du président Barack Obama à Moscou, en juillet 2009, pour glaner des informations sur la position de membres du cabinet américain concernant l'Afghanistan, notamment. Le Centre félicite souvent le couple pour la grande utilité des fruits de sa récolte.

4 et 5 – Michael Zottoli (Mikhail Kutsik) et sa conjointe « canadienne » Patricia Mills (Natalia Pereverzeva). Ils vivent aux États-Unis respectivement depuis 2001 et 2003. Michael a travaillé jusqu'en 2009 pour une entreprise de télécommunications de Seattle. Patricia est

« femme au foyer ». Le couple et ses deux jeunes enfants s'installent à Arlington, en Virginie, fin 2009.

6 et 7 – Juan Lazaro (Michael Vasenkov) et sa femme Vicky Pelaez. Les « conspirateurs de Yonkers », ville de l'État de New York où ils résident, vivent depuis plus de 20 ans aux États-Unis. Juan, ancien journaliste, est professeur associé en sciences politiques. Vicky Pelaez, son vrai nom, est une journaliste américano-péruvienne travaillant pour le quotidien hispanophone new-yorkais *El Diario / La Prensa*. Ils se font parfois sermonner par Moscou pour la piètre valeur des informations transmises.

8 – Mikhail Semenko, dit « Misha ». Il vit et travaille aux États-Unis dans la région de la capitale fédérale sous son vrai nom, selon ses dires, mais se dit citoyen américain. Âgé d'une vingtaine d'années, il parle quatre langues dont le mandarin (il aurait fait des études dans une université chinoise), conduit une Mercedes 500 et a un bon sens de la fête ! Il a travaillé deux ans au bureau new-yorkais du Conference Board avant d'être embauché, en 2009, dans une agence de voyages d'Arlington.

9 – Anna Chapman. Elle est née en 1982 sous le nom de Anya Kushchenko. Elle est la fille d'un diplomate et membre du KGB qui, lorsqu'il était en poste en Afrique, se faisait remarquer lors de ses déplacements en Range Rover en étant protégé par une armada de gardes du corps. Cette égérie des tabloïds et des revues de charme s'est mariée en 2001 avec Alex Chapman, un jeune Britannique issu d'un milieu aisé dont elle a divorcé en 2006. Elle a conservé par la suite son nom d'épouse et sa citoyenneté britannique. Anna Chapman a occupé plusieurs emplois dans des banques avant de créer sa propre société dans le domaine de l'immobilier. La mission de cette jeune femme, qui revendique sans détour son statut de *jet-setter* et son amour pour New York, consiste essentiellement, selon plusieurs témoignages, à servir de « pot de miel ». D'où ses multiples surnoms plutôt moqueurs tel « agent 90-60-90 », allusion directe à ses mensurations. Mais, avertit l'ex-assistant-directeur du contre-espionnage du FBI Frank Figliuzzi, il ne faut pas se tromper, cette sulfureuse russe serait plutôt « un offi-

cier de renseignement hautement qualifié, symbole d'une nouvelle génération d'illégaux. »

La mission que ces illégaux menaient dans la clandestinité consistait en premier lieu à « s'américaniser », à « découvrir et développer des liens dans les milieux politiques » et à envoyer les informations collectées, en particulier sur la CIA et le programme nucléaire américain, au Centre. Une mission de renseignement et non d'espionnage, nuancera plus tard Don Heathfield. « On ne travaille pas contre un pays mais pour son propre pays. Le renseignement est une activité à caractère patriotique […], justifie-t-il. Je ne voyais pas les gens de mon entourage comme des ennemis, mais comme mon principal sujet de recherche. Vous devez connaître un pays, comprendre ses gens, afin d'être en mesure d'aider les responsables de votre pays à prendre les bonnes décisions. »

Si l'on excepte les deux jeunes recrues du groupe – Chapman et Semenko –, ces agents ont été sélectionnés, formés puis envoyés en mission extérieure sous les couleurs du sinistre KGB, mais en raison des aléas de l'Histoire, ils agissent depuis une vingtaine d'années pour le compte du SVR, le « Service de renseignement extérieur » russe. Le SVR tout comme son frère le FSB chargé de la sécurité intérieure sont nés de la dissolution en 1991 du KGB sur ordre du président russe d'alors, Boris Eltsine. Décision prise à la suite du coup d'État manqué organisé notamment par le patron du KGB.

Le quartier général du SVR, surnommé « le Centre » ou « la Forêt », est situé, tout comme celui de la CIA à Langley (en Virginie), dans un secteur boisé de Yasenovo, au sud-ouest de Moscou. L'ex-général du KGB Oleg Kalugin décrit ce vaste complexe de sept étages bâti en 1972 comme une forteresse aux toits hérissés d'antennes, symbole de la « toute-puissance du KGB » d'alors, mais aussi de son côté « mystérieux » et de son fonctionnement « en vase clos ». Mais, à l'intérieur des murs, loin des regards indiscrets de la population, les employés et les officiers du KGB semblaient surtout jouir d'une vie de pacha. Ce « cocon privilégié » pour l'époque, « luxueux », entièrement climatisé – une rareté sous l'ère soviétique » – comprenait notamment un restaurant où le caviar côtoyait le meilleur saumon, une clinique médicale, une piscine et des saunas. Les espions « rouges » pouvaient même se payer un moment de détente entre les mains expertes d'une masseuse, mais celle-ci fut virée promptement après que l'on eut découvert que plusieurs officiers du KGB avaient eu des rapports sexuels avec elle dans son bureau...

Le SVR est lui aussi présent « légalement » à l'étranger, y compris aux États-Unis et au Canada, par la présence des agents de liaison dûment accrédités postés dans l'ambassade russe, à l'instar de la plupart des importantes agences de renseignement occidentales (SCRS inclus) qui ont des représentants « officiels » à Moscou. Ces Russes participent, par exemple, avec leurs vis-à-vis américains du FBI et de la CIA, à des rencontres bilatérales consacrées à la lutte au terrorisme.

Voilà pour la façade. Pour les missions de l'ombre aux États-Unis, en particulier la gestion de son groupe d'illégaux, c'est la mission permanente de la république de Russie auprès de l'Organisation des Nations Unies, à New York, qui sert de base pour certaines manœuvres. L'un des derniers étages de cet immeuble abrite depuis des lustres la plus importante *rezidentura* (nom donné à ces bases étrangères du renseignement russe) du SVR – et autrefois du KGB – au monde, incluant sa très clandestine « Ligne N » (le département chargé de l'assistance aux illégaux), selon les dires de Sergey Tretyakov, haut gradé du SVR ayant fait défection aux États-Unis en 2000. Il agissait alors sous couverture diplomatique de premier secrétaire de cette mission chargé des relations de presse ! L'absence de fenêtres et de tout moyen de communication relié au monde extérieur vaut à l'endroit le surnom de « sous-marin ». Mais ce n'est que l'un de multiples systèmes de sécurité et de protection contre l'espionnage électronique que recèle cette antre la plus secrète et la plus clandestine du renseignement russe. Lors de l'enquête « Ghost Stories », les 2e et 3e secrétaires de la mission, jouissant du statut diplomatique, seront même surpris et photographiés à plusieurs reprises par des agents du FBI en train de procéder à des échanges d'argent et de documents avec certains illégaux.

UNE VRAIE IDENTITÉ, DEUX DESTINS

Dans ses bureaux de Yasenovo, le défunt KGB soviétique avait bâti autour de Donald Heathfield une « légende », c'est-à-dire une histoire personnelle totalement inventée ou empruntée, du moins en ce qui concerne son identité et sa citoyenneté.

Le vrai Donald Heathfield est un poupon québécois né le 4 février 1962 au Grace Hospital d'Ottawa. Son double soviétique, Andrey Olegovich Bezrukov, a réellement vu le jour, toujours selon nos recherches, en août 1960 à des milliers de kilomètres de là, à Kansk, en Sibérie. Jusqu'à ce qu'il soit démasqué par le FBI et arrêté en juin 2010, ce véritable diplômé des universités York de Toronto (1993) et Harvard (1999) était un consultant d'entreprises reconnu spécialiste en « prévision stratégique et modélisation de l'avenir ». Un homme « très brillant », sociable, charmeur et au « vocabulaire remarquable » tant en français qu'en anglais, de l'avis de ceux qui l'ont côtoyé professionnellement et à qui nous avons parlé.

Son épouse Tracey Lee Ann Foley aimait se faire appeler simplement « Ann ». Elle aimait rappeler ses racines montréalaises et se disait formée en marketing à l'Université McGill ; elle disait aussi aimer la danse et la gastronomie et avoir vécu en France et en Suisse. Avant son arrestation, elle travaillait comme contractuelle pour Red Fin, une agence immobilière de Boston et organisait aussi à l'occasion des voyages en France axés sur le vin. Ses ex-collègues avaient remarqué son anglais aux sonorités particulières, qu'elle justifiait par ses racines québécoises et, surtout, son bel accent français. Mais, derrière Ann se cachait plutôt la mystérieuse Elena Stanislavovna Vavilova, agente de renseignement du SVR née à Tomsk, ville universitaire, en 1962.

Les deux espions russes détenaient au moment de leur arrestation un vrai passeport canadien octroyé en 2004 à leur identité d'emprunt. Selon nos recherches, celui de Donald lui avait été délivré le 2 février par le bureau ontarien de Passeport Canada à North York, tandis que celui de Tracey l'avait été le 14 juin par le bureau de Hull, au Québec. Passeport Canada n'a pas voulu s'expliquer sur ces faits plutôt embarrassants pour la réputation de l'organisme gouvernemental. Tous nos courriels sont demeurés sans réponse.

« Le Canada, et le Québec en particulier, est l'endroit propice pour bâtir un faux historique et développer des légendes », a déjà expliqué l'ex-directeur adjoint du SCRS Ray Boisvert, lors d'une entrevue à *La Presse*. « D'une part, le passeport canadien est idéal pour voyager dans le monde. D'autre part, il n'y a rien d'étonnant pour un Canadien à se trouver aux États-Unis pour le travail ou les loisirs. Ce qui est plus préoccupant, c'est que le Canada est perçu comme un maillon faible en matière de protection des documents, en raison notamment du manque de coordination entre les provinces. Il y a une multitude de registres des naissances. Nous sommes vulnérables entre autres parce que les agences ne peuvent pas croiser leurs informations en raison des mécanismes de protection de la vie privée. »

Raymond Nart, figure vivante et légendaire du milieu du renseignement, a passé une bonne partie de sa carrière au contre-espionnage français à traquer des taupes venues de l'autre côté du rideau de fer, mais aussi à en recruter, en particulier le célèbre Farewell! Ce russophone a constaté comment, dès les années 1950, le Canada était rapidement devenu l'incubateur et la pouponnière d'illégaux du KGB et de son pendant militaire, le GRU, autrement dit l'endroit parfait pour bâtir une légende autour d'un illégal et de la « légaliser ». Avec une certaine prédilection pour Montréal : son statut de ville bilingue et sa proximité des États-Unis en ont toujours fait une planque de choix. « En France, c'était plus difficile de fabriquer une légende, et encore aujourd'hui à cause de notre bureaucratie qui exige beaucoup de paperasse pour la moindre formalité », ajoute, amusé, ce septuagénaire à l'accent méridional prononcé. « J'ai moi-même essayé, c'était trop compliqué », dit-il.

Hormis Heathfield et Foley, deux autres membres du groupe d'illégaux se disaient nés sous le signe de l'unifolié, en particulier Christopher R. Metsos, détenteur d'un passeport canadien au nom d'un bébé mort à l'âge de cinq ans au début des années 1990. Quant à Juan Lazaro, qui se disait citoyen péruvien, il usurpait en fait depuis 34 ans l'identité d'un enfant uruguayen décédé vers 1947 à l'âge de 3 ans, à la suite de problèmes respiratoires.

Voler l'identité d'un bébé mort (Infant death Identity ou IDI) était déjà, du temps de la Guerre froide, l'une des tâches dévolues à l'officier du KGB chargé de la « Ligne N » (nom de code de la section des illégaux au sein du service d'espionnage) en poste dans la représentation diplomatique locale, au consulat de Montréal dans le cas du Canada, par exemple.

C'est aussi cet officier qui doit « gérer » le réseau local d'illégaux. Il leur fournit une assistance opérationnelle et monétaire. Mais leurs rencontres sont rares, pour des raisons évidentes de sécurité. Les illégaux se rapportent directement au Centre, soit par des moyens de communications clandestins, soit lors d'une visite en personne.

« En général, c'est un vice-consul qui occupe cette fonction », explique un retraité du SCRS autrefois spécialisé dans le contre-espionnage soviétique (puis russe). « Aux grandes heures de la Guerre froide, pour collecter des identités, l'officier feuilletait les collections de journaux dans les bibliothèques publiques et visitait les cimetières, surtout ceux qui sont abandonnés. Et il y en a beaucoup au Québec… » Lors d'une perquisition secrète menée le 23 janvier 2001 dans le coffre bancaire du couple d'espions à Cambridge, le FBI trouvera une photocopie d'un acte de naissance délivré par le Bureau du registraire général de l'Ontario, à Toronto, mentionnant la naissance à Ottawa – et non Montréal – le 4 février 1962 de « Donald Howard Graham Heathfield ».

Surveiller les Russes du coin de l'œil entre deux rayons d'une bibliothèque, ou les pister à travers les alignements de sépultures dans les cimetières canadiens, a toujours été perçu comme une routine plutôt ennuyante, bien qu'incontournable, pour les agents du contre-espionnage canadien.

Il arrivait parfois aussi que l'officier de la « Ligne N » sous-traite cette partie de pêche aux identités. Ainsi, il y a quelques années, les agents canadiens du renseignement avaient démasqué un généalogiste de la petite municipalité de Hudson ayant fourni à un agent du KGB, officiellement en poste à l'Organisation de l'aviation civile internationale (OACI) à Montréal, le dossier complet d'un bébé mort dans cette région, soit toutes les informations et documents nécessaires pour forger une nouvelle « légende » à un futur illégal. L'espion a été expulsé et le nom du bébé placé sur la liste noire de Passeport Canada.

L'autre filière, plus directe mais aussi plus risquée, consistait à voler des pièces d'identité déposées par des étrangers au consulat à New York dans le but d'obtenir un visa d'entrée en Russie. Sitôt dérobés, le passeport et la demande de visa dûment remplie prenaient le chemin du Centre pour garnir sa banque de « légendes », tandis qu'employé du consulat se confondait en excuses auprès de l'infortuné futur touriste.

Le cas d'illégal le plus célèbre au Canada demeure celui des faux époux Ian et Laurie Lambert (Dmitry Olshevsky et Elena Olshevskaya), démasqués par le SCRS en 1996 et expulsés vers Moscou en vertu d'un certificat de sécurité. Ces deux espions ayant vécu à Montréal à leur arrivée de Russie, à la fin des années 1980, puis à Toronto, avaient eux aussi usurpé l'identité de deux bébés canadiens décédés en 1965 et 1966.

Plus récemment, en 2006, il y a eu Paul William Hampel, un photographe et consultant établi à Montréal. Ce colosse de 1,90 m, soi-disant né le 11 décembre 1965 à Toronto, détenait lui aussi un passeport canadien et un permis de conduire de la SAAQ obtenus « légalement » à partir de faux documents de naissance. Il serait aussi l'auteur (présumé) du livre de photos *My Beautifull Balkans* édité à Belgrade, en 2003. Un homme aux multiples talents! Hampel était un grand voyageur qui a laissé ses empreintes en Irlande et dans l'ex-Yougoslavie, notamment. Son dernier domicile connu était un modeste appartement d'un minable immeuble de la rue Saint-Jacques Ouest, près de l'échangeur Turcot.

Son épopée montréalaise a pris fin le 14 décembre 2006 à l'aéroport Trudeau. Les agents du SCRS et de la GRC ont attendu qu'il ait enregistré ses deux valises puis qu'il soit passé sous le portique de détection, au point de fouille, pour lui bondir dessus et le menotter. L'homme transportait sur lui l'attirail du parfait espion: son faux certificat de naissance, une quinzaine de cartes bancaires, trois cellulaires, cinq cartes SIM protégées, une radio à ondes courtes et deux appareils photo.

Dix jours plus tard, Hampel fut expulsé vers la Russie. Le Canada s'en est débarrassé au plus vite. Son *handler* (officier traitant) montréalais subit le même sort dans la foulée, en toute discrétion. Selon nos sources, le SVR connaîtra toutes les misères du monde avant de réussir à implanter, toujours sous couverture diplomatique, un nouvel officier traitant au Québec. La plupart des « agents » étrangers étant fichés, il était dès lors facile pour le Canada de mettre pendant plusieurs mois des bâtons dans les roues de Moscou. Ottawa, qui doit autoriser au préalable chaque affectation de diplomate étranger, avait, semble-t-il, imposé un petit entretien préalable avec le SCRS pour tout candidat à la succession fraîchement débarqué de l'avion. Ce qui n'a pas manqué d'agacer le SVR, qui s'est chargé de faire la vie dure au représentant du SCRS à Moscou en guise de représailles. La réciprocité fait partie des usages dans le monde de l'espionnage !

Le vrai passeport canadien de l'illégal russe connu sous le nom de Paul William Hampel.

NÉS ET RECRUTÉS SOUS LE DRAPEAU DE L'URSS

L'histoire extraordinaire de Don Heathfield, ou plutôt d'Andrey Olegovich Bezrukov, débute en URSS et s'achève près de vingt ans plus tard en… Russie. Elle s'étale sur des milliers de kilomètres et deux continents, de sa Sibérie natale à Boston en passant par Paris et Toronto. Une histoire dont des pans entiers demeurent secrets. L'enquête « Ghost Stories » ne s'épanche pas sur les épisodes de sa vie en France et au Canada, encore moins sur ses premiers pas dans l'univers occulte de l'espionnage.

Quant au principal intéressé, nous l'avons contacté dès le début de notre enquête, en 2013, afin de solliciter, sans grand espoir, sa collaboration. Contre toute attente, après des mois de brefs échanges courtois entrecoupés de longs silences et alors que nous rédigions les dernières pages de cet ouvrage, Don a accepté de répondre à certaines de nos nombreuses questions et même de corriger quelques petites erreurs factuelles qui s'étaient glissées dans notre récit. Bien sûr, l'ex-illégal du SVR n'a dévoilé aucun détail opérationnel, mais a plutôt commenté, parfois avec sarcasme, divers aspects de son aventure. «Don» revendique surtout sans sourciller son statut «d'espion professionnel» (passé?) et assume son «patriotisme» et son dévouement à la mère Russie. À notre connaissance, il s'agit d'une première. Don Heathfield n'a jamais accordé d'entrevue à des journalistes occidentaux. Sauf erreur, aucun espion ne l'avait même jamais fait jusqu'à présent. Une fois démasquées, ces supertaupes préfèrent souvent disparaître dans la nature dans l'anonymat le plus total.

Don et sa famille résidaient depuis la fin des années 1990 aux États-Unis. Il faut remonter dans leur vrai cursus académique, retrouver ceux qui les ont fréquentés professionnellement et fouiller dans certains documents officiels pour suivre leur trace et tenter de départager la légende de la réalité. Heureusement, le «Canadien» a laissé plusieurs indices derrière lui après son retour en Russie en 2010. Certains – brefs – comme cette mention dans son CV d'études en histoire à l'université d'État de Tomsk, en Sibérie, de 1978 à 1983. Son épouse aussi.

Le couple Donald Heathfield-Tracey Ann Foley était-il un vrai couple marié par amour ou purement fictif, fruit de la volonté de hauts gradés du KGB? Dans l'un des documents déposés en cour, le FBI rappelle en effet que l'infiltration d'espions par paire en Occident est une tactique prisée des services d'espionnage russes. «Et souvent ceux-ci ont des enfants, ce qui donne encore plus de crédibilité à la légende», ajoute le FBI, laissant ainsi sous-entendre que tout n'est que façade. Dans le cas d'Andrey et Elena, les registres de l'Office de l'état civil de Tomsk mentionnent leur mariage le 1er juillet 1983 au moment où ceux-ci étaient de jeunes étudiants, ce qui accréditerait au contraire la thèse de la sincérité de leur union.

Puis, c'est le néant. Les jeunes mariés disparaissent de la circulation pour apprendre leur métier d'espion à Moscou. Une formation intensive au cours de laquelle les apprentis illégaux assimilent les tactiques du métier et se familiarisent avec les bonnes vieilles techniques de communications clandestines.

Un bond de cinq ans dans le temps, un saut d'un continent à l'autre et nous voici désormais au Canada, en Ontario. Andrey et Elena se sont évaporés dans une URSS secouée par les politiques de la *glasnost* (transparence) et de la *perestroïka* (restructuration) voulues par le premier secrétaire Mikhaïl Gorbatchev. Encore quelques mois et c'est le mur de Berlin qui va s'effondrer sous les coups de masse d'une population avide de liberté.

En ce 29 avril 1989, loin de ces premiers soubresauts géopolitiques, c'est un jeune couple constitué de Donald Howard Graham Heathfield et Tracey Lee Ann Foley qui célèbre son mariage à North York, au nord de Toronto. Leur deuxième mariage en cinq ans, en fait.

Trois ans plus tard, Donald Heathfield entre à l'Université York de Toronto où il obtient un diplôme en économie. Quant à la jeune Ann, elle se serait trouvé un emploi dans le secteur des ressources humaines.

Toronto, rappelons-le, était à la même époque la base des faux époux Lambert évoqués plus haut. Toronto est également la région où résident des membres de la vraie famille Heathfield, en particulier les parents du vrai Donald et David, son frère.

Sur le plan personnel, c'est aussi au Canada que naissent leurs deux garçons, Tim en 1990 suivi d'Alex en 1994. Tim a par ailleurs toujours affirmé à ses camarades d'université être né à Toronto puis avoir séjourné un certain temps à Paris.

Diplôme en poche, Don quitte Toronto pour Paris en septembre 1995. Le couple d'illégaux s'installe à temps plein avec ses enfants dans la Ville Lumière. Don et Ann semblent apprécier tout particulièrement la culture française, sous toutes ses formes, y compris jusque dans leurs assiettes et leurs verres ! Rien à voir avec l'austérité soviétique dans laquelle ces deux néo-épicuriens enthousiastes ont baigné jusqu'à leur départ. Une culture et une langue que le couple va d'ailleurs s'attacher à inculquer à ses deux fils et même s'efforcer de préserver lors de sa longue aventure américaine. Lorsqu'elle sera installée à Boston, Ann organisera aussi des voyages vers les régions viticoles françaises réservés à de petits groupes d'épicuriens « enthousiastes » amateurs de bonne chère.

Don intègre l'École nationale des ponts et chaussées (ENPC), une grande école parisienne. Dans l'annuaire des diplômés de l'établissement figure effectivement un Donald Heathfield, né en 1962, qui a obtenu un MBA en 1996. Un an plus tard, en 1997, il enregistre à Paris une petite compagnie spécialisée dans le « conseil pour les affaires et autres conseils de gestion ». Mais, surprise, les registres officiels français indiquent que cette compagnie a été dissoute le 30 juin 2010, soit deux jours après son arrestation par le FBI (Heathfield est demeuré incarcéré jusqu'à son expulsion des États-Unis, le 9 juillet).

L'ENTRÉE EN TERRE « ENNEMIE »

Don et Ann ne profiteront pas très longtemps de cette *dolce vita*. Ils doivent boucler leurs valises, direction Boston au Massachusetts où ils emménagent avec leurs jeunes garçons. Le plan d'« américanisation » minutieusement concocté au quartier général du SVR entre dans sa phase concrète. Une « américanisation » de façade, professionnelle, puisque sur le plan personnel le couple semble ne pas apprécier cette « société américaine qui broie les cultures pour les uniformiser », pour reprendre les mots de Don. C'est d'ailleurs pour cette raison qu'ils choisissent d'inscrire leurs garçons dans une école française réputée de Boston (l'École internationale de Boston, rebaptisée depuis 2012 Lycée international).

L'espion du SVR fait son entrée en 1999 à la Kennedy School of Government de l'Université Havard et se retrouve dans la même promotion qu'un certain Felipe Calderon, qui deviendra le président du Mexique quelques années plus tard. Don obtient sa maîtrise en administration publique en 2000. Harvard est une pépinière de choix pour le Russe. L'élite et la future élite de la politique, de l'administration publique et des affaires se côtoient dans les salles de cours et s'entre-croisent entre les murs de cette université réputée. C'est un terreau fertile pour Don. En 2004, il fait même un petit don pour financer la campagne électorale d'une candidate républicaine à la Chambre des représentants, une ex-collègue de promotion. Toujours aussi sociable, Don se fait remarquer en organisant une soirée de dégustation de scotchs canadiens baptisée « Royal Canadian Scotch Stagger ». Il partage avec qui veut bien l'entendre son amour de Paris et des bons vins.

Cette stratégie globale d'infiltration rampante et sournoise de la sphère universitaire incitera le FBI à publier, au printemps 2011 – en prenant notamment le cas de Don pour exemple – une brochure d'une dizaine de pages sur l'infiltration des campus par des services de renseignement étrangers pour la collecte d'informations classifiées.

En revanche, Don se fait plus discret, mystérieux même, lorsqu'on aborde sa vie personnelle et son passé. Il se présente comme le fils d'un diplomate canadien ayant fréquenté un temps une école en République tchèque pour justifier son indéfinissable accent. Et quiconque l'interroge sur le Canada ou Montréal a droit à des réponses évasives et tortueuses. Leurs voisins à Boston remarquent aussi cette même chape de plomb qui recouvre leur passé.

Heathfield multiplie aussi les contacts dans d'autres sphères de la société américaine, incluant les *think tank*, et s'affaire surtout, selon les directives reçues de Moscou, à cultiver des sources proches du pouvoir et, si possible, bien au fait d'enjeux stratégiques et militaires. Des sources victimes potentielles et involontaires de ce que l'on appelle la « subtilisation », procédé similaire dans l'esprit à celui du *pillow talk* (les fameuses confidences sur l'oreiller). La subtilisation est une « technique utilisée par les officiers des services étrangers et leurs agents qui consiste à engager avec vous une conversation qui semble inoffensive ou aléatoire, mais qui a pour but de soutirer habilement des informations sur vous, votre travail et vos collègues », avertit le SCRS dans un livret distribué en 2013 aux fonctionnaires fédéraux canadiens les plus à risque. Le renseignement canadien décrit ainsi cinq situations qui devraient éveiller des soupçons et éviter à une cible de tomber entre les griffes d'espions :

— « Si votre interlocuteur flatte votre ego ;

— met l'accent sur vos intérêts communs et vous propose une prochaine rencontre pour en discuter ;

— tient des propos erronés pour vous amener à le corriger en lui donnant les informations que vous détenez ;

— fournit des informations de son plein gré selon le principe de donnez et recevez au travail : il vous donne certaines informations sensibles dans l'espoir que vous fassiez la même chose ;

— vous fait croire qu'il connaît très bien votre domaine de compétence. S'il s'agit d'un officier de renseignements, ses connaissances sont probablement limitées et superficielles, mais suffisantes pour tenir une conversation. »

Don jette donc d'abord son dévolu sur un scientifique travaillant sur les programmes de développement d'armes nucléaires dans un centre de recherche du gouvernement. Lors d'un séminaire et de plusieurs conversations qui suivront en 2004, l'habile Don soutire subtilement au chercheur des informations concernant un « programme de recherche » d'ogives nucléaires américaines à charge pénétrante dites destructrices de bunkers (*bunker-busters*), « récemment approuvé par le Congrès ».

Installés devant leur ordinateur, Don et Ann discutent de la façon dont ils doivent s'y prendre pour informer secrètement Moscou du fruit de leurs « recherches » :

— Est-ce que l'on peut joindre deux fichiers contenant des messages ou pas ? questionne Ann. Allons-y pour quatre images....

Cette conversation captée en octobre 2004 par des micros cachés est une allusion évidente, estiment les enquêteurs du FBI, à l'utilisation de la stéganographie. Le couple Heathfield, comme tous les illégaux implantés à l'étranger, utilise plusieurs stratagèmes techniques pour sécuriser ses communications avec le Centre, à Moscou. La stéganographie, procédé prisé depuis la Grèce antique, en est un. L'Histoire évoque des messages tatoués sous la chevelure d'un messager ou sur une tablette recouverte d'une pellicule de cire. Aujourd'hui, ce sont des données cryptées (chiffrées) qui sont intégrées et dissimulées dans une image anodine affichée sur un site web tout aussi « légitime ».

Les experts informaticiens du Centre avaient d'ailleurs élaboré un programme « maison » permettant de crypter, puis d'insérer les données choisies dans l'image mais aussi, à l'inverse, d'extraire et déchiffrer les informations cachées. Les illégaux accédaient à ce programme en tapant « alt + ctrl + e » sur leurs claviers d'ordinateur, suivi d'un mot de passe de 27 caractères.

Lors de perquisitions secrètes menées aux domiciles des Heathfield et d'un autre couple d'illégaux en 2005 et 2006, les agents du FBI ont d'ailleurs découvert dans leurs ordinateurs des messages textes cachés dans des images a priori banales – notamment des gros plans de fleurs – ainsi que diverses communications concernant cette technique clandestine.

Comme dans les films d'espionnage, les Heathfield utilisent aussi la bonne vieille méthode des messages codés, émettant des bruits ressemblant à des bip-bip-bip en morse, captés à un moment de la journée prédéterminé sur une radio à ondes courtes.

Seuls les jeunes Anna Chapman et Mikhael Semenko ont recours à des techniques plus contemporaines pour communiquer avec leurs patrons. Les échanges d'informations se font à travers un réseau sans fil privé et crypté reliant l'ordinateur de la taupe et celui de son *handler* C'est ainsi qu'à plusieurs reprises, toujours un mercredi, Anna Chapman s'assied à une table près de la fenêtre dans un café Starbucks de la 47e Rue ou à la librairie Barnes & Noble de Greenwich Street, à Manhattan. Quelques minutes plus tard, une mini-fourgonnette aux vitres teintées s'approche puis se gare le long du trottoir, face au café. À l'intérieur, un officiel russe crée sur son portable un réseau privé d'ordinateur à ordinateur. Quelques secondes plus tard, il peut échanger en toute confidentialité avec Anna Chapman.

Quelques mois après l'épisode du scientifique travaillant sur des programmes militaires, Don cible Leon Fuerth, conseiller à la sécurité nationale de Al Gore de 1993 à 2001 lorsque celui-ci était vice-président des États-Unis. Fuerth connaît bien les dossiers russes pour avoir facilité des échanges Russie-États-Unis et s'être intéressé au processus de dénucléarisation dans les ex-républiques soviétiques. Don profite justement d'une conférence donnée par l'ex-conseiller de l'administration Clinton pour lancer son approche en lui indiquant partager le même intérêt pour la prévision à long terme comme outil de meilleure prise de décision. La taupe se montre insistante, proposant même à Fuerth de se lancer dans un programme de recherche commun.

Le 23 septembre 2005, Don envoie un message au Centre pour l'informer du « contact établi » avec succès avec celui qui sera affublé par la suite du pseudonyme « Cat ». Le SVR recommande toutefois à Heathfield d'agir avec la plus grande prudence. « *Watch him* », lui écrivent ses patrons. Le contact, en effet, avortera. Selon Fuerth, Don coupe rapidement tout lien lorsqu'il constate que l'ex-conseiller à la sécurité nationale ne semble pas emballé par son projet.

L'épisode Fuerth met en lumière la fâcheuse tendance de « Don », aux yeux de certains, à se montrer trop pugnace et insistant dans ses relations d'affaires et son réseautage. Quelques semaines avant son arrestation, Don s'envole pour Miami afin de participer à un congrès de directeurs financiers de grandes compagnies. Le « Canadien » se fait vite remarquer pour son comportement « quelque peu étrange » et jugé harcelant, se souviennent certains participants. Don saisit toutes les occasions pour fondre tel un aigle sur plusieurs de ces hauts dirigeants d'entreprises. Il tente à tout prix de leur vendre ses services-conseils et son logiciel Future Map. Il distribue au passage ses cartes professionnelles géantes – le double de la taille normale – sur lesquelles est inscrit un argumentaire alambiqué censé résumer son activité : « *Future Map gives leaders a synthetic big picture of anticipated future. Future Map helps building proactive collaborative leadership cultures.* »

À ce moment-là, Future Map a presque six ans d'existence. Sur le site Internet de son entreprise fondée en 2004, Don vante sa « vaste expérience internationale dans les domaines de l'apprentissage organisationnel, stratégie, simulation, développement du commerce mondial et de l'enseignement ». Il dit avoir œuvré comme consultant pour les firmes « General Electric, AREVA, Boston Scientific, Ericsson, Motorola, Microsoft, Michelin, Philips, STMicroelectronics, SAP, T-Mobile, et United Technologies ».

Toujours au milieu des années 2000, Don contacte Kent Summers, dirigeant d'une firme spécialisée dans les solutions informatiques de Boston, afin que celui-ci l'aide à concevoir son logiciel miracle de modélisation de l'avenir. « Il m'a approché avec une idée, se souvient Kent Summers. Il avait une vision précise de son projet, mais n'avait aucune connaissance dans les logiciels et le marketing. » Coût de l'opération : environ 250 000 $ US réglés rubis sur l'ongle sur une période de plusieurs années par Don, mais aussi Ann, avec des chèques personnels. Ken Summers, qui ne soupçonne rien concernant Don – un « type affable » – ne se questionne pas plus sur l'origine des fonds.

Ce quart de million de dollars versés à l'entreprise de Ken Summers pour élaborer le logiciel Future Map provenait certainement de Moscou. Le SVR, qui n'a de comptes à rendre à personne, ne lésine pas sur les dépenses lorsqu'il s'agit de financer le train de vie et les diverses activités de « couverture » de ses illégaux. Des centaines de milliers de dollars sont investis soit directement pour acquérir des maisons, soit remis aux taupes en espèces ou au moyen de cartes de guichet reliées à un compte préalablement bien garni.

Ce sont des diplomates russes qui servent parfois d'intermédiaires pour la remise des fonds en sol américain ou lors de séjours à l'étranger. Ceci est d'autant plus surprenant quand on sait que tous sont a priori suspectés par les services de renseignement étrangers d'être des « espions », ce qui veut dire que leurs moindres faits et gestes peuvent être épiés par le contre-espionnage américain.

À quelques occasions, le couple Juan Lazzaro-Vicky Pelaez se rend dans un pays du continent sud-américain pour récupérer, lors de rencontres discrètes avec un diplomate russe, sur un banc de parc public, des sacs contenant des dizaines de milliers de dollars américains. Un pactole qu'ils rapportent, planqué dans leurs bagages entre une paire de chaussettes et une chemise.

La remise des fonds peut aussi intervenir lors de chassés-croisés discrets et furtifs (dits *brush pass* ou *flash meeting*. Le 16 mai 2004, des caméras de surveillance installées dans la gare de trains Forest Hills, dans le Queens, vont saisir une scène presque caricaturale semblant tirée d'une parodie de film d'espionnage. Le «Canadien» Christopher R. Metsos, considéré comme le grand argentier du groupe, fait son apparition en haut d'un escalier sombre menant aux quais, casquette vissée à l'envers sur la tête, vêtu de bermudas, chemise à manches courtes et sandales aux pieds, comme un touriste. Il descend allègrement une à une les marches avec un sac en papier de couleur orange dans la main gauche, tandis qu'un autre individu se met à grimper le même escalier, avec un sac identique. L'homme en question, affublé presque du même accoutrement, est en fait le second secrétaire de la mission russe auprès de l'ONU, à New York. Une fois les deux hommes à la même hauteur, leurs sacs changent de main et ils poursuivent leur chemin chacun de son côté comme si de rien n'était. La scène n'aura duré que quelques secondes.

Quelques heures plus tard, Metsos rencontre Richard Murphy – un autre illégal – dans un restaurant du quartier Sunnyside, toujours dans le Queens. Il lui remet un sac contenant environ la moitié de la somme récupérée un peu plus tôt des mains du diplomate et le charge d'en remettre sans délai une partie au couple Michael Zottoli-Patricia Mills, qui fera le trajet Seattle-New York pour l'occasion.

— Dites-lui qu'oncle Paul l'aime, ajoute Metsos. Il saura quoi répondre : C'est merveilleux d'être le Père Noël en mai.

L'échange d'argent entre Metsos et Zottoli a effectivement lieu un mois plus tard dans Central Park, à proximité de l'entrée de Colombus Circle, au milieu des touristes et des étals des vendeurs de babioles *made in China*. Sitôt sa rencontre achevée, Metsos saute dans sa voiture et file en direction de Wurstboro, un petit village situé dans un cadre bucolique à environ 120 kilomètres au nord-ouest de Manhattan. Le GPS dissimulé par le FBI dans son auto indique qu'il se stationne au bord de la route, dans un coin tranquille. L'espion sort de l'auto, observe les environs pour s'assurer que personne ne le remarque, puis s'enfonce, une petite pelle à la main, dans le boisé. Il creuse un trou sous un buisson et y jette au fond un paquet contenant des milliers de dollars saucissonné avec du ruban adhésif. Puis, il rabat la terre, sort de sa poche une bouteille de bière en verre de couleur marron qu'il plante, goulot en premier, dans le sol contre une grosse roche. C'est ce repère qui permettra deux ans plus tard à Michael Zottoli et Patricia Mills de trouver cette cache d'argent.

Même si les dollars semblent couler à flots, Moscou garde l'œil bien ouvert sur les dépenses de ses agents, n'hésitant pas parfois à sermonner ceux qui se laissent tenter par les affreuses sirènes de l'embourgeoisement capitaliste! C'est ainsi qu'à l'été 2009, le ton monte entre Moscou et le couple Richard et Cynthia Murphy après leur emménagement dans une maison à Montclair, dans le New Jersey. Le couple souhaite l'acquérir, mais le directeur du SVR lui-même semble ruer dans les brancards. Son scénario consiste plutôt à ce que cette maison devienne la propriété du Centre, le couple d'illégaux devant se contenter d'en être les occupants. Les Murphy doivent se résoudre à battre en retraite, mais envoient tout de même à Moscou un message crypté dans lequel ils ne se gênent pas pour faire valoir leur point de vue :

Nous avons l'impression que C (le Centre) considère que le fait pour nous d'être les propriétaires de cette maison comme une déviance du but premier de notre mission ici. Dans notre esprit, il s'agissait seulement d'une progression naturelle dans les étapes de notre séjour prolongé ici […], de faire comme les Romains dans une société qui valorise la propriété.

Le couple Heathfield-Foley, à première vue plus discipliné, envoie régulièrement un relevé de ses dépenses. Un relevé très précis. L'un d'eux, intercepté par le FBI, détaille la façon dont le couple a dépensé les 64 500 $ reçus en euros convertis au taux de 1,29 $, écrivent-ils : «Revenus : 13 940 $. Intérêts : 76 $. Dépenses : location : 8 500 $. Services publics : 142 $. Téléphone : 160 $. Location auto : 2 180 $. Assurance : 432 $. Essence : 820 $. Scolarité : 3 600 $. Paiement en Fr : 1 000 $. Santé : 139 $. Honoraires d'avocats : 700 $. Repas et cadeau : 1 230 $. Boîtes postales et fournitures informatiques : 460 $. Affaires (couverture) : 4 900 $. Voyage pour réunion : 1 125 $.»

L'activité de consultant de Don permet néanmoins de faire rentrer de l'argent frais et, surtout, légitime dans le compte en banque familial. La taupe approche en effet plusieurs sociétés pour leur vendre ses conseils au prix fort, facturés 3 500 $ la journée, et son logiciel miracle. Parmi elles, la célèbre et controversée firme de renseignement stratégique privée Stratfor. Au cours de l'hiver 2009-2010, la taupe réussit à rencontrer à cinq reprises son vice-président d'alors et l'un des analystes seniors. L'une de ces rencontres a lieu dans un restaurant à la mode de Washington situé à deux pas de la Maison-Blanche. Encore une fois, Heathfield ne néglige aucun effort pour tenter de leur vendre son logiciel Future Map.

Il déballe alors son pedigree, se présente comme consultant, entre autres pour la firme française Veolia. Les représentants de Stratfor semblent mordre à l'hameçon. Ils mentionnent rapidement à Don qu'ils ont été « très impressionnés » par son logiciel et qu'ils imaginent déjà aussi un projet commun qui pourrait se révéler mutuellement bénéfique.

UN VOYAGEUR INSAISISSABLE

Rue Trowbridge, à Cambridge, les résidents aperçoivent rarement Don à la maison. Lorsque c'est le cas, c'est avec une valise à la main ou au volant de son luxueux 4 x 4 Range Rover. Don, perçu par certains comme hautain, et Ann échangent peu avec leur voisinage, hormis des amabilités et politesses de circonstance et ne participent pas à la vie du quartier. Don est un homme presque invisible, insaisissable, car il passe son temps dans les avions. Il effectue des allers et retours fréquents en France pour « affaires ». La taupe russe détient d'ailleurs depuis 2000 une « carte de résident » délivrée par la préfecture de police de Paris valable pour 10 ans, un titre de séjour remis dans certaines conditions, en particulier aux étrangers ayant rendu des services à la France !

Il se fait rapidement remarquer dans les milieux d'affaires parisiens pour ses talents de consultant en études stratégiques et analyses de marchés. Affable, jovial, toujours prêt à rendre service, Don tisse sans difficulté des liens étroits et signe même de juteux contrats, en particulier pour une réputée multinationale française. «Don avait une vision très précise des affaires complexes et nous étions tous impressionnés par sa capacité à animer des discussions stratégiques de haut niveau», se souvient François (prénom fictif), cadre dans cette entreprise.

Les deux hommes sympathisent rapidement, au point qu'ils vont se fréquenter souvent en dehors du travail. Lorsqu'en 2008 François annonce à Don qu'il déménage à Boston, celui-ci est ravi. «Il m'a dit qu'il avait aussi une maison là-bas et qu'ainsi, on pourrait continuer à se voir. Et effectivement, peu après mon arrivée, il m'a téléphoné et nous nous sommes retrouvés au restaurant d'Harvard où il avait encore accès, se souvient François, amusé. Il aimait bien le vin et la bonne bouffe. Jusqu'à ce qu'il me glisse fortuitement être né au Canada, Don a toujours été dans mon esprit un Franco-Américain, d'autant plus qu'il avait l'air de bien connaître la France et sa culture. À moins que tout ceci soit de la fabulation et n'ait fait partie de sa formation... Il s'exprimait très bien dans les deux langues, avec un vocabulaire précis, pointu même.»

Peut-être parce qu'un espion – tout comme le crime – n'est jamais parfait, après une réunion dans les bureaux de la firme, un collaborateur américain confie à François être intrigué par l'accent anglais de Don. Un accent dont il n'arrive pas à trouver l'origine. Un accent non typique des Français, un accent qui ne trahit pas non plus une origine québécoise. François se fait la même réflexion. Son français a aussi quelque chose d'indescriptible. Et pour cause, ce sont des intonations russes...

Notre enquête aboutit aussi à une autre firme, Global Partners Europe («Conseil pour les affaires et la gestion») enregistrée le 16 juillet 2002 au greffe du Tribunal de commerce de Paris. Donald Heathfield qui, entre-temps, est reparti étudier à Harvard, est enregistré dans les documents officiels français comme gérant de cette compagnie au capital de 7 500 euros. C'est est en fait une filiale de Global Partner LLC de Boston. Cette compagnie-mère est dirigée par Paul Hesselschwerdt auprès de qui Don travaillera étroitement de longues années. Les statuts constitutifs précisent que le siège social de cette firme est situé à une adresse du 5e arrondissement de Paris, mentionnée aussi comme le domicile de Donald Heathfield. Cette antenne parisienne de Global Partner LLC sera néanmoins dissoute en septembre 2007. Il ne semblait pas s'agir d'une coquille vide puisque son chiffre d'affaires déclaré en 2005 avoisinait les 70 000 euros.

Nous avons découvert au cours de nos recherches pas moins de quatre adresses dans trois arrondissements parisiens où Don a laissé des traces de son passage entre les années 1990 et son arrestation, en 2010. Dernière en date, un petit appartement de 55 mètres carrés que le couple possède toujours d'ailleurs dans un immeuble typique en pierre de taille et dont l'accès est protégé par une porte cochère en bois peint massive, idéalement situé à quelques minutes de marche de la place de l'Étoile.

Ce bien a été acquis au terme d'une transaction officialisée en septembre 2006 chez un notaire parisien. Les registres français indiquent que le couple a financé cette transaction notamment grâce à deux prêts immobiliers souscrits auprès d'une banque pour une durée de 25 ans.

Aujourd'hui, François se questionne sur les activités de Don à Paris. Est-ce que celles-ci n'étaient pas en fait une «couverture parfaite tant alimentaire que professionnelle» de ses activités d'agent secret ou est-ce que Don menait deux vies parallèles? Une vie au service du SVR et de la mère patrie et une autre d'homme d'affaires? Deux vies dans lesquelles il s'investissait pleinement et qui, au fil du temps, se sont entremêlées jusqu'à en devenir indissociables? Pour le contre-espionnage français et sa division H4 qui se consacre à l'espionnage russe, la réponse est simple: lorsqu'il était à Paris, Don agissait comme officier traitant des illégaux implantés en France (estimés entre 10 et 20).

Ann effectue aussi de courts séjours à Moscou. Le dernier a lieu en mars 2010, quelques semaines avant son arrestation. Elle vient d'être embauchée par une agence immobilière pour faire visiter des maisons à vendre en l'absence de l'agent concerné. Elle a passé avec succès les étapes de l'entretien d'embauche, de la vérification de ses antécédents ainsi que de sa licence d'agent et de son numéro d'assurance sociale!

Chaque voyage est l'objet d'un scénario alambiqué pour semer les chasseurs de taupes préparé au préalable par le «Centre» puis communiqué à la taupe par les moyens clandestins habituels. Encore une fois, la fiction rejoint la réalité. Ann reçoit en effet instruction de se rendre de Paris à Vienne par le train. Arrivée dans la capitale autrichienne, elle se verra remettre discrètement un passeport britannique par un agent du SVR. Par la suite, elle prendra le vol 601 d'Autrichian Airlines à destination de Moscou. Un itinéraire complété par ces directives : « Très important : signez votre passeport page 32. Entraînez-vous pour être capable de refaire la même signature au besoin. Si l'on vous questionne, nous vous suggérons de dire que vous avez été invitée à participer à des discussions d'affaires par la Chambre de commerce de Russie. Dans le passeport, vous trouverez un mémo avec des conseils. Détruisez, s'il vous plaît, ce mémo après l'avoir lu. »

Le même genre de stratagème est imposé à un autre illégal, Richard Murphy, avant un voyage qu'il doit effectuer à Moscou au cours de l'hiver 2010. Le plan concocté est le suivant : Murphy s'envole d'abord pour Rome avec son passeport américain. Il doit ensuite prendre un vol Milan-Moscou-Milan avec un faux passeport irlandais au nom de Gerard Eunan Doherty. C'est le représentant local du SVR qui doit le lui remettre lors d'un *flash meeting* dans une minuscule librairie-papeterie de la rue Illiria.

Le 21 février 2010, Murphy s'envole de Newark à destination de Rome. Le trop parfait père de famille banlieusard du New Jersey emporte avec lui un ordinateur portable acquis récemment sous une autre fausse identité et payé comptant. Sitôt atterri à Rome-Fiumicino, Murphy se rend à son rendez-vous. Il se poste derrière la vitrine du commerce, un exemplaire du magazine *Time* avec la couverture bien visible depuis la rue dans sa main droite. Il observe les alentours. En cas de danger, il a été convenu qu'il doit alors tenir le magazine dans sa main gauche, signe que la rencontre est avortée. Mais la voie est libre.

Le représentant du SVR s'approche de Metsos :

— Excusez-moi, est-ce que nous nous serions rencontrés à Malte en 1999 ?

— Oui, bien sûr. J'étais à La Valetta, mais en 2000.

Quelques instants plus tard, le passeport a discrètement changé de mains. Et les deux hommes repartent chacun de son côté.

LA GRANDE RAFLE

Le dimanche 27 juin 2010 au soir, la famille Heathfield est réunie à son domicile de Towbridge Street, à Cambridge, pour fêter les 20 ans de Timmy, le fils aîné, étudiant de seconde année en relations internationales à l'Université George Washington (Elliott School of International Affairs). L'heure est aux réjouissances dans ce cottage de trois étages construit en 1892 à la décoration extérieure de style colonial, mais à l'intérieur épuré. Le couple l'a acquis récemment pour 790 000 $US (les registres officiels consultés en 2014 mentionnent que les Heathfield en sont toujours copropriétaires). Un panneau planté en face de leur porte incite le voisinage à rapporter toute activité suspecte à la police… Trop occupée à fêter, la famille ne remarque pas les véhicules de couleurs sombres qui s'immobilisent dans la rue, et leurs occupants qui s'approchent comme des chats de la maison. On frappe à la porte. Lorsque celle-ci s'ouvre, des hommes habillés en noir font irruption dans la maison.

— FBI, annonce l'un d'eux sur un ton ferme.

Timmy et son frère cadet, incrédules, imaginent sur le moment un canular monté pour les circonstances, dira leur père plus tard. Leur stupeur grimpe d'un cran lorsque ces policiers passent les menottes à leurs parents. Bientôt, ils découvriront qu'ils ne sont pas les ados canadiens naturalisés américains qu'ils croyaient être, que leurs père et mère ne s'appellent pas Don et Tracey, nés au Québec, mais Andrey et Elena, tous deux purs produits de la Sibérie soviétique.

Le rêve nord-américain des ados Heathfield s'achève brutalement. «Nous avons essayé d'en faire des gens bien, honnêtes, ouverts aux idées nouvelles, ouverts au monde», confiera Don à *Rouski Reporter*. Pour ces natifs du Canada élevés dans le confort d'une vie à l'occidentale entre Paris et Boston, ce sera bientôt la découverte, forcée par les événements, de la Russie, un pays dont ils ne connaissent rien, pas plus que la langue.

En 2009, Timmy avait confié, lors d'une activité au sein de son université, son désir de partir vivre en Asie, de faire carrière dans le secteur bancaire ou n'importe quel secteur qui lui permettrait de « gagner beaucoup d'argent ». Ce n'était pas le seul projet du blondinet, qui songeait aussi à créer un réseau social connectant entre eux des maniaques d'automobiles.

« Nous avons passé le premier mois à parler de la vie et de l'Histoire, poursuit l'espion. Je pense qu'ils ont fini par comprendre pourquoi nous avions fait cela. » Mais il convient qu'ils ont vécu un vrai choc et que leur intégration à la société russe a été laborieuse.

L'incertitude demeure sur ce que savait vraiment Timmy. Se peut-il qu'il n'ait pas du tout été surpris par l'opération du FBI ce dimanche-là, contrairement à ce que son père raconte ? Deux ans après l'arrestation du couple, le *Wall Street Journal* a rapporté qu'une conversation captée clandestinement au domicile des Heathfield aurait permis d'entendre Don et Tracey dévoiler la vérité à leur aîné pour le convaincre de se mettre lui aussi au service du SVR. À la fin de la conversation, Timmy se serait levé et aurait salué la « Mère Russie », soutiennent les sources du quotidien.

Des allégations promptement qualifiées de « conneries » par les parents de l'adolescent rapportées par leur avocat et qui, encore aujourd'hui, suscitent l'indignation de son père. Celui-ci se montre très volubile à la simple évocation de cet article de la presse américaine : « Cette histoire est ridicule et pas du tout crédible, nous dit Andrey Bezrukov. Derrière cette histoire se cache clairement une volonté de compliquer la vie d'un enfant déjà assez traumatisé par les circonstances dans lesquelles il se trouve. Celui qui a imaginé cette scène oublie que le travail d'un espion s'appuie sur le patriotisme et la volonté de servir son pays. Comment faire servir son pays par une personne qui ne le connaît pas. D'autre part, imaginez-vous un instant deux parents-espions expérimentés qui ne trouvent pas meilleur endroit pour évoquer une telle chose avec leur fils qu'une maison placée sous écoute et à l'intérieur de laquelle ils ne discutent jamais rien de tel entre eux deux ? Cette conversation n'a simplement jamais pu exister ! Enfin, l'article du WSJ s'appuie sur des *retired FBI officials*. Comment auraient-ils pu obtenir ces écoutes ultrasecrètes si elles existaient ? Et ces écoutes auraient pu être une pièce maîtresse de l'accusation, une des meilleures preuves déposées contre nous à la cour. Mais rien de tel ne s'est produit. Ne mêlons pas nos enfants à toute cette histoire. »

Né au Canada, titulaire de la nationalité américaine, le jeune homme au-dessus de tout soupçon aurait été, il est vrai, une recrue de choix pour le renseignement russe.

« L'hypothèse est logique en théorie, reprend Andrey, mais dans la vraie vie, comme père, souhaiteriez-vous vraiment que votre enfant soit embarqué et risque tout dans une guerre clandestine sans fin qu'on lui aurait imposée dans sa jeunesse ? Moi, je ne voudrais pour rien au monde lui imposer une responsabilité qui n'est pas la sienne. Il est difficile d'imaginer le même destin pour ses enfants. Aucun parent ne veut mettre ses enfants en danger, c'est du pur instinct paternel-maternel. »

Alors, pour appuyer son propos, Andrey fait référence à la série télévisée *The Americans*, créée en 2012 par un ex-agent de la CIA et qui raconte la vie d'un couple d'illégaux russes, Philipp et Elizabeth Jennings, infiltrés aux États-Unis au début des années 1980, en pleine Guerre froide : « Ce thème du recrutement familial est présent dans la saison 2 de cette série, dit l'espion, mais le couple est catégoriquement contre l'idée du Centre de recruter leur fille (Paige). »

Le lendemain soir, quelque part près de Boston, Kent Summers, le partenaire de Don, se détend après sa journée de travail. Son épouse regarde d'un œil distrait les nouvelles sur les ondes de CNN lorsque, subitement, son regard se fige.

— Kent, viens vite ! Ils disent que Don est un espion russe…

Kent se précipite, amusé, devant la télé croyant à une blague. Pétrifié, il reconnaît parfaitement celui qui affiche un petit sourire narquois sur la *mug shot* diffusée par le FBI. Celui avec qui il a brassé des affaires pendant de longues années. Celui qui, deux jours auparavant, attablé au restaurant, lui parlait avec enthousiasme de ses futures vacances d'été en Europe avec Tracey et Timmy. Il reconnaît aussi parfaitement son épouse Tracey, malgré son regard fuyant et ses traits tirés, trahissant une nuit blanche entre les quatre murs de sa cellule. Les idées se bousculent dans son esprit. Jamais il ne s'est posé la moindre question sur Don. Don qui payait rubis sur l'ongle. Don avec qui il avait développé une « très bonne relation ». Il se remémore leur première rencontre lorsqu'il lui présente son projet de logiciel « très innovant ». Un projet qui s'est avéré par la suite profitable financièrement pour les deux hommes.

— *Holy shit*, lâche-t-il.

Le choc est rude pour Kent Summers. Tellement qu'il passe une semaine reclus, téléphone fermé, pour échapper aux médias. Sa femme et lui pensent surtout aux enfants et en viennent à la conclusion qu'il est impossible qu'ils aient été au courant de la vraie nature du travail de leurs parents, compte tenu de son caractère sensible et ultrasecret. Jusqu'à quel point ont-ils été affectés et comment vont-ils réussir à traverser cette épreuve ? se questionnent-ils encore.

Cet homme d'affaires n'est pas le seul à devoir se résoudre qu'il a été mystifié de longues années par un agent du SVR en mission commandée. Paul Hesselschwerdt, le pdg de Global Partners, confie être « totalement terrassé ». Des années plus tard, la pilule semble toujours aussi difficile à ingurgiter. Le chef d'entreprise, lui aussi proche associé de Don, a refusé farouchement en effet de répondre à nos questions.

L'embarras gagne aussi la firme de renseignement privée Stratfor. À tel point que son patron se fend d'un long texte sur le site web de l'entreprise, dans lequel il assure que jamais, au grand jamais, il n'y a eu collaboration avec l'espion. Il se questionne aussi sur le logiciel Future Map qui, craint-il, pourrait dissimuler un cheval de Troie destiné à pénétrer des systèmes informatiques d'entreprises comme la sienne et envoyer toutes les informations contenues à Moscou.

Donald, identifié dès lors par la justice américaine comme « défendeur numéro 4 », est sonné lui aussi. Entre les quatre murs de sa cellule, celui qui se décrit comme un « patriote » exerçant la « profession la plus romantique qui soit » cherche à comprendre pour quelle raison ce scénario de fiction élaboré par les meilleurs scénaristes du SVR s'est écroulé subitement comme un château de cartes. Il s'écoulera une dizaine de jours avant qu'il soit informé de l'existence de tractations devant mener à l'expulsion du groupe vers sa mère patrie. Entre les quatre murs de sa cellule, Don a le temps de songer à son curieux destin : « Je ne me souviens pas d'avoir été autant serein et en paix avec moi-même », nous avoue-t-il.

De l'autre côté de la frontière, en Ontario, c'est un David Heathfield abasourdi qui enchaîne entrevue sur entrevue. Il tombe des nues, se demandant pourquoi il n'avait pas été averti par les autorités que l'identité de son jeune frère avait été usurpée. Il s'inquiète surtout des éventuelles tracasseries que cela pourrait lui causer lorsqu'il voudra se rendre aux États-Unis. L'affaire réveille aussi de douloureux souvenirs chez la mère du jeune bambin, d'autant plus qu'elle survient presque cinq ans jour pour jour après la disparition de son cher époux Howard.

Huit autres membres du groupe sont aussi arrêtés ce week-end-là par le FBI, la plupart du temps devant des voisins médusés. Misha est surpris torse nu, alors qu'il empilait des cartons devant chez lui. Quant aux Murphy, ils n'avaient pas prêté attention dans les jours précédant la grande rafle à ces promeneurs de chiens jamais vus auparavant dans le secteur et flânant sur les trottoirs ombragés, ou à ces travailleurs qui creusaient la rue sans raison apparente, dit-on. Pas plus qu'ils n'avaient jamais suspecté leurs voisins immédiats, un couple avec deux jeunes enfants, qui ont disparu subitement soi-disant pour émigrer au Canada. Une armada d'hommes patibulaires et, surtout, silencieux ont investi leur petite maison pour y effectuer des travaux de colmatage et de peinture dans ce qui était en fait, croient certains, une planque des agents du contre-espionnage américain.

L'opération aurait été précipitée, dit-on à Washington, parce que Donald Heathfield, Richard Murphy et Anna Chapman s'apprêtaient à quitter le pays pour les vacances d'été. Heathfield était d'ailleurs sur le point de s'envoler pour Paris, puis Moscou.

Le 11e homme, Robert F. Metsos, qui fait l'objet d'un avis de recherche d'Interpol, est interpellé, passeport canadien en main, à l'aéroport chypriote de Larnaca, à Chypre, puis incarcéré alors qu'il se prépare à s'envoler pour Budapest. Mais les autorités de Chypre, en plein rapprochement avec le gouvernement russe, se hâtent de libérer sous caution de 26 500 euros ce quinquagénaire « canadien » moustachu et au crâne dégarni. Metsos retourne le sourire aux lèvres à son hôtel du centre-ville de la capitale chypriote, nid d'espions notoire, et suspend un carton « Ne pas déranger » à la poignée de porte de sa chambre. Bien sûr, Metsos ne se présentera pas au poste de police pour signer un registre, comme il s'était engagé à le faire quotidiennement jusqu'au 29 juillet, date de l'audience devant se pencher sur la demande d'extradition le visant. Il s'est s'évaporé dans la nature, exfiltré sans aucun doute de l'île par les services secrets russes. Nul ne sait ce qu'il est advenu de cet espion aux multiples identités fictives et aux bras lacérés de cicatrices.

Aujourd'hui encore, le FBI offre 50 000 $ de récompense à qui permettra l'arrestation de cet « agent non enregistré d'un gouvernement étranger » recherché pour blanchiment d'argent.

LE PIÈGE

Huit des onze illégaux sont inculpés de complot dans le but d'agir en tant qu'agents non enregistrés d'un gouvernement étranger et neuf de complot de blanchiment d'argent. Mais pas d'espionnage !

Pourtant l'opération « Ghost Stories » menée principalement à Washington, Boston et New York a duré dix ans. Dix ans à espionner, filer, écouter, intercepter les conversations et les courriels des taupes de Moscou. Et même à mener des perquisitions clandestines comme celle opérée en 2001 dans le coffre bancaire des Heathfield-Foley, ou à leur domicile en 2006 pour siphonner toutes les informations contenues dans les disques durs de leurs ordinateurs.

L'enquête du FBI s'est accélérée après que les agents fédéraux eurent réussi à percer les codes de cryptage utilisés par les taupes et le SVR pour sécuriser leurs communications. Cette intrusion va notamment permettre aux Américains de pénétrer physiquement le réseau et piéger Anna Chapman et Mikhael Semenko. Mais aussi, au préalable, de saboter techniquement leurs ordinateurs pour perturber leurs échanges wifi du mercredi avec leurs contacts de la mission russe à l'ONU.

Les Américains décident d'élaborer un traquenard qui s'avère très risqué et qui laisse encore songeurs plusieurs spécialistes du milieu du renseignement.

Prétextant une urgence opérationnelle, l'agent spécial du FBI «UC-1» donne rendez-vous à Anna Chapman dans un café de Manhattan. Nous sommes le 27 juin, soit quelques heures avant son arrestation. Une caméra cachée dans l'établissement espionne l'espionne rousse, vêtue d'un t-shirt blanc moulant, les yeux cachés derrière des lunettes de soleil, dès qu'elle s'assied à une petite table en compagnie de l'infiltrateur du FBI. Il porte sur lui un dispositif d'enregistrement. Les deux entament la conversation en russe, puis conviennent de poursuivre en anglais pour éviter d'attirer l'attention des autres clients.

—J'ai juste besoin d'en savoir plus sur vous avant de pouvoir parler, dit Chapman, visiblement méfiante, juste après avoir évoqué d'entrée de jeu des problèmes de «connexion» avec son ordinateur portable.

—Je travaille dans le même département que vous mais ici, au consulat, OK, mon nom est Roman, mon nom est Roman, répète UC-1.

Roman enchaîne en évoquant une situation «qui ne pourrait pas attendre le mercredi» et qui ne peut se régler d'ordinateur à ordinateur, allusion à ses échanges wifi virtuels du mercredi avec un agent du SVR. Une situation qui va changer sa routine, prévient Roman.

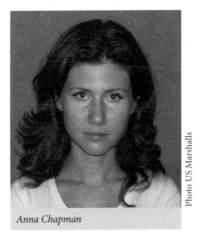

Anna Chapman

Photo US Marshalls

201

— C'est différent de tout ça… c'est l'étape suivante, annonce Roman. Êtes-vous prête pour l'étape suivante ?

— OK, répond Anna Chapman.

— Il y a une personne ici (à New York) qui fait comme vous. Mais contrairement à vous, elle ne se trouve pas ici sous sa vraie identité. J'ai ici avec moi un passeport avec un nom fictif que vous devrez lui remettre en mains propres demain matin à 11 h. Êtes-vous prête à passer à cette étape ?

— *Shit*, bien sûr !

UC-1 exhibe à Chapman le passeport en question, puis lui présente une photo de sa future interlocutrice ainsi qu'un magazine qu'elle devra tenir dans sa main comme signe de reconnaissance et divers détails logistiques concernant ce rendez-vous.

— Elle vous dira alors : *Est-ce que nous ne nous sommes pas déjà vues en Californie l'été dernier ?* Vous lui répondrez : *Non, je pense que c'était dans les Hamptons…* Répétez afin que je m'assure que vous avez bien compris mes instructions.

— OK, demain à 11 h, je vais m'asseoir sur un des bancs. Elle va me demander si elle m'a vue en Californie, je vais lui répondre non, que c'était dans les Hamptons. Je tiendrai un journal et c'est comme ça qu'elle me reconnaîtra.

Chapman s'interrompt, puis lance cette question à « Roman » :

— Au fait, êtes-vous sûr que personne ne nous observe ?

L'agent UC-1 réplique du tac au tac que cela lui a pris trois heures pour venir au rendez-vous, donc il se sent assez en confiance, allusion à des mesures classiques de contre-filature que le pseudo-diplomate russe aurait mises en place pour semer des poursuivants.

Au cours de cette même rencontre, Chapman consent à remettre à cet agent jusqu'à présent inconnu d'elle son ordinateur portable qui lui cause tant de tracas. Une aubaine inespérée pour le FBI, qui va ainsi avoir accès à des informations sensibles.

Ce geste est d'autant plus étrange qu'un affreux doute effleure l'esprit d'Anna. Sitôt sortie du café, la Russe entre dans plusieurs magasins de Brooklyn et en ressort rapidement. Manifestement, elle semble flairer un piège et cherche à échapper à une filature. Peine perdue, les agents du FBI la suivent à la trace. Dans le dernier magasin, elle achète un téléphone et deux cartes prépayées sous le nom de Irina Kutsov. Craignant que son téléphone soit placé sous écoute, elle se servira de ce nouvel appareil pour contacter un mystérieux interlocuteur à New York, probablement un homme du SVR, et aussi son père à Moscou. Chapman lui relate le fil des événements et la mission étrange qui lui a été confiée. Son père lui conseillera, semble-t-il, de ne pas se rendre au rendez-vous du lendemain et, bizarrement, de remettre le passeport à la police! C'est en tout cas ce qu'elle fera dans un poste du quartier Lower Manhattan le lendemain matin. Elle sera arrêtée sur-le-champ et livrée au FBI. Dès lors, le risque est immense que tous les autres membres du groupe soient avertis du danger et prennent le large au nez et à la barbe des Américains.

Le FBI a piégé Mikhail Semenko de la même façon, sauf que dans son cas, le plan s'est déroulé sans anicroche. Le jeune homme est contacté lui aussi le 26 juin sous un prétexte opérationnel. Dès le début de la conversation téléphonique, l'agent UC-2 énonce une phrase codée qui semble connue de Semenko puisqu'il engage la conversation sans se méfier. Les deux hommes conviennent d'un rendez-vous en soirée, à Washington, au coin de H Street et 10th Street. Les deux hommes s'y retrouvent à l'heure dite et prononcent les phrases codées. Ironiquement, Semenko et UC-2 se trouvent à trois coins de rue du Spy Museum, qui fait justement la part belle aux techniques d'espionnage du KGB, pour la plupart désuètes!

Ils décident de se rendre dans un parc tout proche. Ils s'assoient sur un banc et entament la conversation en russe. Celle-ci tourne autour des désordres techniques subis aussi par l'illégal, lors de son dernier rendez-vous «wifi» début juin avec son contact du SVR. L'agent du FBI en profite pour tirer les vers du nez du jeune Semenko:

— Qui vous a formé pour les procédures de communications?

— Les gars du Centre.

— OK, OK. Combien de temps ça a duré là-bas ?

— Une semaine.

— Une semaine seulement ? semble s'étonner l'agent UC-2.

— Ah, mais j'avais déjà reçu une autre formation de deux semaines, de répondre Semenko, qui révèle aussi que c'est au consulat de Russie, à New York, qu'il rencontre, lorsque nécessaire, ses supérieurs.

Avant de mettre fin à la discussion, l'agent double remet au Russe un journal dans lequel est cachée une enveloppe contenant 5 000 $ US en espèces. UC-2 demande au jeune illégal d'aller la planquer le lendemain matin sous un petit pont dans un parc d'Arlington. Le lendemain, à l'heure dite, Semenko approche du lieu convenu un sac blanc à la main. Il en extirpe le journal et l'enveloppe d'argent remise la veille et glisse le tout sous le pont. Les agents du FBI qui surveillent la zone au moyen d'une caméra cachée exultent. Semenko est tombé dans le panneau.

HONNEURS, ÉCHECS ET RAILLERIES

C'est la consternation et la colère à Moscou, qui vient de perdre une dizaine de ses agents formés à grands frais. Jamais la Mère Russie n'a-t-elle été aussi durement touchée depuis la fin de la Guerre froide. Alors, le gouvernement Poutine s'active pour récupérer ses agents au plus vite dans son giron. Les pourparlers engagés entre hauts responsables du renseignement, mais aussi diplomates russe et américain portent leurs fruits. Moins de deux semaines après leur capture, les dix illégaux ont à peine plaidé coupables devant la cour à New York qu'ils sont escortés à l'aéroport de La Guardia pour être embarqués, certains avec des enfants, dans un Boeing rouge et blanc aux couleurs de Vision Airlines.

Cette compagnie aérienne n'en est pas à son premier contrat pour la CIA, d'ailleurs. L'appareil se pose le lendemain, 9 juillet, en fin de matinée à Vienne, en Autriche, la ville de toutes les valses, mais surtout la plaque tournante historique de l'espionnage en Europe. Le pilote immobilise son Boeing 767 le long d'un autre appareil arrivé peu avant en provenance de Moscou. À bord de ce YAK-42 du gouvernement russe, quatre hommes, dont trois taupes de haut niveau recrutées dans le passé par la CIA et le MI6 britannique que la Russie consent à laisser filer : Igor Sutyagin, un chercheur-analyste spécialisé dans les armes nucléaires condamné à 14 ans de prison en 2004, Sergeï Skripal, un colonel de l'armée russe condamné à 13 ans de prison en 2006, Alexander Zaporozhsky, un colonel du SVR condamné en 2003 à 18 ans de prison. Le quatrième passager a pour nom Gennady Vasilenko, un ancien officier recruteur du KGB condamné pour des raisons obscures à trois ans de prison en 2005. Vasilenko n'en était pas à ses premiers démêlés avec Moscou. Sa relation étroite avec un recruteur de la CIA lui avait valu d'être kidnappé brutalement par un commando soviétique à Cuba, en 1988, puis renvoyé de force par avion vers Moscou et les geôles sinistres du KGB, où il subira des interrogatoires poussés.

Le plus important échange d'espions jamais vu depuis les années 1980, organisé à l'époque au milieu du célèbre pont de Glienicke (entre Berlin-Est et Berlin-Ouest), peut débuter. Les 14 espions passent d'un appareil à l'autre à l'abri des regards dans deux minivans qui se croisent en même temps. L'opération, réglée dans les moindres détails, dure à peine 90 minutes. L'appareil affrété par la CIA décolle vers les États-Unis, avec une escale rapide sur une base de la RAF dans le sud de l'Angleterre, le temps de débarquer Sutyagin et Skripal. Pendant ce temps-là, l'avion russe file droit vers l'est.

Sitôt arrivés à Moscou, Andrey et ses autres collègues, incluant la sulfureuse Anna Kouchtchenko-Chapman, sont confinés dans un édifice du SVR dans la banlieue. Pendant plusieurs jours, ils sont « débriefés » et soumis au détecteur de mensonges. Le renseignement russe, en particulier le FSB chargé de cette enquête, cherche désespérément à savoir s'il y a un traître au sein du groupe ou quelle est l'erreur fatale qui a conduit les Américains sur leur piste.

Les Russes acquièrent rapidement la certitude que le démantèlement de leur groupe d'illégaux est le résultat de la trahison d'Alexandre Poteev (ou Poteyev), un colonel du SVR qui supervisait tous les illégaux implantés sur le continent américain, en particulier aux États-Unis et au Canada. Sans la confession d'un transfuge comme Poteyev, il est rarissime qu'un service de contre-espionnage occidental arrive à débusquer un ou des illégaux. Poteev avait une longue carrière derrière lui, ayant servi notamment en Afghanistan en 1979 et 1980 au sein d'une équipe de saboteurs du KGB. L'officier russe, identifié au départ par un quotidien russe sous le nom de colonel Shcherbakov et qualifié de « porc » par Vladimir Poutine, collaborait en fait avec la CIA depuis 1999. Le chef des taupes était lui-même une taupe qui avait fui la Russie au printemps 2010 dans des conditions rocambolesques, juste avant que le FBI balance ses filets sur la dizaine d'espions. Ce texto envoyé à sa femme juste avant de s'évaporer fort probablement aux États-Unis sera son dernier signe de vie : *Mary, essaie de le prendre calmement, mais je ne pars pas temporairement, mais pour toujours. Je ne le voulais pas mais j'y suis contraint. Je vais repartir à zéro et j'essayerai d'aider les enfants.*

Le 27 juin 2011, Poteyev est condamné en son absence à 25 ans de prison et est déchu de toutes ses décorations et titres militaires pour « haute trahison et désertion » par trois juges de la Cour martiale de Moscou, à l'issue d'audiences tenues à huis clos.

Pour Heathfield, c'est sans aucun doute Poteev qui les a trahis. « Je crois qu'il se sentira mal jusqu'à la fin de ses jours, dit-il. On ne peut pas conserver son équilibre psychique en sachant qu'on a trahi ou tué. Je suis d'accord avec Vladimir Poutine : quelle que soit la somme qu'il a reçue, on aurait du mal à l'envier. La CIA et le FBI sont très contents qu'il nous ait vendus, mais, aux États-Unis comme partout, les traîtres sont considérés comme des gens abjects. »

Anna Chapman aussi est convaincue de la trahison de Poteyev, AC-1. Elle racontera que l'agent double du FBI envoyé pour la piéger la veille de son arrestation aurait utilisé un code connu seulement de Poteyev et de son agent traitant pour entrer en contact avec elle.

Poteyev, dépeint alors par plusieurs médias russes comme un traître ayant une « faiblesse » pour l'argent et l'alcool, mourra-t-il de sa belle mort ou tragiquement ? Moscou fera courir le bruit de tueurs lancés à ses trousses par un média russe citant, bien entendu, des sources bien placées au Kremlin. « Nous savons où il est et qui il est », avertit l'une d'elles, tandis qu'une autre rappelait que le seul sort qui attendait ces « traîtres » au temps de la grande Union soviétique était la mort.

Poteyev n'est que l'un des cas d'une longue série d'échecs, trahisons et défections qui ont frappé la Russie de plein fouet depuis une quinzaine d'années et ébranlé le SVR. (Le service de renseignement extérieur russe redore néanmoins son blason dans le domaine de l'espionnage économique où il connaît un certain succès et où il fait preuve de sérieux et de sophistication dans ses méthodes, par le biais notamment du cyberespionnage, notent les connaisseurs du milieu.) Hormis les cas cités précédemment dans ce chapitre, notamment celui de Sergey Tretyakov, dit « camarade Jean », haut gradé en poste à la mission russe de l'ONU, à New York, après une longue affectation à Ottawa, il y a eu celui d'Evgeny Toropov, lui aussi membre du SVR et chef de la sécurité à l'ambassade d'Ottawa. « Camarade Jean » et Toropov ont en point commun d'avoir trouvé refuge aux États-Unis au début des années 2000, mais aussi d'être passés de vie à trépas dans des circonstances tragiques. Tretyakov, 53 ans, est trouvé inanimé chez lui étouffé à mort avec un morceau de nourriture le 13 juin 2010, soit deux semaines avant le démantèlement du groupe de taupes. L'autopsie qui conclut à une mort naturelle ne fera pas taire les rumeurs d'assassinat. Quant à Toporov, l'histoire dit qu'il se serait malencontreusement électrocuté en prenant son bain. Rien pour rassurer Poteyev…

Rapidement blanchis, les onze illégaux reçoivent sans délai les honneurs de leur gouvernement. Lors d'une grandiose réception privée donnée en leur honneur, le chef du gouvernement, Vladimir Poutine, ne tarit pas d'éloges sur le travail « difficile » qu'ils ont accompli. Rien d'étonnant de la part de cet ex-colonel du KGB qui fait une priorité de l'utilisation intensive du SVR dans les « domaines scientifiques, techniques et politiques » pour aider son pays à retrouver sa grandeur passée et « moderniser son économie ».

« Imaginez, ils doivent maîtriser une langue étrangère aussi bien que la vôtre, penser et parler (dans cette langue), accomplir des tâches dans l'intérêt de leur patrie pendant de nombreuses années sans compter sur l'immunité diplomatique », s'extasie Vladimir Poutine. Il promet aux taupes démasquées un « avenir brillant » et un bon emploi avant d'entonner en chœur avec eux *What Motherland Begins With*, sa chanson patriotique fétiche, vestige musical des grandes heures de l'URSS.

«Je ne donnerai pas de détails d'une réception privée, mais il est vrai que nous avons été bien reçus et soutenus», se contente de mentionner Andrey Bezrukov.

Effectivement, la plupart des membres du groupe d'agents dormants sont recasés. C'est d'ailleurs une des dispositions prévues dans la loi sur le renseignement étranger promulguée en 1996 par Boris Eltsine. Un agent de la Mère Russie démasqué à l'étranger ne doit pas être abandonné à son triste sort... Tout doit être entrepris pour lui venir en aide, obtenir sa libération inconditionnelle et lui assurer une nouvelle vie s'il est «brûlé».

Ainsi Don, redevenu Andrey, est embauché par un géant public russe du pétrole et du gaz. En décembre 2010, on lui offre sur un plateau d'argent le poste de conseiller spécial pour le développement international auprès du président de la firme. Andrey sort petit à petit de l'ombre et se refait une virginité. Il a les honneurs d'un magazine russe. On retrouve aussi sa trace comme intervenant lors d'un colloque sur l'Arctique organisé à Londres, en mars 2014. Petit bémol, son diplôme de Harvard est révoqué pour avoir été obtenu sous une fausse identité.

Elena Vavilova, son épouse, s'est jointe quant à elle à Norilsk Nickel, un gros producteur russe de nickel, platine et cuivre parmi les plus grands au monde. En 2013, un de ses anciens patrons à Boston lui envoie ce petit clin d'œil : «On a eu droit à tout un spectacle pendant un moment grâce à toi !»

Patricia Mills, ou plutôt Natalia Pereverzeva, a atterri pour sa part chez Transneft, une compagnie spécialisée dans la construction de pipelines.

Quant à Anna Chapman, elle a été catapultée dans une banque en plus de courir les plateaux télé et de jouer la «James Bond girl» en tenues affriolantes, revolver à la main, pour le magazine *MAXIM*. La moindre présence de la belle espionne dans un événement public fait courir les foules et les médias. Aujourd'hui encore, Anna est loin d'être retombée dans l'anonymat. Elle a créé sa compagnie de vêtements, a son propre site Internet et semble surtout n'avoir rien perdu de son sens du marketing. Pour preuve, ce message publié sur son compte Twitter le 3 juillet 2013 : « *Snowden, will you marry me ?* »

Seul le couple Lazaro-Pelaez semble se morfondre sur cette terre qui leur paraît si étrangère et, surtout, loin de leur fils de 17 ans, un jeune prodige du piano qu'ils ont été contraints de laisser derrière eux, sans un sou, à New York, le forçant à quémander l'aide de la Croix-Rouge. Ils ne souhaitent qu'une chose : obtenir le droit de s'installer au Pérou où ils se sont rencontrés il y a longtemps. L'illégal uruguayen entreprend alors des démarches afin de conserver son nom d'emprunt qu'il a fait sien depuis 34 ans.

Sous l'ère soviétique, ces onze espions auraient été blâmés pour l'échec de cette mission secrète, aussi longue que coûteuse. Sous l'ère Vladimir Poutine, leur histoire est plutôt utilisée à des fins de propagande et on n'hésite pas à souligner les efforts fantastiques qu'ils ont déployés pour la grande Russie. Dans le portrait qui lui est consacré en 2012 dans *Rouski Reporter*, Andrey Bezroukov a lui-même insisté sur l'aspect « patriotique » et même « romantique » de sa mission. Il se voyait plus comme un agent de renseignement qu'un espion, au service de son pays considéré comme « portion négligeable » par les Américains depuis la chute de l'URSS, mais aussi « immature », non démocratique, « faible » tout en représentant une menace à cause de son « potentiel militaire ».

« Ils ont quand même trompé leurs proches et même leurs enfants durant une longue période, répliquera Raymond Boisvert dans *La Presse*. Ils travaillent pour des organisations non démocratiques qui ne suivent aucune règle et font partie d'une société de plus en plus autoritaire. J'ai de la difficulté à être en accord avec leur argument voulant qu'il s'agisse d'un duel espion contre espion. »

« Ce discours me rappelle les vieilles rengaines contre la Russie et les Russes qui remontent à l'âge de pierre, ironise Andrey. On aurait ainsi d'un côté des organisations démocratiques qui ne font que des bonnes choses dans le monde, demandez à Edward Snowden… et de l'autre les méchants qui ne peuvent pas, bien sûr, avoir de bons sentiments. »

Le groupe est aussi l'objet de railleries et de critiques de la part d'experts du renseignement et des médias, y compris en Russie. L'ex-général du KGB, Oleg Kalugin, évoque un fiasco et un gâchis financier. Dans le passé, il avait déjà assuré qu'il n'avait jamais vu, du temps de son assignation aux États-Unis, un illégal réussir à pénétrer les plus hautes sphères du pouvoir. On les qualifie d'amateurs jouant dans un mauvais film d'espionnage. D'autres détracteurs font valoir que ces agents étaient loin d'être la pointe de diamant du renseignement russe, qui compte aussi dans ses rangs de piètres agents passant presque l'essentiel de leur temps à faire des revues de presse.

« Chacun a sa propre vision des choses, réplique Andrey Bezrukov. Mais ça ne sert à rien d'en débattre surtout lorsque les gens ne disposent pas des bonnes informations... »

Il est curieux de constater que cette manière de pratiquer l'espionnage, une manie même délicieusement rétro et archaïque, selon certains, est perpétuée par Moscou malgré l'avènement des techniques modernes d'espionnage, en particulier le cyberespionnage et surtout les interceptions électroniques pratiquées à une large échelle par la NSA américaine, son allié le CSTC canadien et bien d'autres. « Les Russes investissent encore énormément aujourd'hui pour développer leur réseau d'illégaux, constate l'ancien haut responsable du SCRS canadien. Pourtant au 21e siècle, il y a des procédés tellement plus efficaces et fiables pour obtenir les renseignements qui les intéressent sans être obligés de monter ce genre d'opération à long terme au piètre retour sur investissement. Il n'y a qu'à fouiller sur Internet ! Si le SVR devait rendre des comptes devant les contribuables, ou un organisme tel le CSARS ici, tout ce gaspillage ne durerait pas très longtemps. Mais les dirigeants russes actuels sont tous des anciens du KGB qui adorent le jeu de l'espionnage parce qu'ils estiment que c'est le seul moyen pour démontrer leur force. »

Tout aussi dubitatif que son confrère canadien, le Français Raymond Nart croit que les Russes conservent toujours leurs illégaux en bonne place dans leur arsenal clandestin parce que leurs *rézidentura* légales sont connues des services étrangers et qu'ils se sentent ainsi trop « vulnérables ».

« Mais, reprend ce fin connaisseur de l'espionnage, tenir une légende sur du long terme est extrêmement difficile et les Russes ont subi beaucoup de déboires au fil du temps avec leurs illégaux. Tous les cas que j'ai connus se sont soldés par des échecs. Le jeu n'en vaut pas la chandelle. Dans un monde tel qu'il est aujourd'hui, c'est-à-dire ouvert, où tout le monde sait tout, je suis encore moins convaincu de leur utilité. Un bon journaliste ou un diplomate rapporte certainement plus d'informations utiles qu'un illégal ! »

Vince Cannistraro a passé une trentaine d'années à la CIA entre autres comme « chef de station » dans divers pays, puis comme responsable des opérations en plus d'avoir eu la responsabilité des programmes de renseignement au sein du puissant Conseil national de sécurité du gouvernement américain. Ce vétéran de la centrale américaine à la carrière bien remplie n'a pas été « vraiment surpris » outre mesure par l'affaire « Ghost Stories ». Mais, à l'image de ses homologues canadien et français, il doute que le groupe ait pu être utile à la cause puisqu'il n'a mis la main sur aucun document classifié, rappelle-t-il. « Tout le contraire de Robert Hanssen et Aldrich Ames, qui ont balancé aux Russes les noms de taupes occidentales dans leurs services », dit-il.

Il souligne néanmoins que les Russes « ont toujours cru, et cela remonte même loin dans l'Histoire avant l'époque soviétique, en l'importance du rôle des illégaux dans leurs opérations de renseignement ». À ce sujet, Cannistraro nous dévoile une anecdote révélatrice : « En 1991, après la chute de l'URSS, j'ai été invité à Moscou par Yuri Drozdov, général retraité du KGB et ex-chef du département S (unité des illégaux). C'était un grand partisan de ces clandestins. Il m'en a présenté deux qui avaient passé leur vie aux États-Unis et au Canada. » Le général Drozdov, qui avait été aussi le *rezident* du KGB à New York, ne s'est pas montré très loquace sur les activités nord-américaines de ces illégaux qui faisaient tant sa fierté. Néanmoins, l'ex-officier du KGB a consenti à lui montrer des bandes vidéo utilisées par le KGB pour la formation de ses fantômes. « Que des choses banales, avec l'accent mis sur les boîtes aux lettres mortes et autres méthodes de communication vieillottes et démodées », se rappelle Cannistraro, amusé.

Yuri Drozdov a lui aussi raconté avec enthousiasme son rôle dans la préparation de ces illégaux, remontant jusqu'à l'affaire «Rudolph Abel» (colonel William Fisher de son vrai nom), illégal arrêté en 1957 à New York, et considéré comme une légende dans son domaine, et sa présence lors de son échange à Berlin en 1962 dans la plus pure tradition de l'espionnage avec Francis Gary Powers, pilote américain de la CIA détenu en URSS depuis 1960.

Un des coups fumants de Drozbov et de son département S fut aussi, semble-t-il, de créer une compagnie paravent aux États-Unis. Cette firme opérée par un de ses illégaux aurait réussi, toujours selon ses dires, à être choisie comme sous-traitant pour un programme de lanceur spatial.

Si l'URSS et la Russie conservent cette fascination quasi mystique et historique pour les illégaux, cette technique ne semble pas prisée des principaux services occidentaux. L'histoire de l'espionnage moderne recèle peu de cas mis au jour d'espions étrangers exerçant sous une fausse identité en URSS ou en Russie. Implanter un illégal derrière le rideau de fer était une tâche quasi insurmontable, et plusieurs de ces tentatives se sont soldées par des échecs tragiques.

Américains et Canadiens privilégiaient et privilégient encore le recrutement d'agents doubles au sein des services de Moscou. Les cibles sont approchées discrètement lors de leur séjour en Occident. Cet usage de la cooptation s'est avéré payant dans le passé, note Vince Cannistraro, jusqu'à la retentissante trahison du patron du contre-espionnage au FBI dans les années 1980 et 1990.

AIMER POUR VAINCRE

En septembre 2010, Andrey alias Don contacte son ancien partenaire Kent Summers pour lui demander les codes sources du logiciel Future Map. La réponse est cinglante : «*Fuck off*, Don, tu es un espion»… Anéanti et brisé, Kent Summers réplique qu'il avait signé un accord avec celui qu'il croyait être le vrai Donald Heathfield, pas «un bébé canadien mort» il y a 50 ans! «Peu importe ta position par rapport à moi, ce sont des utilisateurs innocents qui sont les plus touchés par ta décision », lui répond Don, allusion à leurs clients utilisant le logiciel Future Map sous licence. Don a probablement négligé le fait que 100 % de ses clients se sont empressés de formater leurs disques durs et de jeter le logiciel Future Map aux ordures dès que son identité d'espion a été éventée, suggèrent plusieurs de nos interlocuteurs ! Et il y a cette question qui brûle les lèvres de Kent Summers depuis des semaines :

— Ann et les enfants, est-ce que tu les aimes vraiment ou tout ceci est artificiel aussi ?

— Bien sûr que je les aime, ils sont ma famille !

Lorsqu'on évoque sa relation avec Kent Summers et la fin abrupte de leur association, Andrey Bezrukov dit « comprendre ce qu'il puisse ressentir », mais ne digère pas le litige entourant leur logiciel. « Je n'ai que de bons souvenirs de Kent, nous dit-il. C'était un excellent partenaire d'affaires pour qui j'éprouve toujours du respect. Je ne l'ai jamais trompé, excepté sur mon identité, ce qui va de soi. Mais cela n'avait aucun impact en ce qui concerne le logiciel que nous avions développé. Quant à ce qu'il pense de mon activité, j'aimerais mentionner que je suis un patriote de la Russie au même titre qu'il est patriote de son pays. Je suis parti (en Occident) pour défendre mon pays. Et je suis convaincu que Kent ferait sans hésitation de même si cela s'avérait nécessaire. »

Été 2014. La poussière est retombée. Quatre ans presque jour pour jour après l'arrestation du couple, le courrier semble s'accumuler dans la boîte aux lettres de son petit appartement parisien dans lequel les services de contre-espionnage français auraient découvert du matériel de transmission. La petite plaque gravée « Future Map » est l'un des derniers souvenirs tangibles de leur carrière d'illégaux. Une carrière qui les aura éloignés de leurs racines pendant deux décennies, forcés à se travestir en Américains au point même, confie Don, de ressentir une forme d'affection pour cet ennemi numéro 1 historique et traditionnel. Une affection de circonstance qui n'a rien à voir avec un quelconque syndrome de Stockholm : « L'espionnage est une forme de défense, justifie la taupe. Pour vaincre, il faut comprendre, et pour comprendre, il faut aimer. »

Le policier Benoit Roberge, les pouces enfoncés dans les poches de son pantalon, observe des motards qui arrivent à une réunion, pendant la guerre entre les Hells Angels et les Rock Machine.

Chapitre 6

BENOIT ROBERGE, LA CHUTE D'UNE IDOLE

Photo *La Presse*

LES POLICIERS AVANCENT FURTIVEMENT SUR LE CHEMIN DE l'île aux Fantômes. Leurs pas sont légers, prudents, dans la pénombre. Seuls les criquets et les grenouilles percent le silence qui s'est abattu sur la petite bande de terre entourée du Saint-Laurent. L'espace d'un instant, la lumière d'un chalet éclaire l'attirail des agents dans la nuit noire : mitraillettes, casques, gilets pare-balles.

Nous sommes le 26 septembre 2013, à 1 h du matin, au cœur de la série de petites îles qui parsèment le fleuve à Sainte-Anne-de-Sorel, une localité riveraine de 3 000 habitants située à une dizaine de kilomètres en aval de Sorel-Tracy, en Montérégie.

Le groupe de policiers chemine discrètement jusqu'à l'extrémité de l'île, puis avance vers la rive. Devant eux, une étroite passerelle en bois mène à la minuscule îlette au Pé, une parcelle de terre juchée au milieu de l'eau et des hautes herbes sur laquelle sont bâtis deux petits chalets, accessibles uniquement par l'île aux Fantômes.

Leur cible est le petit chalet jaune et blanc, tout de suite après la passerelle. À l'intérieur se cache un dangereux fugitif : René « Balloune » Charlebois, un membre du gang de motards criminels Hells Angels qui s'est évadé de prison il y a quelques jours. Lorsqu'il a pris la clé des champs, le motard âgé de 48 ans purgeait depuis 10 ans une peine de prison à vie pour le meurtre d'un informateur de police.

Les policiers se déploient autour du chalet. Un groupe grimpe les quelques marches qui mènent à la grande véranda à l'avant. La porte est barrée. Il faut entrer de force. Le responsable de l'assaut donne le signal.

En l'espace d'un instant, un des agents défonce la porte d'un violent coup de bélier. Un autre s'élance et projette une grenade assourdissante sur la véranda. L'engin n'est pas destiné à faire des dommages, mais simplement à frapper de stupeur le suspect à l'intérieur grâce à un puissant bruit d'explosion.

Seul dans le chalet, René Charlebois tressaille. L'attaque le surprend, mais il se ressaisit vite. Il a connu la guerre des motards pendant les années 1990, quand les bombes explosaient aux quatre coins de la ville et que les victimes d'attentats tombaient comme des mouches.

Charlebois tend la main et s'empare de son revolver Smith & Wesson .357 Magnum à six coups. Il pointe l'arme et tire un coup en direction de la véranda, en ciblant approximativement l'entrée. Il n'atteint

Photo Vincent Larouche

Le chalet d'une petite île sur le fleuve Saint-Laurent, à Sainte-Anne-de-Sorel, où René Charlebois s'est donné la mort.

personne. Les policiers répliquent en jetant une deuxième grenade assourdissante, dont le bruit déchire la nuit.

Le motard se crispe au moment de l'explosion. Il réfléchit à la vitesse de l'éclair. Il n'y a pas d'issue, il est cerné. Sa décision est prise depuis quelques jours : jamais il n'acceptera de retourner en prison. Il ne les laissera pas gagner. Ils ne le prendront pas vivant. Plutôt mourir. C'est le moment.

René Charlebois place le canon de son revolver sous son menton et appuie sur la détente.

À l'extérieur, les policiers entendent la détonation, puis c'est le silence. Plus rien. Aucun mouvement à l'intérieur. Ils entrent et découvrent le corps du motard, le crâne explosé. Il est facilement identifiable : sur le thorax, au niveau du cœur, il arbore un tatouage, une tête de mort avec coiffe de plumes et l'inscription : « Hells Angels Québec MC. »

La Sûreté du Québec n'a aucune difficulté à retracer l'ami d'enfance de Charlebois qui avait loué le chalet pour cacher le fugitif pendant sa cavale. Il est arrêté et interrogé. L'homme accepte de se mettre à table et leur fait une révélation fracassante : il possède de l'information sur un policier corrompu. Un policier qui fournit de l'information confidentielle au crime organisé. Et pas n'importe lequel ! Benoit Roberge, l'un des enquêteurs qui connaît le mieux les bandes de motards criminels au Québec, travaillait en fait pour « Balloune » Charlebois, en secret.

Les policiers sont stupéfaits. Si l'homme dit vrai, cette trahison est une catastrophe. Et elle pourrait expliquer certains problèmes qu'ont rencontrés les enquêtes ces derniers temps. Ils relâchent l'individu sans accusation et lui disent de se tenir prêt : ils vont revenir le revoir bientôt.

UN LEADER-NÉ

L'histoire de Benoit Roberge n'est pas seulement l'histoire de la chute d'une idole. C'est aussi l'histoire d'un incroyable renversement des rôles. Le recruteur est devenu le recruté. Le contrôleur, le contrôlé. Le marionnettiste, la marionnette.

Ce chassé-croisé entre Benoit Roberge et le motard René Charlebois constituerait un sujet d'étude fascinant pour les psychologues, mais aussi pour les agences de renseignement comme la CIA ou le SCRS, qui veulent à la fois prévenir la présence de taupes chez eux et en recruter chez leurs adversaires.

Ce cas de figure très particulier montre bien à quel point certains peuvent se perdre lorsqu'ils s'aventurent dans des histoires d'espionnage, de manipulation, de mensonges à répétition et de marchandage entre ennemis. À force de marcher sur la mince ligne qui sépare la collecte d'informations de la collaboration, Benoit Roberge a basculé. Comme Aldrich Ames, cet agent du contre-espionnage de la CIA qui a fini par vendre des secrets aux Russes pour 2,5 millions de dollars. Comme l'agent du FBI Robert Hanssen, qui avait pour mission de traquer les espions de Moscou et qui travaillait en fait pour eux comme taupe.

Benoit Roberge naît le 12 avril 1963 dans une famille de la classe moyenne. Il grandit à Napierville, un paisible village de la Montérégie, à une quarantaine de kilomètres au sud de Montréal. Il a trois frères et deux sœurs. Pendant leur enfance, leur mère reste à la maison pour s'occuper d'eux. Son père enseigne dans un collège privé montréalais.

« On était ti-culs et il rêvait déjà de devenir policier, il a toujours eu ça dans le sang », racontera plus tard son meilleur ami d'enfance, Sylvain Benjamin, au journal *La Presse*.

« Ce grand blond est à la fois fier et très sportif, ne manque pas l'occasion de toujours vous plaire, vous remarquerez, c'est sûr qu'il a plein de flair », peut-on lire dans l'album de la promotion 1980-1981 de l'école secondaire la Magdeleine, à La Prairie.

Au début des années 1980, le jeune homme commence ses études en techniques policières au cégep de Maisonneuve, à Montréal. Il n'impressionne pas tellement par ses résultats scolaires que par sa vivacité d'esprit peu commune à l'époque, selon Jacques Duchesneau, qui fut son professeur avant d'être son patron à la police de Montréal, des années plus tard. « C'était un étudiant ordinaire, mais un leader-né », dit-il.

Pendant ses études, Roberge travaille comme gardien de sécurité au parc d'attraction La Ronde, où il prouve rapidement qu'il n'a pas peur de plonger dans l'action.

Après le cégep, Roberge passe à l'École nationale de police de Nicolet, où il complète sa formation. Le jour de son assermentation comme policier, c'est avec émotion et fierté qu'il lève la main droite et prononce les deux serments du policier : « Moi, Benoit Roberge, je déclare sous serment que je serai loyal et porterai vraie allégeance à l'autorité constituée et que je remplirai les devoirs de ma charge avec honnêteté et justice et ne recevrai aucune somme d'argent en considération », récite-t-il solennellement. Puis, le deuxième serment : « Je déclare sous serment que je ne révélerai et ne ferai connaître sans y être dûment autorisé quoi que ce soit dont j'aurai eu connaissance dans l'exercice de ma charge. »

Des années plus tard, lors de sa déchéance, la tête remplie d'idées noires, il repensera à ce moment avec émotion. Il y croyait vraiment.

Roberge fait ses débuts en travaillant quelques mois comme policier temporaire à Longueuil et Belœil. Mais son vrai objectif est de travailler à Montréal, dans une métropole, au cœur de l'action. Il y arrive très vite. En 1985, il devient le matricule 4482 du corps de police montréalais et commence comme patrouilleur au poste de Westmount et Saint-Henri. À l'époque, un gang de motards et trafiquants de drogue rival des Hells Angels, les Outlaws, ont un chapitre à Saint-Henri. Le jeune patrouilleur Roberge passe souvent devant leur repaire, une ancienne épicerie reconvertie, rue Cazelais, devant lequel trônent de rutilantes Harley-Davidson.

Roberge est déjà fasciné par l'univers des motards criminalisés. Il veut jouer dans les ligues majeures, comme un soldat qui voudrait intégrer un commando d'élite chargé des missions périlleuses contre les plus redoutables ennemis. Il veut affronter les vrais « méchants », les durs de durs.

Celui qu'on surnomme « Ti-Ben » se fait vite remarquer par sa motivation et son ardeur au travail. Il est enthousiaste et débrouillard. Comme patrouilleur, il ne se contente pas de répondre aux appels d'urgence, de donner quelques contraventions puis de rentrer paisiblement chez lui à la fin de son quart de travail. Il se porte aussi volontaire pour vérifier sur le terrain toutes sortes d'informations sur lesquelles travaillent les enquêteurs.

Très vite, il commence à se bâtir un réseau de contacts et de sources, dans les milieux criminels ou en périphérie de ceux-ci. Certains des petits criminels qu'il rencontre à cette époque graviront plus tard les échelons du crime organisé, comme lui montera en grade au sein de la police.

Benoit Roberge est promu enquêteur à la division du renseignement criminel en 1990. Sa division a pour tâche d'amasser et d'analyser un maximum d'informations pour connaître les tendances et les relations au sein des milieux criminels, déterminer où doivent se concentrer les enquêtes, parfois même prévoir ou empêcher des situations dangereuses ou des actes criminels. La source la plus précieuse d'informations pour le renseignement policier, ce sont les informateurs. Des gens qui acceptent de parler à la police, souvent contre rémunération. Faire affaire avec les informateurs, c'est souvent faire affaire avec des criminels endurcis, développer une relation de confiance avec eux. Le lien peut devenir très fort, car ceux-ci risquent leur vie en parlant aux policiers. Ils doivent avoir une confiance totale en leur contrôleur au sein de la police.

Roberge travaille beaucoup sur les dossiers des motards. Il suit l'émergence d'un nouveau gang, les Rock Machine, et est un des premiers policiers à comprendre vers quoi ils se dirigent : une guerre contre les Hells Angels.

LES HORREURS DE LA GUERRE

Au début des années 1990, les Rock Machine ont la main haute sur la vente de drogue au centre-ville de Montréal, le secteur le plus payant au mètre carré en matière de stupéfiants dans tout le Québec. Ils sont aussi fortement implantés dans d'autres quartiers de la métropole, où ils écoulent d'importante quantité de cocaïne.

Les Hells Angels, eux, sont plus forts en région, avec des chapitres à Trois-Rivières, Sherbrooke et Québec ainsi que plusieurs clubs-écoles ou sympathisants partout en province. Même leur chapitre de Montréal a établi son repaire à Sorel, à une heure de route de la métropole. Les Hells contrôlent bien la revente de drogue dans certains secteurs de Montréal, mais ce n'est pas assez pour eux.

À la même époque, ils commencent à passer un message à tous les trafiquants de drogue, motards ou non : s'ils souhaitent durer sur le marché de la drogue, ils devraient se ranger du côté des Hells, s'associer à eux, ou carrément s'approvisionner directement auprès d'eux. Avec certaines grosses organisations comme la mafia italienne ou le gang de l'ouest irlandais, la collaboration et le partage des territoires sont de mise. Mais les autres feraient mieux de s'incliner.

Plusieurs tentatives sont faites pour trouver un arrangement qui satisferait tout le monde. Mais l'ambition sans borne des Hells et l'intransigeance des Rock Machine rendent la guerre inévitable.

Les Rock Machine créent un groupe baptisé l'Alliance, un regroupement de plusieurs groupes criminels indépendants souhaitant combattre les visées hégémoniques des Hells. La guerre éclate en 1994. Les Hells Angels, eux, ont créé un chapitre d'élite, les Nomads, qui ne sont pas rattachés à un territoire spécifique comme les autres chapitres, et qui seront chargés de mener la guerre. Les Nomads sont dirigés par Maurice «Mom» Boucher, l'un des membres les plus sanguinaires des Hells. Le plan est simple, comme le résumera plus tard le délateur Stéphane «Godasse» Gagné, un homme de main à la solde de Boucher : «Tuer les Rock Machine pour leur voler leurs points de vente de stupéfiants pour faire plus d'argent.»

La guerre fait rage de 1994 à 2002. Elle est sanglante. On dénombre plus de 160 meurtres ou tentatives de meurtre. Il est facile de l'oublier aujourd'hui, mais cette guerre demeure le phénomène criminel le plus traumatisant de l'histoire du Québec pour les autorités et la population en général. À l'époque, les bombes sautent un peu partout, y compris dans des quartiers résidentiels, réduisant motards et trafiquants en charpie. Des immeubles sont incendiés à répétition. Des tueurs ouvrent le feu dans des lieux publics.

Mais, surtout, des victimes innocentes meurent ou sont gravement blessées. Daniel Desrochers, un enfant de 11 ans, est tué lorsqu'une voiture piégée explose devant l'école Saint-Nom-de-Jésus, dans le quartier Hochelaga-Maisonneuve, à Montréal. Le journaliste du *Journal de Montréal* Michel Auger, qui dérange les Hells par ses articles fouillés sur le monde interlope, est abattu de six balles en arrivant au travail et survit miraculeusement. Un autre journaliste, le pigiste Robert Monastesse, reçoit quant à lui une balle dans chaque jambe en guise d'avertissement. Une serveuse de restaurant, Hélène Brunet, est blessée de quatre projectiles lorsqu'un sympathisant des Hells l'utilise comme bouclier humain devant des tireurs venus l'abattre pendant son repas.

Dans son délire mégalomane, le chef des Nomads, Maurice « Mom » Boucher, ordonne même une série d'attentats contre des gardiens de prison. Diane Lavigne et Pierre Rondeau sont tués froidement, tandis qu'un troisième gardien, Robert Corriveau, survit à une attaque. Aucun n'entretient de conflit particulier les opposant aux motards. Ils sont seulement ciblés en raison de l'uniforme qu'ils portent.

Ces attentats sont commandés par Boucher avec un double objectif : d'abord déstabiliser le système judiciaire, rien de moins. Boucher est déjà l'un des artisans de la guerre contre les trafiquants qui résistent aux visées monopolistiques des Hells sur le marché de la drogue. Il ne tolère pas qu'on résiste aux Hells. Et il est maintenant prêt à étendre sa vendetta à la police, aux tribunaux et au gouvernement si on lui résiste. Des années plus tard, le journaliste Michel Auger révélera que les Hells avaient une liste noire d'autres cibles potentielles, incluant le ministre de la Justice Serge Ménard, l'animatrice télé Jocelyne Cazin et l'ex-chef de police Jacques Duchesneau.

Deuxième objectif : mettre les Hells à l'abri de la délation. Boucher croit que ses hommes ne pourront jamais se mettre à table et devenir délateurs pour les autorités s'ils ont commis l'offense suprême de tuer un représentant du système de justice.

« Boucher voulait mettre son organisation et lui-même à l'abri de la police et des autorités afin de continuer à régner en toute impunité », résumera la procureure de la Couronne France Charbonneau au procès pour meurtre du chef des Nomads.

Au même procès, le délateur Stéphane « Godasse » Gagné, qui avait lui-même participé aux attentats, racontera ce que Boucher lui avait dit :

— Tu sais, on a fait faire ça pour que tout le monde autour de nous autres ne devienne pas délateur, parce que celui qui parle, il pogne 25 ans, et puis si c'était la peine de mort, tu te ferais pendre, aurait dit Boucher.

— On va en faire d'autres *screws* (des gardiens de prison) [...] On fera des *bœufs* (des policiers), des juges ou des procureurs de la Couronne, ç'a pas d'importance, aurait-il expliqué.

BALLOUNE, UN TUEUR SANS PITIÉ

La guerre des motards est l'occasion de s'illustrer et de monter en grade pour un petit revendeur de drogue indépendant de l'est de la ville, René « Balloune » Charlebois. Âgé de 28 ans en 1993, à l'aube du conflit, il travaille « à son compte » et livre de la pizza en Porsche 911, selon ce qu'a raconté plus tard le délateur Stéphane « Godasse » Gagné. La livraison de pizza sert en fait de couverture à son petit commerce de vente de cocaïne au détail.

Charlebois se rallie avec enthousiasme aux Hells lorsque les revendeurs sont invités à choisir leur camp. Ambitieux, il est prêt à participer activement à la guerre et fera partie des équipes de choc chargées d'attaquer les troupes ennemies.

En 1995, il s'implante dans le Village gai de Montréal – un territoire central où les affaires sont florissantes pour les trafiquants – en achetant pour 45 000 $ le circuit de revente d'un Rock Machine qui préfère céder le terrain plutôt que de risquer la mort.

Puis, en 1996, il est admis comme subalterne au sein des Rockers, le club-école des Nomads de « Mom » Boucher. Les membres des Rockers, en plus de servir et de protéger leurs maîtres Nomads, sont très actifs dans la guerre contre les Rock Machine et dans la vente de drogue pour le compte de la grande famille des Hells.

Charlebois met à peine quatre ans à atteindre le statut très convoité de Nomad *full patch*, un membre à part entière du club d'élite. La façon dont il gagne ses couleurs donne froid dans le dos.

René Charlebois (à droite) avec un de ses «frères» des Nomads, Normand Robitaille.

À l'hiver 2000, les Hells apprennent qu'ils ont un traître au sein de leurs revendeurs. En volant l'ordinateur d'un policier dans sa chambre d'hôtel, ils avaient découvert les rapports d'un «agent civil d'infiltration», un civil qui accepte de mener des missions secrètes pour la police afin d'espionner de l'intérieur une organisation criminelle.

L'infiltrateur n'était pas identifié dans les rapports, mais en lisant ce qu'il avait révélé sur le commerce de stupéfiants des Hells, les motards ont tout de suite compris qui il était. Claude Deserres, un petit trafiquant de cannabis de 31 ans et travaillant pour le réseau de distribution de drogue des Hells, était en fait une taupe de la police.

Le 3 février, des hommes de main des Hells proposent donc à Deserres d'aller faire un tour dans Lanaudière pour lui montrer une plantation de marijuana. Ils roulent en voiture entre les versants enneigés jusqu'à Notre-Dame-de-la-Merci, où ils s'arrêtent devant un chalet. Deserres, lui, joue encore son rôle d'agent civil d'infiltration. Il porte sur lui un micro dissimulé qui enregistre toutes les conversations. En arrivant, il respire l'air pur de la campagne.

— As-tu vu ça, la montagne, toi ? Beau petit chalet en plus ! lance-t-il en découvrant les lieux.

Une mauvaise surprise l'attend. Une fois à l'intérieur, il est confronté par René Charlebois lui-même, qui ne passe pas par quatre chemins.

— Il y a deux affaires que je veux savoir, deux affaires, dit-il d'un ton sérieux sans appel.

— Comme tu veux, répond Deserres.

— Tu travailles pour la police. Je veux savoir depuis combien de temps.

La panique envahit Deserres. Son pouls s'accélère. Il tente tant bien que mal de ne pas sortir de son rôle, de ne pas montrer qu'il a vraiment été démasqué. Il feint de ne pas comprendre.

— Hein ? Pffff… J'ai un problème, parce que je vais te dire, là…

Deserres ne finit pas sa phrase. Un coup de feu tiré à bout portant l'atteint à la tête et met brutalement fin à ses jours. Son cadavre sera retrouvé dans la neige le lendemain, en bordure d'une route. Ses pieds et ses mains sont attachés. Un sac recouvre sa tête.

« Balloune » Charlebois est nommé membre à part entière des Nomads peu après.

Charlebois se marie à Sorel en août 2000. Son mariage est autant une célébration de l'amour que de la puissance des Hells Angels. Dans l'église entourée de policiers qui filment toutes les allées et venues des invités, un chanteur bien connu fait son apparition, embauché spécialement pour le nouveau marié. C'est Jean-Pierre Ferland en personne, arrivé en limousine pour interpréter son succès *Une chance qu'on s'a*.

La réception se tient ensuite sur la propriété de « Mom » Boucher, à Contrecœur. Charlebois se voit offrir en cadeau une nouvelle moto Harley-Davidson, dont il fait rugir le moteur sous les acclamations des convives.

— Mon cœur, mon sang, les Hells! lance-t-il triomphalement devant toute sa bande.

Une autre vedette de la chanson québécoise fait alors son entrée : la grande chanteuse Ginette Reno fait l'accolade à « Mom » Boucher et entame le succès *My way*, popularisé par Frank Sinatra, au grand bonheur des motards. Les paroles, dans lesquelles le chanteur revient sans amertume sur ses choix de vie et se montre fier d'avoir fait ce qu'il avait à faire, prennent un sens particulier pour les Hells :

I did it my way

Regrets, I've had a few

But then again, too few to mention

I did what I had to do

Des regrets, Charlebois ne semble pas en avoir à cette époque. Les victimes de la guerre des motards semblent bien loin de ses préoccupations. Le conflit a été bon pour lui. Il s'installe dans une luxueuse maison du domaine du Cerf, près d'un terrain de golf, à Longueuil. Tel un prince, il se pare d'une multitude de bijoux en or et de diamants à l'effigie de la tête de mort ailée des Hells Angels. Il roule en Cadillac et entasse des liasses d'argent comptant dans les moindres recoins de sa maison : armoire de cuisine, table de chevet, sac à main. Dans sa cave à vin, l'ancien livreur de pizza accumule les plus grands crus : Château Cheval Blanc 1990, Château Lafite Rotschild 1990, Grand Vin Château Latour 1978, Château Palmer et Château Haut-Brion 1989, cette dernière bouteille se détaillant à elle seule à 1 325 $.

ROBERGE AUX PREMIÈRES LOGES

L'enquêteur Benoit Roberge est aux premières loges pour suivre les aventures guerrières de « Mom » Boucher et de « Balloune » Charlebois. Dès 1995, il se joint à la fameuse escouade mixte Carcajou créée par le gouvernement en réaction à l'indignation populaire face à la violence de la guerre des motards et la mort du petit Daniel Desrochers. Carcajou regroupe des policiers de la police de Montréal, de la Sûreté du Québec et d'autres corps policiers. L'escouade est entièrement dédiée à la lutte aux motards criminels.

Roberge se concentre encore sur le renseignement, le nerf de la guerre. Il n'a pas froid aux yeux. On le voit souvent se rendre seul sur le parvis d'une église ou dans l'entrée d'un salon funéraire pour aller à la rencontre de dizaines de motards. Il les aborde, discute avec eux, identifie tous ceux qu'il connaît par leurs noms, prend note de ceux qu'il ne connaît pas et sur lesquels il faudra se renseigner plus tard. Il visite aussi les scènes d'attentats et les prisons où sont incarcérés des motards. Une fois seuls dans une salle d'interrogatoire, loin de leurs amis, certains se montrent plus bavards avec la police. Roberge n'a pas son égal pour établir une relation de confiance avec des bandits et les convaincre de collaborer avec lui. Il sait aussi déceler leurs faiblesses et les exploiter. Son réseau d'informateurs est franchement impressionnant, de l'avis de tous.

« Roberge était un joueur d'échecs. Il voyait venir les coups quatre, cinq ou six coups d'avance. Il identifiait une source et la faisait monter en écartant les individus qui auraient pu nuire à son ascension, en les piégeant, en leur mettant de la chaleur », confiera un ancien collègue à *La Presse*.

Roberge gagne en notoriété au sein de la police, mais aussi chez les criminels. Les motards le connaissent, ils s'habituent à le croiser et à discuter avec lui. Parfois les échanges sont cordiaux, surtout lorsque policiers et criminels ont du temps à tuer et sont coincés au même endroit, à se surveiller les uns les autres. Même les pires ennemis, lorsque forcés à se côtoyer dans la routine de leur travail, vont finir par se parler de banalités avec bonne humeur, et par échanger des plaisanteries.

Parfois, l'atmosphère est plus tendue. Les policiers qui s'illustrent beaucoup dans la lutte au crime organisé doivent vivre en permanence avec le poids de leur notoriété chez les criminels. Cette notoriété devient difficile à vivre lorsqu'un enquêteur tente de décrocher de son travail ou de jouir de sa vie privée avec ses amis et sa famille, et qu'il croise des bandits qui le reconnaissent. Dans ces cas, la rencontre peut parfois être cordiale, mais le policier peut aussi parfois se retrouver en position très vulnérable.

Le soir du 27 novembre 1998, Benoit Roberge a bien besoin de se changer les idées. Ce jour-là, «Mom» Boucher vient d'être acquitté des meurtres des deux gardiens de prison (il sera déclaré coupable dans un procès subséquent). Boucher est sorti de la salle de cour en levant les bras, triomphal. Une défaite amère pour les policiers, dont Benoit Roberge.

Roberge et un ami d'enfance se rendent au Centre Molson pour assister au combat de boxe opposant Stéphane Ouellet à Dave Hilton. «Mom» et ses comparses sont aussi dans l'assistance. L'ambiance est à son comble. La foule, bruyante. Sur le ring, les combattants en sueur se déchaînent.

Soudain, alors que Roberge et son ami regardent tranquillement le combat, dans les gradins, une quinzaine de motards à la mine patibulaire viennent se planter devant eux pour leur bloquer la vue.

«Ils nous fixaient. C'était clairement de l'intimidation», racontera l'ami de Roberge, Christian Bayeur.

Roberge, habitué à ce genre de joute, ne bronche pas. Il se fait rassurant.

— Casse-toi pas la tête avec ça, dit-il à son ami, très calme.

Roberge a un homologue à la Sûreté du Québec, spécialiste comme lui du renseignement en matière de motards criminalisés : l'enquêteur Guy Ouellette.

Les deux hommes ne s'entendent pas. Roberge est brouillon, turbulent, impatient, cowboy même, selon plusieurs. Il veut de l'action, il faut que ça bouge et au diable la paperasse ! Il aime faire la fête, comme lorsqu'il était plus jeune, et il est réfractaire à la discipline. Ouellette, lui, est méthodique, minutieux, très soucieux des règles. Il n'est pas du genre à passer du temps dans les bars à la chasse aux jeunes filles. Pour lui, Roberge est le genre de policier qui travaille strictement pour son étoile personnelle.

«Il n'avait pas de rigueur. Ce qui comptait, c'était sa poche, ses affaires, son show. Aucune rigueur du moment qu'il atteignait ses propres objectifs», se souvient M. Ouellet aujourd'hui.

C'est autour de 1998 que Roberge commence une relation amoureuse avec une procureure de la Couronne affectée, comme lui, aux dossiers du crime organisé. Il sent que la brillante et splendide avocate aux cheveux bruns peut le comprendre, car elle connaît le genre de réalité à laquelle il doit faire face tous les jours. L'un et l'autre peuvent s'épauler et se parler de dossiers délicats sans inquiétude en raison de la nature complémentaire de leur travail.

À L'ÉCOUTE DES « MESSES » DES ANGES DE L'ENFER

À l'été 1999, Benoit Roberge réussit un gros coup qui viendra solidifier son importance dans la police. Il convainc le motard Dany Kane – qui a déjà commencé à infiltrer les Rockers, le club-école des Nomads, pour le compte de la GRC – de poursuivre l'opération avec lui comme contrôleur.

Les agents civils d'infiltration tel Kane ne veulent pas que trop de gens connaissent le jeu secret auquel ils se livrent. Sauf exception, ils ne parlent habituellement qu'à leurs deux contrôleurs. À titre de contrôleur d'un des meilleurs informateurs de la police dans l'antre des Hells, Roberge prend une importance de plus en plus grande. Chacun doit passer par lui s'il veut apprendre quelque chose de Kane. Quand il revient d'une rencontre avec Kane, chacun a hâte d'apprendre ce qu'il a à dire. Roberge s'enorgueillit de cette importance. Certains collègues trouvent toutefois que sa tête commence à passer difficilement dans les cadres de porte…

Roberge a toutefois bien raison d'être fier. Les informations fournies par Dany Kane sont d'un apport inestimable dans la lutte contre les motards. En tant que membre des Rockers, l'agent civil d'infiltration est mis au courant de beaucoup de choses au sujet des Nomads et de la guerre. Il accepte même de porter un micro lors des « messes » des Rockers, ces réunions formelles du chapitre où sont discutées les affaires importantes du club. Du jamais-vu. L'opération est risquée. S'il est découvert, il pourrait subir le même sort que Claude Deserres.

La plupart des collègues de Roberge ignorent l'identité de Kane. « On savait qu'il avait une supersource, mais on ne savait pas qui », expliquera un ex-collègue des années plus tard.

Cette opération d'infiltration mènera à la gigantesque rafle policière «Printemps 2001», au cours de laquelle la police arrête pratiquement tous les membres des Nomads et leurs soldats du club-école des Rockers. Pas moins de 280 perquisitions sont menées dans 77 villes aux quatre coins du Québec et 122 suspects sont appréhendés. De nouvelles accusations de meurtres sont déposées contre «Mom» Boucher, qui sera condamné à la prison à vie, sans possibilité de libération conditionnelle avant 25 ans.

René «Balloune» Charlebois est arrêté comme ses frères Nomads. Il sera condamné à la prison à vie sans possibilité de libération conditionnelle avant 15 ans.

L'opération est un immense succès. Elle annonce la fin prochaine de la guerre des motards, dont une très grande partie des protagonistes se retrouvent derrière les barreaux. Elle déstabilise pour plusieurs années les Hells et donne une leçon qui marquera tous les groupes criminels. Les motards étaient allés trop loin avec leur guerre. Les bombes, les tueries en plein jour, les victimes innocentes et les attaques contre les gardiens de prison avaient créé un ras-le-bol sans précédent dans la population et chez les autorités. Un tel déferlement de violence ne pouvait qu'entraîner une réaction musclée du gouvernement et de la police. À long terme, la guerre avait été une mauvaise décision d'affaires. Mieux aurait valu continuer à vendre de la drogue le plus discrètement possible.

Photo Armand Trottier, La Presse

Benoît Roberge sur le point de témoigner dans un procès, en 2000.

Roberge est un des héros de l'opération « Printemps 2001 ». Il se réjouit de ses succès. Mais son infiltrateur-vedette, Dany Kane, ne voit pas les fruits de son travail. Le samedi 5 août 2000, le motard est trouvé mort dans sa maison, en Montérégie. Roberge tente de le joindre pendant toute la matinée, ce jour-là. Il visite plusieurs endroits fréquentés habituellement par sa source. Puis, la police lui apprend la mort de son informateur. Devant ses collègues, il en pleure de rage.

Cet épisode est raconté dans le livre intitulé *L'énigmatique Dany Kane : un informateur chez les Hells*, écrit par le journaliste Daniel Sanger. Pour ce dernier, Roberge est « le genre de policier rebelle comme on en voit dans les films, qui suit plus son instinct que les règles bureaucratiques ».

Après l'opération « Printemps 2001 », Roberge et ses collègues s'attaquent aux rivaux des Hells. Les derniers résistants des Rock Machine et de l'Alliance se sont joints aux Bandidos, un club de motards international qui rivalise avec les « anges de l'enfer » en différents coins du monde. En juin 2003, l'opération « Amigo » met hors d'état de nuire les effectifs de la bande au Québec.

Au cours de l'année suivante, l'étoile de Roberge pâlit considérablement. D'abord, certains de ses alliés dans la police occupent d'autres postes ou ont pris leur retraite. Par ailleurs, ses frasques et son refus de la discipline et des contraintes bureaucratiques en irritent plus d'un. Certains diront aussi que son apport n'était plus aussi important maintenant que les pires motards étaient à l'ombre. Peut-être avait-il rempli son rôle ? Son époque était peut-être révolue ?

En 2004, certains de ses supérieurs commencent aussi à s'interroger sur la relation qu'il entretient avec ses sources. Depuis près de dix ans, le travail de Roberge consiste à côtoyer les motards, de parler avec eux, de recueillir le maximum d'informations sur leur univers, leurs activités, leurs mouvements, leurs rivalités et leurs jeux de coulisses. Certaines de ses sources sont devenues de vieilles connaissances. Lorsqu'il les rencontre, il peut faire preuve de flatterie, de menace ou de manipulation pour obtenir ce qu'il veut d'eux. Il peut négocier et leur faire des propositions en échange de leur aide.

Après une décennie, cette joute avec les sources, sous la pression d'une course effrénée au renseignement, peut devenir dangereuse. Surtout que les policiers de terrain comme Roberge peuvent avoir envie de mener leurs affaires à leur propre manière lorsqu'ils ont l'impression que leurs patrons, bien assis dans leur bureau climatisé, ne comprennent pas les réalités du terrain. Ils se désolent d'entendre leurs supérieurs demander que les enquêteurs rédigent un rapport après chaque contact avec une source chez les criminels. On voit bien qu'eux-mêmes n'ont presque jamais eu de sources, se dit-il. Si Roberge suivait la procédure à la lettre, il rédigerait des rapports du matin au soir.

Un jour, le supérieur de Roberge apprend qu'il a partagé une bouteille de vin à 300 $ dans un club de danseuses avec Michel «l'Animal» Lajoie-Smith, une armoire à glace membre en règle du chapitre South des Hells, celui de la Rive-Sud de Montréal. Lajoie-Smith, ancien président d'un club-école des Hells Angels à Laval, était alors connu comme un distributeur de drogue très actif sur l'Île-Jésus et dans les Basses-Laurentides.

Le patron de Roberge est furieux. C'est bien beau de rencontrer ses sources pour avoir de l'information, mais qui boit des bouteilles de vin à 300 $? Il y a toujours bien des limites! Roberge est un policier qui a un travail à faire, il n'est pas là pour passer du bon temps avec ses amis motards! Le supérieur exige que Roberge rédige un rapport sur cette rencontre. L'enquêteur refuse. Il est expulsé de l'équipe mixte antimotards peu après. Au moment de son départ, il évalue avoir contrôlé une cinquantaine de sources confidentielles depuis 1994, ce qui en fait de loin l'un des agents les plus branchés sur les milieux criminels et, par conséquent, l'un de ceux qui a fréquenté le plus de bandits.

LE PURGATOIRE ET LE RETOUR

Roberge entame un déprimant purgatoire de plusieurs années. Il passe un moment aux fraudes, puis aux enquêtes générales du centre opérationnel Est de la police de Montréal. Les dossiers qu'on lui confie lui semblent d'un ennui mortel. Il raconte à ses amis que la direction lui fait perdre son temps avec des peccadilles.

Roberge accumule beaucoup de frustration à cette époque. Il revient finalement à l'escouade régionale mixte antimotards, en 2008, au moment où se prépare une nouvelle rafle majeure contre les Hells Angels: l'opération «SharQc».

«Printemps 2001» avait principalement mis hors d'état de nuire le chapitre guerrier des Hells, les Nomads, et leur club-école, les Rockers. L'opération avait laissé relativement indemnes les chapitres de Montréal, Québec, Trois-Rivières, Sherbrooke et le chapitre South. Ceux-ci ont pu continuer à contrôler le marché de la drogue et une panoplie d'autres activités illicites d'un bout à l'autre du Québec.

Le 15 avril 2009, la rafle de l'opération «SharQc» conduit plus de 150 personnes derrière les barreaux, soit tous les membres en règle des Hells et plusieurs sympathisants. Benoit Roberge se rend au centre judiciaire Gouin, où défilent les accusés pour leur première comparution. Il est extrêmement fier de voir autant de criminels menottes aux poings. Ce n'est toutefois que le début d'un interminable processus judiciaire, qui sera un combat très ardu pour la Couronne si elle souhaite obtenir des condamnations. Benoit Roberge fait partie des enquêteurs qui travaillent main dans la main avec les procureurs pour faire condamner les motards. Il est très impliqué dans le processus.

La pièce maîtresse de la poursuite dans ce mégadossier, c'est encore une fois un délateur de haut niveau. Cette fois, c'est Sylvain Boulanger, 45 ans, ex-sergent d'armes des Hells Angels de Sherbrooke, qui s'est mis à table. Il en a gros sur le cœur contre ses anciens «frères» et il saisit l'opportunité de faire un coup d'argent.

Boulanger avait pris sa retraite des Hells en bons termes, en 2001. Quelques années plus tard, il avait voulu réintégrer les rangs du club, mais les motards ne voulaient plus de lui.

— Tu es parti, c'est correct, on respecte ça. Mais tu ne peux plus changer d'idée et essayer de revenir. Il fallait y penser avant, lui répondait-on en gros.

Furieux, Boulanger était allé cogner à la porte de la police. Après quelques négociations et du travail de terrain pour le compte des enquêteurs, il signait le 21 septembre 2006 le plus gros contrat de délateur de l'histoire du Québec. Si son témoignage allait comme prévu au cours du procès à venir, il empocherait jusqu'à 2,9 millions de dollars de l'État. En échange de sa précieuse collaboration, aucune accusation ne serait portée contre lui.

Boulanger a fourni à la police de l'information sur le trafic de drogue mais, surtout, il a apporté des précisions explosives au sujet de la guerre des motards. Comme certains le savaient déjà, la guerre n'avait pas été l'apanage du seul chapitre des Nomads et de leur club-école des Rockers. Tous les chapitres des Hells au Québec avaient tenu un vote démocratique, en juillet 1994, sur le déclenchement de la guerre. Les membres avaient voté à main levée pour le déclenchement des hostilités contre les Rock Machine et leurs alliés. Pas moins de 117 personnes ayant levé la main pouvaient donc être accusées de multiples meurtres, selon la Couronne. C'était du jamais-vu.

Au moment du dévoilement de son rôle, en avril 2009, Sylvain Boulanger devient toutefois un homme traqué. La police le cache avec moult précautions. Personne ne doit savoir où il se trouve, sans quoi le danger deviendrait ingérable. La tentation serait forte pour les Hells, ou quiconque souhaitant leur plaire, d'éliminer Boulanger dans l'espoir de faire tomber le plus gros procès de l'histoire du Québec. Comment faire condamner quelqu'un si le plus important témoin n'est plus en mesure de venir témoigner?

LA NOUVELLE RECRUE DE ROBERGE

En 2010, un an après les arrestations des Hells dans l'opération « SharQc », Roberge se rend dans un centre de détention avec un de ses collègues pour y rencontrer un détenu très particulier. Il connaît déjà le motard qui s'assoit sur la petite chaise, de l'autre côté de la table, dans le petit bureau qu'on leur a réservé. Après tout, il connaît presque tous les Hells Angels, depuis le temps qu'il suit les hauts et les bas de leurs carrières criminelles.

Celui-là a sensiblement le même âge que lui. Il a grimpé les éche-lons du crime en même temps que Roberge ceux la police. Comme Roberge, il a connu son heure de gloire, puis une certaine déchéance.

La sienne est venue avec son arrestation dans l'opération « Printemps 2001 ». René Charlebois fixe les deux policiers, puis repasse son parcours dans sa tête. Il n'a pas encore dit son dernier mot. Si deux enquêteurs prennent le temps de venir le voir dans son trou, c'est qu'il a encore de la valeur à leurs yeux. Il n'est pas encore fini.

Roberge avait rencontré Charlebois après son arrestation, en 2001, mais il ne semblait pas avoir réussi à lui tirer les vers du nez. On ignore encore comment il fait, mais ce jour-là, en 2010, Roberge réussit ce que plusieurs auraient cru impossible. Il transforme « Balloune » Charlebois en informateur de police. Il le convainc de parler, lui qui s'est toujours défini comme un ennemi juré des « bœufs ». C'est la première fois que Charlebois se délie la langue en présence de policiers. Il semble tout à fait conscient de ce qu'il fait. Il est enregistré officiellement comme source d'information codée dans les registres de la police.

Charlebois se met à table. Et, selon ce qui nous a été confirmé, il fournit de l'information solide et fiable à la police. Cet aspect est important, car des proches de Charlebois l'ont nié par la suite, menaçant même de poursuites ceux qui oseraient l'affirmer.

René Charlebois commence donc à fournir des informations à Benoit Roberge, même s'il est loin d'avoir renoncé au crime et à la vie de Hells Angels, le club dont il est toujours fièrement membre. Les enquêtes policières ont démontré depuis longtemps que des membres de l'ancien chapitre d'élite des Nomads ont continué de percevoir des ristournes sur le trafic de drogue pendant leur incarcération. Certains seraient même restés impliqués dans le contrôle de leurs anciens territoires et auraient envoyé des directives à partir de leurs cellules. « Balloune » était de ceux-là.

Mais devenir informateur de police ne veut pas dire renoncer au crime. Un caïd peut avoir une foule de bonnes raisons pour donner de l'information. Il peut, par exemple, améliorer sa position sur le marché en dénonçant ses concurrents dans le trafic de drogue. Même si elle sait que l'information vient d'un criminel notoire qui vend lui aussi des stupéfiants, la police est alors bien contente de recevoir ce petit cadeau et de pouvoir faire des arrestations. On parle alors d'une relation de gagnant-gagnant.

De la même manière, un trafiquant peut fournir de l'information sur un rival au sein de son organisation. Il peut le faire pour innocenter un de ses amis ou partenaires qui serait injustement soupçonné d'un crime. Il peut parfois aussi trouver que d'autres joueurs au sein du crime organisé dépassent les limites de ce qui est « criminellement acceptable » pour lui, par exemple en faisant preuve de trop de violence envers les innocents. Il peut aussi parler pour une raison aussi simple que l'argent qui est le moteur, voire l'obsession, de plusieurs criminels.

Charlebois avait certainement avantage à aider Roberge dans certaines de ses enquêtes. Peut-être aussi son rapprochement avec le policier faisait-il partie d'un plan savamment élaboré pour manipuler l'enquêteur et le transformer lui-même en informateur pour les motards ? Difficile à dire.

Chose certaine, le mythe selon lequel le code d'honneur des criminels empêche toute discussion avec la police n'est qu'un... mythe. Un mythe savamment entretenu, notamment par la violence envers ceux dont le double jeu est démasqué. Mais dans les faits, nombreux sont les bandits, parfois très haut placés dans des organisations criminelles, qui, pour une raison ou une autre, fournissent des informations aux policiers, souvent en échange de rémunération. Ceux qui le font semblent souvent avoir l'impression que ça ne compte pas quand c'est eux, car ils ont de bons motifs. Ils semblent aussi croire qu'ils sont les seuls à avoir de bons motifs de parler. S'ils découvrent qu'un autre criminel fait la même chose, ils voudront souvent l'éliminer.

Ainsi, alors qu'il a lui-même déjà commencé à fournir des informations à Roberge, Charlebois l'interroge un jour sur l'époque de la guerre des motards. Il sait qu'il y a eu des cas de délateurs, d'infiltrateurs et d'informateurs bien connus, mais il veut savoir s'il y avait plus.

— Est-ce qu'il y en avait d'autres, des informateurs ? demande-t-il à son nouvel agent contrôleur.

— Y en a plein d'autres, toute la province parlait ! répond Roberge, amusé.

Roberge garde le contact avec Charlebois en 2011 et 2012. Il n'est pas toujours accompagné de son partenaire lorsqu'il échange avec lui, ce qui est contraire aux règles. Il se retrouve seul à gérer cette source très délicate – et très habile – qu'est Charlebois. Peut-être ne saura-t-on jamais comment la relation des deux hommes a évolué dans le temps. À quel point Roberge est-il passé de la discussion cordiale sur des informations anodines au « coulage » d'informations stratégiques confidentielles ? Une personne qui connaît le dossier de très près a eu cette explication sibylline pour nous illustrer ce qui se passe alors : « Disons qu'on a déjà vu historiquement plusieurs situations où le contrôleur gâte sa source, et sa source lui rend la pareille en échange, et la ligne entre les deux devient très floue. »

Il est clair qu'en échangeant des informations, Roberge et Charlebois étaient tous deux bien placés pour devenir, ou plutôt redevenir, des stars au sein de leur organisation respective.

À son procès, Roberge racontera que c'est lorsque Charlebois a proféré des menaces envers sa famille qu'il a basculé et qu'il a commencé à vendre des informations sensibles de la police au motard. Mais, ni le procureur de la Couronne ni le juge n'ont été impressionnés par cette explication. Roberge n'a jamais eu froid aux yeux, il a affronté les motards dans des contextes beaucoup plus intimidants que celui-là. Et il négociait le prix des informations qu'il vendait, ce qui peut sembler bizarre pour un homme qui se disait terrorisé par les criminels et contraint à trahir les siens.

Chose certaine, les rôles se sont éventuellement complètement inversés. C'est finalement Charlebois qui a réussi à faire de Roberge son informateur confidentiel au sein de la police. Une source de premier choix, qu'il rémunérait grassement selon la valeur de chaque information, comme le font les corps policiers avec leurs propres sources.

À l'automne 2011, Roberge confie à Charlebois qu'une enquête est en cours depuis deux ans et qu'une frappe est imminente contre un réseau de trafic de drogue de la grande région de Montréal. C'est le projet CARCAN de l'Escouade régionale mixte antimotards de la région de Montréal, chapeautée par la Sûreté du Québec.

Les policiers frappent le 23 novembre 2011 et mettent la main au collet de 25 suspects travaillant pour le réseau de distribution de drogue des Hells, dans les couronnes nord et sud de Montréal. Mais une information titille les enquêteurs : ils apprennent que la veille, des acteurs importants de la mafia italienne ont eu vent qu'une frappe devait avoir lieu le lendemain. Incapables de savoir s'ils étaient eux-mêmes visés, les mafiosi avaient passé la nuit à l'hôtel. Cette fuite agace les enquêteurs. En réalité, l'information divulguée par Roberge à Charlebois avait fait son bout de chemin dans les milieux criminalisés.

En 2012, alors que Roberge s'est déjà compromis et a déjà commis des actes qui causeraient sa perte s'ils étaient connus, Charlebois raffermit machiavéliquement son emprise sur le policier. Le motard dispose d'un cellulaire entré en contrebande en prison (il se plaint toutefois souvent que sa carte SIM soit brisée, ce qui complique ses communications). Il a fourni un téléphone spécial à Roberge pour que les deux puissent se parler. Lorsqu'il communique avec le policier pour lui acheter des informations, il fait un appel conférence à trois sans le dire à Roberge. À l'autre bout du fil, un de ses amis d'enfance, complice, reste silencieux et enregistre la conversation des deux hommes.

À LA RECHERCHE DU LAPIN

Les conversations entre Roberge et Charlebois donnent froid dans le dos. Roberge semble souvent mal à l'aise, il donne l'impression de vivre très mal avec sa propre trahison. Un jour, il fait un commentaire démontrant qu'il sait très bien que Charlebois l'enregistre pour le tenir à sa merci. Mais il obtempère tout de même et révèle des secrets dévastateurs pour la police.

Il pistonne Charlebois au sujet de certains criminels qui sont présentement ciblés par des enquêtes importantes de la police. Du jour au lendemain, ceux-ci laissent donc tomber leur commerce de stupéfiants et se trouvent un honnête emploi au salaire minimum avant que la police ait pu compléter sa preuve.

À l'automne 2012, Roberge hausse la trahison d'un cran. Il vend à Charlebois des informations cruciales concernant une enquête dans laquelle sont impliqués plusieurs de ses amis policiers ainsi que sa conjointe, procureure de la Couronne spécialiste du crime organisé. Un de ses meilleurs amis est même superviseur de l'enquête dans cette affaire. Ils y ont mis des efforts titanesques.

Le projet « Loquace » vise à démanteler un gigantesque consortium pancanadien d'importation et de distribution de drogue, actif de la Colombie-Britannique au Québec. L'association est reconnue comme étant très violente, capable d'éliminer tous ceux qui se dressent sur son chemin. Elle réunit des proches de diverses organisations criminelles, comme les Hells Angels, les gangs de rue, la mafia italienne, le gang de l'ouest irlando-canadien et d'autres groupes. Leur chiffre d'affaires estimé par la police est de 50 millions en à peine six mois. Plus de 100 suspects sont visés et 15 corps policiers sont impliqués. Des millions de dollars en fonds publics ont été attribués à ce projet d'enquête.

Alors que les policiers sont presque prêts à frapper leurs cibles, Roberge avertit Charlebois. Il lui mentionne que Larry Amero, un Hells Angels de la Colombie-Britannique adepte de culturisme, est visé. Charlebois veut en savoir plus sur ce que détiennent les policiers au sujet de son « frère » motard.

Roberge lui indique aussi qu'un proche des Hells à Montréal, Fred Lavoie, est visé comme étant l'une des têtes dirigeantes du réseau et devrait être arrêté sous peu. Il ajoute que l'enquête policière et la preuve qu'aura à faire sa conjointe au tribunal reposent sur le témoignage d'un agent civil d'infiltration, qui est en mission dans l'entourage de Lavoie.

Charlebois veut connaître l'identité de cet infiltrateur, mais Roberge ne peut ou ne veut pas le lui dire. Cette omission, volontaire ou pas, sauve probablement la vie du collaborateur de la justice.

Le 1er novembre 2012, l'heure de la frappe policière a sonné. Plus de 1000 policiers de partout au Canada foncent pour arrêter 128 suspects. Mais 28 d'entre eux manquent à l'appel. Ils sont introuvables. Plusieurs seront retrouvés au cours des semaines suivantes, mais sept ne seront jamais épinglés. Ils ont disparu dans la nature. Certains trafiquants épinglés narguent d'ailleurs les policiers en leur disant qu'ils savaient qu'ils seraient arrêtés sous peu. La Sûreté du Québec est en furie. Il y a clairement eu une fuite. Au moment de son arrestation, un des suspects s'est même déjà préparé à son incarcération en cachant dans son rectum un paquet de comprimés de dilaudid, un narcotique vendu sous prescription comme antidouleur. Il souhaitait les introduire avec lui en prison.

Fred Lavoie a quant à lui quitté le pays. Il ne fera jamais face à la justice. En mai 2014, son corps démembré est retrouvé dans un complexe de villégiature appelé Pan de Azucar près de la ville de Medellin, en Colombie. Ce sont des passants qui avertissent la police, après avoir vu du sang s'échapper de sacs à ordures laissés en bordure de la chaussée. Le proche des Hells a probablement été victime d'un règlement de comptes impliquant les fournisseurs colombiens de cocaïne du consortium.

Peu après la rafle policière du projet «Loquace», Charlebois et Roberge parlent au téléphone d'autres individus qui avaient été prévenus, mais qui ne se sont pas échappés à temps.

Qui donc a saboté les efforts des enquêteurs? Qui a permis à de dangereux caïds d'échapper à la justice? Pour l'instant, personne ne soupçonne Roberge. Mais une enquête est déclenchée pour tenter d'identifier la source de la fuite.

Roberge s'avère une mine d'informations pour le crime organisé. Il parle de groupes qui sont ciblés par la SQ avec des micros cachés ou des caméras de surveillance dissimulées. Et même s'il ne le décrit pas comme tel, il évoque un autre individu qui travaille au sein du milieu criminel comme agent civil d'infiltration. Il parle des techniques d'enquête par lesquelles des enquêteurs espèrent coincer des suspects de complots pour meurtre liés au crime organisé. Au total, il donne aussi des informations précises sur trois informateurs qui collaborent au péril de leur vie à des enquêtes sur des bandes criminelles. Il parle surtout à Charlebois les week-ends, alors qu'il se trouve à son chalet en Estrie, loin des oreilles indiscrètes.

Un jour qu'il hésite à parler d'un informateur, Charlebois le rassure.

— Si tu me donnes ça, inquiète-toi pas, on ne va pas le tuer, on va juste arrêter de travailler avec.

Le policier reçoit au moins 125 000 $ de Charlebois et d'au moins un autre motard pour ses services, révèlent les conversations enregistrées. Il tient à être payé à la hauteur du risque qu'il prend.

— Mais, tsé, avec ce que je t'ai garroché, là, je voulais au minimum 60, se plaint-il un jour.

Il discute souvent de la nécessité de mettre un bon montant à l'abri.

— L'important c'est que s'il arrive quelque chose, j'aie un magot pour me défendre, explique-t-il.

À un moment donné, Charlebois évoque un de ses comparses qui contribue aux paiements.

— Sur le 100 000 $, il y en a 25 qui viennent de moi et 75 qui viennent de « la barbe », dit-il.

L'identité de « la barbe » n'est pas dévoilée, mais plusieurs spécialistes croient qu'il s'agit de Salvatore Cazzetta, un ancien Rock Machine devenu le Hells le plus influent au Québec. Celui-ci cherchait à obtenir plus d'informations de Roberge à travers Charlebois.

— Mon chum Cazzetta m'a demandé où ils étaient les « bugs » dans son garage, mentionne Charlebois un jour.

— Je le sais pas où les gars mettent les micros, lui répond Roberge.

Les paiements à Roberge se font très discrètement en utilisant la technique dite du *dead drop*. Il n'y a pas d'échange de main à main. On lui laisse plutôt des paquets dans sa voiture.

— On va faire comme la dernière fois, laisse tes portes débarrées, on va déposer l'argent sur le siège arrière, mentionne Charlebois lors d'un appel.

En bon contrôleur qu'il est devenu, le motard insiste auprès de son informateur pour qu'il n'attire pas l'attention avec ses entrées subites d'argent.

— Fais attention avec l'argent, le monde sont jaloux, cache ça, achète-toi tu Kraft dinner ! lui suggère-t-il.

Comme il est assigné à la préparation du procès «SharQc» contre les Hells, Roberge peut aussi fournir des stratégies de défense à Charlebois, pour le compte de ses «frères» motards. Il le prévient que la preuve de la Couronne est vraiment solide. Ils ne peuvent pas espérer être acquittés s'ils vont à procès.

—Faites un «fix» (une entente avec la Couronne). Vous ne pouvez rien faire dans «SharQc», lui dit-il.

Charlebois est impressionné de voir Roberge assigné à la préparation du procès «SharQc», aux côtés de Me Madeleine Giauque, procureure en chef du Bureau de lutte au crime organisé. Giauque est la bête noire des motards. C'est elle qui a fait condamner les Nomads et les Rockers à la prison dans l'affaire «Printemps 2001», à l'exception de «Mom» Boucher, qui avait un procès séparé.

—T'es assis dans le plat de bonbons avec Madeleine, toutte! s'exclame Charlebois.

—Je le sais! répond Roberge, amusé.

Mais ce qui intéresse par-dessus tout les motards, c'est le délateur Sylvain Boulanger qui attend le jour de son témoignage, tapi dans une cachette sous protection policière. Les Hells veulent le retrouver et l'éliminer. «Pas de témoin, pas de procès», comme le veut l'expression consacrée.

Charlebois pousse très fort pour que Roberge lui donne toute information qu'il détient sur le délateur, qu'il surnomme «le lapin». Les deux discutent de son état psychologique, de comment il se sent par les temps qui courent. Le sujet revient constamment, c'est la principale préoccupation de Charlebois.

—On veut savoir où est Boulanger, ça te rapporterait beaucoup d'argent si tu me le disais, insiste le motard.

—C'est compliqué. C'est pas facile, dit Roberge.

Charlebois insiste. La demande semble trop grosse pour le policier. Mais malgré son manque évident d'enthousiasme, il ne ferme pas toujours complètement la porte.

— Ça, je suis pas capable, ça va être bien dur, laisse-t-il tomber.

À ce moment, Boulanger est certainement l'un des hommes les plus protégés au Québec. L'endroit où il est caché n'est connu que d'une poignée de personnes, dont ses deux contrôleurs, des policiers de la Sûreté du Québec qui veillent sur lui et l'accompagnent pendant la préparation de son témoignage.

Or, s'il le voulait, Roberge serait en mesure de révéler une piste menant à Boulanger. Un de ses bons amis est le contrôleur du «lapin». Il sait où se trouve le chalet de son ami à la campagne et il est amené fréquemment à passer par là. Il peut suivre ses allées et venues. En y mettant un peu d'efforts, il pourrait possiblement suivre cet ami jusqu'à la tanière du «lapin», ou du moins le faire suivre jusque-là.

La police n'a jamais pu confirmer hors de tout doute le sérieux de ce projet, mais des échos d'un plan d'assassinat de Boulanger sont déjà venus à ses oreilles. Les Hells auraient voulu envoyer des tueurs assassiner Boulanger et auraient même été prêts à éliminer les deux contrôleurs policiers du même coup. L'impact pour la justice québécoise aurait été inimaginable.

Si ce projet d'attentat contre Boulanger et son escorte policière s'était matérialisé, c'eût été le retour à la folie meurtrière de l'époque de Maurice «Mom» Boucher, à la guerre contre l'État et le système de justice. Un chapitre de l'histoire des Hells dont Charlebois était issu, mais que tout le monde croyait jusqu'ici fermé pour de bon.

Les Hells avaient pourtant bien compris, après la guerre des motards, à quel point une confrontation aussi frontale avec «le système» était contre-productive. Même le parrain de la mafia, Vito Rizzuto, avait tenté de les raisonner, car ils attiraient trop l'attention des autorités et ils risquaient de convaincre le gouvernement d'adopter des lois antigangs plus sévères, ce qui fut d'ailleurs le cas.

À l'été 2013, Roberge prend finalement sa retraite de la police et cède sa place dans l'équipe du procès «SharQc». Il s'est décroché, grâce à un ami et ancien collègue policier, un travail de rêve à la hauteur de ses qualifications : il sera responsable d'une équipe de renseignements à l'Agence du revenu du Québec. Il annonce la nouvelle à Charlebois et lui assure qu'il pourra lui être encore utile.

— Là, je quitte la police, je suis comme semi-retraité, je m'en vais à l'Agence du revenu. Je vais encore avoir accès à tout mon réseau, lui dit-il.

L'ÉVASION DE « BALLOUNE »

Les sources divergent sur les raisons de la détérioration des relations entre Roberge et Charlebois. Certains croient que, après avoir réalisé les enregistrements compromettants de Roberge en train de vendre ses informations, le motard aurait voulu cesser de payer le policier et le forcer plutôt à travailler pour lui gratuitement, sous la menace. D'autres attribuent différentes explications à des désaccords, par exemple le refus de Roberge de faire certains gestes ou de divulguer certaines informations trop sensibles.

Chose certaine, la discorde s'installe entre les deux à la fin de l'été 2013. Et chacun est en position de détruire l'autre en révélant qu'il est un traître. C'est à qui bougera le premier.

Plusieurs sources, dont le vétéran chroniqueur Claude Poirier bien branché dans le milieu des motards, ont affirmé que Roberge avait frappé le premier en apprenant à certains criminels que « Balloune » était devenu un informateur de police enregistré en bonne et due forme. En tant que son contrôleur, il avait d'ailleurs le moyen de le prouver. Peut-être aussi a-t-il seulement fait croire à Charlebois qu'il l'avait fait pour l'effrayer. Ce qui est sûr, c'est que les Hells n'auraient probablement pas accepté la version de « Balloune », selon laquelle c'était maintenant lui qui contrôlait Roberge comme une source. Du moins les explications auraient été difficiles. Charlebois risquait d'être tué « par précaution » avant que ses « frères » prennent le temps de tirer l'affaire au clair.

Cette position difficile explique pourquoi Charlebois a soudainement décidé qu'il devait s'évader de sa prison au plus vite. Et ne plus jamais y revenir.

Son conflit avec Roberge n'était certes pas son seul souci. Des gens ont confié que Charlebois avait des idées noires depuis que sa femme l'avait quitté et avait refait sa vie. La perspective de ne pas pouvoir la retrouver lors de sa libération conditionnelle totale, en 2016, lui pesait.

En septembre 2013, Charlebois est détenu à l'établissement correctionnel Montée Saint-François, près du pont Pie-IX, à Laval. Malgré son passé de criminel violent endurci, sa bonne conduite depuis son incarcération et l'approche de la date de sa libération lui ont permis d'être transféré dans cet établissement à sécurité minimum où plus de 200 détenus sont très libres de leurs mouvements. Après tout, quel condamné à vie serait assez fou pour s'évader, alors qu'il lui reste moins de trois ans avant d'obtenir une libération conditionnelle automatique ?

Le 14 septembre, vers 20 h, les gardiens organisent un décompte surprise des prisonniers. Charlebois est présent. Les gardiens ne notent rien de spécial. Après le décompte, le motard met son plan à exécution. Il jette plusieurs effets personnels dans un sac et sort de sa cellule d'un pas pressé. Dans un établissement comme la Montée Saint-François, il n'a qu'à pousser la porte et à s'enfuir pendant que les gardiens sont occupés ailleurs. Un complice l'attend à proximité et ils partent en vitesse.

À 23 h, les gardiens commencent leur décompte du coucher et s'aperçoivent que Charlebois a disparu. Sa cellule est presque vide. Après quelques vérifications dans les aires communes de l'établissement, l'alerte est donnée. « Balloune » s'est évadé. La Sûreté du Québec est avisée et déclenche une chasse à l'homme.

Charlebois peut compter sur l'aide de Joe (NDLR : nom fictif, l'identité de ce complice étant protégée par une ordonnance légale), un de ses amis d'enfance qui lui trouve une cache dans la région de Sorel.

Joe loue à son nom un coquet chalet sur pilotis, sur l'îlette au Pé, à Sainte-Anne-de-Sorel. Il s'agit de l'ancien chalet de l'écrivaine québécoise Geneviève Guèvremont, décédée en 1968 et auteure du roman à succès *Le Survenant*. Le livre raconte l'histoire d'un étranger, grand voyageur ayant connu mille aventures, qui débarque chez de rustres paysans de la région de Sorel, où il a créé une commotion.

Le chalet, avec son foyer, sa cuisinette, sa salle à manger, son salon et ses trois chambres, est maintenant loué par le nouveau propriétaire à des vacanciers. Et en ce mois de septembre 2013, c'est un nouveau survenant, ayant connu lui aussi sa part d'aventures, qui s'y installe discrètement pour échapper à la traque de la police.

Joe fournit des provisions et un revolver à Charlebois. Muni d'une caméra vidéo, il l'aide aussi à mettre un de ses plans à exécution : réaliser une vidéo dans laquelle il « dévoilera tout » sur la corruption des policiers, de la justice et du gouvernement en plus de se réhabiliter aux yeux des motards et promouvoir le noble combat que les Hells mènent pour leur liberté. Ce testament vidéo devra être diffusé sur YouTube après sa mort, qu'il sent proche, afin que la population sache enfin ce qui se trame dans son dos, explique « Balloune ». Ce sera son legs à la postérité, une des œuvres les plus importantes de sa vie, croit-il.

Le motard se prend réellement au sérieux. Il prépare son discours en alignant ses idées par écrit. Puis, il s'installe dans le grand fauteuil en cuir noir du salon pour son adresse à la nation d'un ton grandiloquent. Il est particulièrement en verve.

— Citoyens et citoyennes du Québec ! Si vous regardez cette vidéo, c'est que je suis mort, annonce-t-il solennellement.

Le Hells Angels se lance ensuite dans une charge en règle contre les autorités, qui dure près de deux heures. Il se berce de l'avant à l'arrière sur son fauteuil et tente au passage de réhabiliter son ancien patron, « Mom » Boucher, persécuté à tort selon lui. Les procureurs de la Couronne qui analyseront son envolée plus tard lui trouveront d'impressionnantes qualités créatives. En résumé, il explique pourquoi les vrais héros sont les Hells Angels et autres trafiquants de drogue, qui sont victimes d'un régime corrompu et malfaisant qui règne sur le Québec et qui est prêt à toutes les bassesses pour écraser les résistants.

Charlebois expose la corruption de Benoit Roberge et leur relation tendue. Il tente d'exonérer les autres Hells du Québec en précisant qu'il est le seul à avoir payé Roberge, contredisant ainsi ses propres propos enregistrés lors des conversations avec le policier au téléphone. Il explique qu'il achetait les informations pour protéger ses « frères » et leur éviter l'emprisonnement. « Balloune » s'étend d'ailleurs sur les affres de la vie en prison, qui semble avoir été très difficile pour lui. Il jure qu'il n'y retournera jamais.

Il s'attaque aussi à l'opération « SharQc », une vaste conspiration de la police et de la Couronne, à ses dires. « Roberge me l'a dit, il n'y a rien de vrai dans "SharQc" !» lance-t-il. Lors des conversations enregistrées, l'enquêteur lui disait pourtant exactement le contraire. Mais « Balloune » est en mission et il doit faire réaliser au peuple la malhonnêteté de ses tyrans.

« À quel genre de police on a affaire ? À quel genre de gouvernement on a affaire ? » s'enflamme le motard devenu tribun.

Lorsque Joe éteint la caméra, il reste complètement béat d'admiration. Cette vidéo est une vraie bombe, pense-t-il. Son ami d'enfance est vraiment impliqué dans « les grosses affaires ». Et lui, en diffusant ses propos sur Internet après sa mort, sera l'artisan de l'éclatement de la vérité au grand jour.

Il se sent soudain investi d'un destin qui le dépasse.

SOUS FILATURE

Pendant ce temps, la SQ met tout en œuvre pour retrouver Charlebois.

Des enquêteurs passent au peigne fin les noms des personnes qui étaient sur sa liste de visiteurs et d'appels autorisés en prison, ainsi que tous les appels qu'il a faits à partir de la ligne du pénitencier. S'il y a quelqu'un qui l'aide dans sa cavale, il doit être parmi ces quelque 100 noms, soupçonnent les enquêteurs.

Un numéro attire leur attention : Charlebois l'a signalé 11 fois au cours de son dernier mois en détention. C'est beaucoup. Un sergent-enquêteur de la SQ appelle au numéro et demande à la voix au bout du fil de s'identifier.

— C'est Benoit Roberge, répond la voix. L'enquêteur est surpris.

La SQ rencontre Roberge et celui-ci explique qu'il avait parlé à Charlebois dans le cadre de son travail d'expert en motards. En apparence, tout s'explique.

Les policiers explorent d'autres pistes, dont un certain Joe qui était sur la liste des appels autorisés de Charlebois en prison. Une équipe de filature est assignée à son cas. La SQ veut voir s'il pourrait les mener vers le fugitif.

Le 20 septembre 2013, peu après 16 h, les policiers observent discrètement Joe quitter sa résidence à bord de sa vieille Chrysler LHS 1999 beige. Un autre homme l'accompagne dans la voiture. Ils se rendent dans une quincaillerie Rona pour acheter du bois de chauffage, puis s'arrêtent dans un supermarché pour acheter plusieurs effets personnels, dont des articles de toilette, du pain, du beurre d'arachides et du papier hygiénique.

Les policiers qui suivent les deux hommes notent tout. Voilà qui pourrait correspondre aux achats destinés à un homme caché dans un lieu discret et qui ne peut sortir.

Les deux hommes se rendent ensuite chez le passager du véhicule, ils transfèrent les sacs d'épicerie dans sa voiture, une petite Toyota Echo verte, puis montent dans celle-ci et se rendent dans un restaurant Saint-Hubert où ils achètent un combo familial pour emporter. Avec leurs boîtes jaunes, ils repartent vers l'île aux Fantômes. La voiture descend vers un quai. Lorsqu'elle remonte, Joe n'est plus à bord, l'autre occupant est maintenant seul.

À ce stade, avançant dans leur enquête, les policiers ont obtenu une liste de cartes SIM (la carte qui fait fonctionner un téléphone cellulaire et l'associe à un numéro) qui seraient susceptibles d'être en possession de Charlebois. Avec l'aide du fournisseur de service, ils trouvent la position de l'une d'elles, qui a été activée dans les dernières heures. La position approximative est justement le secteur de l'île aux Fantômes. Au cours des jours qui suivent, les experts en télécommunications déterminent à 14 mètres près la position du cellulaire qu'on croit être celui de Charlebois : il se trouve en fait sur l'îlette au Pé, la toute petite butte de terre accessible par une passerelle à partir de l'île aux Fantômes.

La piste se précise de plus en plus. L'assaut du chalet est lancé dans la nuit du 26 septembre. Comme il l'avait prévu, Charlebois ne se laisse pas prendre vivant et se tire une balle dans la tête.

Le 4 octobre, les enquêteurs de la SQ confrontent Joe, qui leur déballe son sac. Il parle de la trahison de Roberge, du testament de « Balloune » qui dénonce « le système corrompu » et de l'existence des enregistrements téléphoniques réalisés à la demande du motard. Il leur raconte comment Charlebois disait acheter de l'information de Roberge depuis deux ans. Il révèle aussi que c'est lui qui a enregistré en catimini Roberge, grâce à une conférence téléphonique à trois. Neuf conversations ont été enregistrées.

À mesure qu'il étale ses révélations, Joe voit les policiers de plus en plus consternés.

Il leur explique que Charlebois comptait initialement reprendre le contrôle d'un gros territoire de vente de stupéfiants à Montréal en sortant de prison et qu'il comptait utiliser Roberge pour l'aider dans sa reconquête. Il considérait les enregistrements comme une police d'assurance : si Roberge n'avait pas voulu coopérer, il aurait pu le menacer avec ceux-ci.

Joe raconte aussi comment, en avril 2013, Roberge a transmis à Charlebois des informations sur « les Italiens », c'est-à-dire la mafia, dans le jargon du milieu. René Charlebois aurait composé une lettre à partir des informations transmises par Roberge et aurait envoyé Joe la remettre à un bonze de la mafia, par l'entremise d'un chef de gang de rue qu'il connaissait et qui servait d'homme de main au crime organisé italien. Charlebois aurait même envoyé une autre lettre à une figure du monde interlope, en lui indiquant qu'il avait accès à une source, qui pouvait vendre de l'information policière, mais que ce genre de service pouvait coûter 20 000 $. « Mon gars ne travaille pas pour rien », disait la missive, selon les souvenirs de Joe.

L'ami d'enfance de Charlebois prétend qu'il a enregistré à peine 10 % des conversations entre le motard et le policier. On ne l'entend pas sur les enregistrements, mais Roberge aurait été prêt à vendre non seulement le délateur Sylvain Boulanger, mais aussi Stéphane « Godasse » Gagné, celui qui avait fait tomber « Mom » Boucher en témoignant avec aplomb en cour. Il aurait réclamé un million de dollars en retour. Joe prétend par ailleurs avoir entendu dire que Roberge avait deux autres complices corrompus qui se partageaient l'argent avec lui. Il dit ignorer leurs noms.

Il ajoute qu'une semaine avant son évasion, Charlebois avait parlé des enregistrements à Roberge, qui paniquait. Le policier aurait parlé de la crainte de perdre sa femme et sa retraite. Il se serait dit prêt à divulguer gratuitement où se cachait Sylvain Boulanger en échange des enregistrements. Mais aucune entente n'aurait finalement été faite et « Balloune » s'est plutôt évadé, alors que Roberge avait révélé, ou menacé de révéler, son statut d'informateur.

Joe semble toutefois légèrement porté à l'exagération. Il commence ainsi par affirmer que Roberge a reçu 500 000 $ pour ses services, mais il se ravise peu après et dit ignorer combien le policier a reçu sur le total de 360 000 $ dépensés par « Balloune ». Il prétend aussi que Roberge a donné 200 noms d'informateurs à Charlebois, un nombre qui semble peu réaliste en regard de la teneur de certaines de leurs conversations, des montants échangés et de ce à quoi Roberge avait accès au cours de ces années. Aussi, si les Hells avaient vraiment obtenu 200 noms d'informateurs de police, il y a fort à parier qu'une vague de disparitions et d'assassinats aurait suivi, ce qui n'a pas été le cas.

Mais, dans l'ensemble, Joe fait de vraies révélations explosives. Les policiers écoutent les enregistrements qu'il a réalisés et arrivent à confirmer qu'il s'agit bien des voix de Roberge et de Charlebois. Ils visionnent aussi le testament de « Balloune ».

Ils constatent qu'ils ont tout un problème sur les bras. Et que le temps presse. Il faut attraper la taupe.

LE PIÈGE

Dès le lendemain des révélations de Joe, un plan d'urgence est mis en place par la SQ pour l'arrestation de Roberge. Nous sommes le samedi 5 octobre, et tous les enquêteurs concernés sont entrés au travail pour la journée. Ils échafaudent rapidement un scénario.

En début d'après-midi, un agent d'infiltration appelle Roberge, qui est à son chalet, en Estrie. Il se fait passer pour un criminel ayant mis la main sur les enregistrements de ses conversations téléphoniques à la suite de la mort de Charlebois. En guise de preuve, il appuie sur le bouton d'une enregistreuse et fait jouer un extrait de ses échanges.

Au bout du fil, Roberge est paniqué. Il doit absolument récupérer ces enregistrements.

— C'est 50 000 $, lui répond son interlocuteur.

Roberge explique qu'il n'a pas un tel montant sous la main. Il propose de fournir dès lors un acompte de 10 000 $, de récupérer les enregistrements et d'acquitter la balance le prochain jour ouvrable. Marché conclu.

L'échange doit se faire le jour même dans le stationnement du quartier commercial Dix30, à Brossard. Il se fera par la bonne vieille technique du *dead drop* : un véhicule sera stationné à un endroit prédéterminé, près du magasin Bureau en gros. Les portes ne seront pas fermées à clé. Roberge pourra y déposer l'argent et récupérer les enregistrements, sans voir le visage de son vis-à-vis.

Une heure après avoir raccroché, une équipe de surveillance voit Benoit Roberge quitter son chalet et monter dans son véhicule utilitaire sport BMW X3 blanc. Il fonce à toute vitesse sur l'autoroute, vers sa résidence d'un petit coin tranquille de Longueuil. Il entre dans sa maison et ressort quelques minutes plus tard en tenant un sac de sport dans sa main.

Il se met en direction du quartier Dix30. Sur la route, il téléphone à un individu du monde interlope qu'il connaît. C'est le bras droit de Michel « l'Animal » Lajoie-Smith, le colosse des Hells avec qui Roberge avait bu la fameuse bouteille de vin à 300 $ à l'époque. « L'Animal » est un Hells en qui Roberge a confiance. Il demande donc à son bras droit de l'accompagner au rendez-vous, au cas où quelqu'un tenterait de lui tendre un piège. Après tout, il a beau ne pas vouloir se retrouver seul dans une position délicate, il ne peut quand même pas demander l'aide d'un de ses amis policiers…

Roberge arrive au centre commercial. L'immense stationnement extérieur, une mer de véhicules anonymes sous le soleil, offre le parfait contexte d'anonymat souhaité. Il se demande s'il pourrait identifier la personne qui lui a demandé 50 000 $. Le grand, là-bas ? Ou le petit, de ce côté ? Personne ne semble se soucier de lui.

Le policier rejoint le bras droit de « l'Animal » et le remercie d'être venu. Puis, il se dirige seul vers le véhicule prévu pour l'échange dans le stationnement, son sac de sport en main. Son cœur bat la chamade. Il ouvre la porte, dépose le sac sur le siège et aperçoit une petite enregistreuse numérique. Il se sent déjà plus léger. Il respire et s'empare de l'enregistreuse. Puis il ferme la porte et rejoint son accompagnateur.

Un instant plus tard, un grand cri le fait sursauter et des policiers sortent de partout, leurs armes pointées sur lui.

— Bouge pas ! lui crient-ils.

Son monde s'écroule. Il en est immédiatement conscient. Il est déjà en mode de contrôle des dommages, malgré la douleur qui le tenaille et la peur du tort qu'il va faire à ses proches. Il énumère les noms de plusieurs de ses plus proches amis policiers, bien distinctement.

— Ils n'ont rien à voir avec ça, je suis tout seul là-dedans, dit-il.

Dans le véhicule servant de lieu d'échange, les agents qui traquaient Roberge trouvent le sac de sport. Il contient 10 000 $ en liasses reliées par des élastiques. Dans sa BMW, ils trouveront 11 000 $ supplémentaires, toujours en liasses.

Roberge est effondré. Détruit. Il est conduit dans une salle d'interrogatoire du quartier général de la SQ, rue Parthenais, où il a déjà paradé la tête haute, fier comme un paon, quand il était au sommet de sa gloire. Une de ses premières pensées est pour sa conjointe, qui est en voyage à l'extérieur du pays à ce moment. Elle ignore tout de son double jeu, de ses manigances. Elle ne pourrait jamais soupçonner qu'il a vendu des informations sur son enquête à elle, alors qu'elle se démenait pour monter un dossier impeccable.

— J'ai perdu ma femme. Elle ne sera jamais juge. C'est comme si je venais de jeter ma femme du 10e étage, laisse-t-il tomber devant les enquêteurs qui doivent recueillir ses propos.

Roberge est envoyé en détention à la prison de Rivière-des-Prairies, l'endroit où il a lui-même envoyé tant de criminels. Étant donné son statut particulier, il ne peut évidemment pas être placé avec la population générale. Certains criminels ne feraient qu'une bouchée d'un policier qui leur serait envoyé comme nouveau codétenu. Les policiers sont peu populaires en prison, même les policiers traîtres qui ont aidé le crime organisé.

Roberge racontera plus tard à un de ses amis que pour sa première nuit dans un secteur particulier de la prison, son voisin était nul autre que Luka Rocco Magnotta, accusé d'un des meurtres les plus sordides de l'histoire du Canada, un crime impliquant de la nécrophilie, du cannibalisme et une série d'horreurs absolument insoutenables.

Comme on ne lui trouve pas de place sûre, il passe son premier mois en détention à l'infirmerie de la prison. Il doit porter une jaquette d'hôpital, comme le veut la procédure. Lorsque les autorités carcérales lui trouvent finalement une place dans un secteur spécial de protection, il vit dans l'isolement extrême. Il ne peut aller dans la cour si d'autres personnes sont présentes. Il doit être escorté en permanence. « Il est en prison à l'intérieur de la prison », résume son avocat.

Ses anciens collègues pensent initialement qu'il pourrait être accusé de tentative de meurtre, puisque des informateurs pourraient s'être retrouvés en danger de mort à cause de lui. La preuve ne permet toutefois pas à la poursuite d'aller jusque-là. Ses liens avec le Hells Angels Michel Lajoie-Smith sont aussi explorés, car les enquêteurs y décèlent une proximité troublante mais, encore là, la preuve est ténue. Roberge est finalement accusé d'entrave à la justice et de gangstérisme pour sa collaboration aux activités d'une organisation criminelle. Il fait pitié à voir lors de sa comparution initiale devant un juge. Ce n'est plus le même homme.

L'enquête permet de retracer 125 000 $ qu'il a reçus pour sa trahison. La police en récupère la majeure partie, 115 000 $, dans une cachette qu'il avait aménagée.

La découverte de la trahison de Roberge provoque une véritable panique dans les rangs de la police tant au SPVM, dont il est issu, qu'à la SQ qui chapeaute le dossier «SharQc» et l'Escouade régionale mixte où il a œuvré. Surtout que Joe, l'homme qui cachait Charlebois, a prétendu qu'il y avait d'autres policiers corrompus.

Dans les bureaux de la SQ, rue Parthenais, on part carrément à la chasse aux micros cachés, au cas où... Le chef de la Direction du renseignement criminel, Denis Morin, un ami de Roberge, se porte volontaire pour passer le test du polygraphe, le détecteur de mensonges. Il réussit le test, mais d'autres policiers doivent se soumettre au même jeu, ce qui alourdit d'autant plus l'atmosphère déjà chargée.

Le chef de police de Montréal, Marc Parent, se présente devant les médias en parlant d'un cas isolé qui «ébranle toute l'administration de la justice. On se sent trahis. Comment vivre avec ça, quand tu réalises que tu n'as jamais vu aucun signe, et que rien ne t'a jamais indiqué que cette personne-là aurait pu basculer du côté sombre?» résume-t-il. Il ajoute que certains de ses enquêteurs n'arrivent plus à dormir depuis l'arrestation de leur ancien collègue.

Les enquêtes internes et les tests du polygraphe ne permettent pas de découvrir aucun complice de Roberge, qui jure d'ailleurs avoir agi seul. Mais ce genre de procédure met inévitablement à jour d'autres petites déviations, des manquements plus anodins, qui peuvent porter à conséquence. Un lieutenant de la SQ est ainsi suspendu de ses fonctions en raison de questionnements surgis pendant les vérifications subséquentes, pour une affaire qui ne mènera toutefois à aucune accusation criminelle.

Dans la population aussi, l'image de la police est ébranlée. C'est encore pire lorsque la populaire animatrice de radio et chroniqueuse judiciaire de Radio-Canada, Isabelle Richer, obtient des extraits terrifiants de conversations entre Charlebois et Roberge et révèle à quel point les vies de certaines personnes s'étaient retrouvées dans la balance.

« SEUL CONTRE L'ÉTAT TOUT-PUISSANT »

Enfermé dans sa cellule, ignorant toujours quand se déroulera son procès, Benoit Roberge s'applique à rédiger une lettre de sa meilleure écriture. Il écrit à son ami Benoit Perron, un universitaire qu'il a connu lorsqu'ils étaient gardiens de sécurité à La Ronde pendant leurs études. C'est un de ses meilleurs amis qui ne soit pas policier, et l'un des seuls qui a gardé contact avec lui après son arrestation.

— Je me sens seul contre l'État tout-puissant, lui écrit-il.

Après une quinzaine d'années de vie de couple, Roberge et sa conjointe se sont mariés l'année précédant son arrestation. Mais, selon ce qu'il raconte à son ami, ces 12 derniers mois ont été un « enfer ».

Coincé entre quatre murs, il a maintenant tout le temps de réfléchir à ce qui l'a mené là, à ce qui a fait de lui, qui se voyait comme un justicier héroïque, un vulgaire flic corrompu.

Il sait qu'il est le seul à blâmer et qu'il a causé beaucoup de tort à beaucoup de monde par sa trahison. Mais il aimerait tout de même livrer une bonne bataille juridique. En fixant le plafond, il pense à tout ce qu'il voudrait dénoncer. Tous ces policiers qui ne valaient pas mieux que lui, pense-t-il, et qui le pointent du doigt aujourd'hui. Toutes ces absurdités dans la lutte au crime. Tous ces bâtons dans les roues qu'on lui mettait sans cesse à l'époque où les bombes sautaient aux quatre coins de la ville. Oui, il aimerait vraiment livrer un témoignage bien senti au tribunal et se défendre vigoureusement.

Mais il y a sa famille, ses amis, sa conjointe. Un procès qui traînerait en longueur serait une expérience extrêmement pénible pour eux. Il y a les frais d'avocat qui le saignent à blanc. Il y a l'humiliation, aussi, pour lui-même, de voir le moins beau côté de sa personnalité déballé publiquement. Il y a cette preuve écrasante, surtout... les enregistrements, le fait qu'il soit tombé dans le panneau lorsqu'on lui a proposé de les récupérer. L'argent comptant qu'il gardait chez lui.

Du côté de la poursuite, ce sont trois procureurs de la Couronne venus de Québec qui pilotent le dossier. Le Directeur des poursuites criminelles et pénales a fait ce choix car les procureurs de Montréal sont nombreux à avoir travaillé directement avec Roberge ou sa conjointe.

Roberge demande à son avocat, Me Richard Perras, de prendre contact avec eux. Pas pour préparer la bataille. Pour préparer sa reddition.

Le 13 mars 2014, Benoit Roberge se présente au tribunal pour plaider coupable. Le juge Robert Marchi lui fait la lecture des chefs d'accusation, puis lui demande son plaidoyer.

—Coupable monsieur le juge, laisse échapper Roberge d'une voix éteinte, à plusieurs reprises.

—Ce matin, est-ce que vous plaidez coupable volontairement ?

—Oui.

—Personne ne vous a promis quoi que ce soit pour plaider coupable ?

—Non, dit-il sur le même ton que chacune de ses autres paroles.

Le magistrat vérifie s'il comprend bien qu'il renonce ainsi à la tenue d'un procès, qu'il aura une sentence et que même si son avocat et la poursuite s'entendent pour suggérer une peine, la cour ne sera pas obligée de suivre leurs suggestions.

—Vous comprenez que c'est moi qui ai le dernier mot en matière de peine ?

—Je l'espère, laisse tomber l'accusé.

Le procureur de la Couronne, Me Maxime Chevalier, résume alors l'affaire Roberge depuis le début. Il explique que dix enregistrements de conversations ont été réalisés à la demande de Charlebois.

—L'enquête a permis d'apprendre que Roberge avait été mis au courant par Charlebois de l'existence des enregistrements et qu'il désirait à tout prix les récupérer, dit-il.

Le juge intervient alors.

—Juste avant d'aller plus loin, Me Chevalier : M. Roberge, est-ce que les faits relatés sont exacts ?

—Non, répond fermement l'accusé. Il y a une chose. Il parle de dix conversations, alors qu'il y en a neuf.

Du Roberge tout craché. Il corrige le procureur sur un petit détail qui ne changera rien au résultat, mais qui montre que, lui, il suit son dossier de près.

— Bah, il y a dix sessions, mais il y en a une où ça raccroche. On appelle ça les dix conversations, mais il y en a neuf avec de la substance, concède le procureur.

Mᵉ Chevalier poursuit en relatant le contenu des conversations incriminantes.

— Ce qui est particulier : le ton est relativement cordial. Mais plus on avance dans les neuf sessions enregistrées avec contenu, on a l'impression à la fin que Charlebois contrôle M. Roberge comme une source, explique-t-il.

Le procureur souligne que Roberge a trahi ses deux serments de policier en devenant une taupe des motards.

— L'une des armes les plus précieuses dont la société dispose pour se protéger contre le crime organisé, c'est l'information. L'accusé est un spécialiste de la collecte et de l'analyse d'information et il a retourné cette arme-là contre la société qu'il se devait de protéger, martèle-t-il.

Il poursuit :

— L'organisation à laquelle Roberge vendait des informations est puissante et dangereuse. Charlebois, après tout, avait été condamné pour le meurtre d'une personne qui collaborait avec la police. Et il est clair, dans l'esprit du procureur, qu'il était toujours impliqué dans le commerce de stupéfiants, à partir de sa cellule, à l'époque où Roberge lui fournissait des informations. Quant aux pertes en fonds publics engendrées par le sabotage d'enquêtes majeures, elles sont difficiles à chiffrer, mais doivent certainement dépasser le million de dollars, affirme le procureur. Les organisations policières ont dû prendre des mesures laborieuses de *contrôle de dommage* à cause de l'accusé. Certaines personnes qui ont collaboré avec les policiers sont maintenant exposées à des risques pour leur sécurité. Quelques-unes ont dû être rencontrées à ce sujet après l'affaire Roberge. Il y a également des gens qui auraient voulu collaborer avec la police mais qui ne le feront pas, car elles n'ont plus confiance dans le système. Enfin, la véritable motivation de l'accusé nous échappe : cupidité, recherche de validation de son ego, impossible de le savoir. Cependant, on sait qu'il a touché une somme d'argent et que ces sommes d'argent ont été négociées.

Pour la défense de son client, Me Richard Perras se lève ensuite et mentionne quelques facteurs atténuants, qui pourraient lui valoir une sentence légèrement moins sévère. Il souligne que Roberge a remis l'argent qu'il avait empoché en conduisant lui-même la SQ jusqu'à sa cachette. Il a aussi participé aux réunions de *contrôle de dommage.*

L'avocat insiste aussi sur la version des faits de Roberge quant à ce qui a déclenché sa trahison :

— Le tout commence par une menace à l'encontre, pas tellement de M. Roberge lui-même, mais de sa famille immédiate. Et M. Roberge doit prendre une décision à l'intérieur d'une conversation, et il donne une information à ce moment-là. Par la suite, il aurait pu et dû aviser ses supérieurs et monsieur ne l'a pas fait, et ç'a été le début du processus.

C'est maintenant au tour de Benoit Roberge lui-même. Il peut dire quelques mots avant que le juge quitte la salle pour réfléchir à une sentence. C'est l'occasion pour Roberge de s'exprimer avant de partir à l'ombre pour longtemps. Avec toutes les personnes qui attendent ses explications, il se doit de la saisir. Il se lève. Il a du mal à parler.

— Monsieur le juge, je tiens juste à vous dire que... ma vie a été détruite. Le combat se termine aujourd'hui, pour le bien de ma famille, qui souffre énor... énormément. Et je tiens à faire mes excuses sincères à la société, que j'ai tant servie pendant plus de 28 ans au risque et péril de ma vie et de celle de ma famille, continue-t-il en ravalant un sanglot.

C'est un homme complètement brisé qui s'exprime. Il est en pleurs, renifle, sanglote.

— Je prends l'entière responsabilité de mes actes, qui ont été perpétrés sous l'influence de menaces et de chantage par René Charlebois... Excusez-moi.

Un message aux policiers et policières :

— Si vous sombrez seuls dans la tourmente et la contrainte, demandez de l'aide et faites confiance à de meilleures solutions. (Il laisse échapper un gros soupir.) Ne faites plus d'actions à risque pour la cause que vous pensez noble et justifiable. Elles peuvent vous amener à votre perte et à celle de votre famille… Excusez-moi.

Puis, il ajoute :

— Le témoin principal dans cette cause a avoué s'être contredit. Les fausses allégations m'ont causé à moi, à ma conjointe et à mes confrères policiers des dommages irréparables. Je ne qualifierai rien de tout ça, Monsieur le juge. Monsieur le juge, je conclus en réitérant mes regrets à toutes les personnes qui ont été victimes de mes actes.

La séance est immédiatement levée et les gardiens reconduisent Roberge en détention. Il y restera deux semaines, jusqu'à ce qu'on l'amène de nouveau au palais de justice de Montréal où, honteusement, il attend sa sentence le 4 avril 2014. La peine maximale prévue par le Code criminel pour les crimes dont il est accusé est de dix ans. La poursuite et la défense se sont entendues pour suggérer une peine légèrement inférieure, soit huit ans. Mais le juge n'est pas obligé de les suivre.

Le juge Robert Marchi commence par revenir sur les conversations enregistrées. Tout au long de son discours, Roberge fixera le sol.

— Le contenu de ces conversations fait littéralement frémir et est tout simplement inqualifiable. En effet, on peut difficilement imaginer pire comportement de la part d'un agent de la paix en qui l'État a placé toute sa confiance. Particulièrement pour un policier comme l'accusé, qui a fait carrière dans la lutte au crime organisé, notamment les motards criminalisés, et qui savait trop bien ce que pouvait faire Charlebois avec les informations. Tout le monde connaît l'importance de préserver l'identité de ceux qui acceptent de collaborer avec les autorités policières en fournissant de l'information.

Le juge cite ensuite la Cour suprême du Canada à ce sujet, en lisant dans le texte : « Le privilège relatif aux indicateurs de police constitue une protection ancienne et sacrée qui joue un rôle vital en matière d'application de la loi. Cette protection est fondée sur l'obligation qui incombe à tous les citoyens de contribuer à l'application de la loi. Cette obligation comporte un risque de vengeance de la part des criminels. La règle du privilège relatif aux indicateurs de police a donc été adoptée pour protéger les citoyens qui collaborent à l'application des lois et encourager les autres à le faire. Cela est d'autant plus vrai dans les affaires reliées au trafic de drogue.

« Le rôle des indicateurs dans les affaires de trafic de drogue est particulièrement important et dangereux. Ils fournissent souvent le seul moyen pour les policiers d'obtenir des renseignements sur les opérations et le fonctionnement des réseaux de trafiquants. L'enquête repose souvent sur la confiance qui s'établit entre le policier et l'indicateur. Or, cette confiance peut être difficile à obtenir. La sécurité, voire la vie des indicateurs et des agents de police clandestins dépendent de cette confiance.

« Le trafic de stupéfiants est payant. Les châtiments infligés aux indicateurs et agents de police clandestins qui tentent de réunir des preuves sont souvent d'une cruauté répugnante. On ne peut guère s'attendre à ce que les indicateurs prêtent assistance si leur identité n'est pas protégée. La police ne pourrait pas établir de rapport de confiance avec les indicateurs s'ils étaient privés de cette protection. Pour que les enquêtes sur la criminalité liée aux drogues continuent, il faut protéger l'identité des indicateurs autant que possible. »

Cheminant méthodiquement vers la sentence qu'il a déjà en tête, le juge aborde ensuite l'argument de Roberge, selon lequel il avait trahi parce que Charlebois avait menacé sa famille. Son ton est sévère :

— L'accusé a aussi affirmé que c'est sous le coup des menaces de Charlebois envers sa famille qu'il aurait commencé à lui fournir des informations. Il a aussi dit lors d'une conversation téléphonique qu'il a reçu les menaces et accepté.

Le magistrat souligne que cet argument est « étonnant » de la part d'un enquêteur qui a fait face à bien pire dans le passé. Pour lui, les gestes de l'accusé semblent motivés dans une large mesure « par pur goût du lucre ». Il ajoute que la peine dans ce dossier doit être exemplaire pour agir comme facteur de dissuasion pour tous les policiers qui seraient enclins à se lancer dans une telle aventure. Il conclut :

— L'accusé, par ses agissements, a détruit sa vie, mais encore pire, encore plus triste, il a détruit celle de sa famille. Il a trahi sa famille, il a trahi des amitiés, il a trahi la confiance de ses collègues, il a trahi le système judiciaire. Il vivra le reste de ses jours avec la honte qui devrait accompagner un tel gâchis, un gâchis inqualifiable dont il est le seul responsable. À cause du statut qu'il occupait, l'accusé tombe de haut, conclut le juge Marchi.

Celui-ci impose finalement à Roberge une peine de huit ans de prison, dont il retranche le temps passé en détention préventive. Comme les conditions de vie de Roberge étaient particulièrement pénibles à Rivière-des-Prairies, il retranche une journée et demie de la peine pour chaque jour de détention préventive, ce qui fait neuf mois à soustraire au total. La peine qui reste à purger pour Roberge est donc de sept ans et trois mois. Il devra en purger la moitié avant de pouvoir présenter une demande de libération conditionnelle.

Guy Ouellette, l'ancien vis-à-vis de Roberge à la SQ, suit dans le menu détail la saga Roberge. Après le prononcé de la sentence, il se dit que la chute de l'enquêteur-vedette est représentative des principales failles que les criminels peuvent chercher à exploiter chez un représentant de la loi, de la même façon que les policiers exploitent les failles des bandits qu'ils souhaitent recruter. On sent encore l'ancienne rivalité qui l'anime quand il parle.

« Je dis toujours, comme policier, que tu n'as rien à craindre du crime organisé, sauf si tu as des problèmes de femme, de jeu et d'argent. Il y a des gars du crime organisé qui sont payés pour rôder au casino et recruter des gars qui ont des problèmes d'argent. Parfois, ça leur permet de recruter des gros poissons. Or, Roberge menait un gros train de vie et avait besoin de se faire aimer et valoriser. C'était un gars de party, pas capable d'accepter l'autorité. Le crime organisé ne l'a jamais respecté, parce que ce n'était pas un type sérieux. Mais ils savaient qu'ils pourraient l'utiliser un jour et ils ont réussi », croit-il.

Autre chose à dire ?

Peu après le prononcé de sa sentence, en avril 2014, Benoit Roberge est réveillé à 5 h du matin dans sa cellule de la prison de Rivière-des-Prairies. Il doit être transféré dans un pénitencier fédéral, comme le veut la loi, maintenant que son procès est terminé.

«Tu as 30 minutes pour te doucher et ramasser tes affaires», lui lance-t-on. En deux temps trois mouvements, il se retrouve mains et pieds enchaînés, puis placé dans un avion en direction de la Nouvelle-Écosse, son nouveau lieu d'incarcération.

Roberge déprime à l'idée d'être envoyé si loin de sa famille. Mais le Service correctionnel du Canada doit prendre des mesures spéciales pour assurer sa sécurité à l'intérieur des murs. Au Québec, difficile de trouver un établissement où il n'a aucun antagoniste parmi les détenus.

Son accueil au pénitencier de Springhill est pénible. Selon ce qu'il a raconté à un ami, il est placé en confinement total pendant quatre jours, sans oreiller et sans matelas. Même lorsqu'il sort du confinement, il lui faut attendre plusieurs jours avant d'obtenir un matelas. Il a du mal à obtenir du papier et des stylos pour écrire. Il dit avoir dû troquer quatre tranches de pain à un autre détenu pour obtenir le matériel nécessaire à la rédaction d'une lettre.

Il écrit. Beaucoup à son ami Benoit Perron, mais à d'autres personnes aussi.

Depuis son incarcération, des rumeurs se répandent dans les milieux policiers. Il semble que Roberge prétende avoir «du gros stock sale» sur plusieurs policiers, actifs et retraités, incluant des hauts gradés. Il attendrait son heure pour éclabousser un maximum de personnes.

Pendant la campagne électorale au Québec, en 2014, il fait aussi parvenir un message à un ancien politicien sur un candidat aux élections qui «n'aurait pas le nez propre», selon lui.

Ce n'est qu'un exemple de ce qu'il prétend avoir en banque. Mais que sait-il vraiment? Est-il fiable ou sa trahison a-t-elle détruit sa crédibilité pour toujours? Tente-t-il de réparer ses torts ou plutôt de salir d'honnêtes hommes pour ne plus être le seul pourri? C'est ce que tout le monde se demande.

Certains se rappellent la première lettre à son ami Benoit Perron, écrite avant son plaidoyer de culpabilité. Elle avait été lue à Radio-Canada comme un avertissement: «Ils veulent m'emmener en enfer, je ne vais pas y aller tout seul.»

Conclusion

—

ÉRADIQUER LES TAUPES : MISSION IMPOSSIBLE ?

CHAQUE FOIS QU'UNE TAUPE EST DÉMASQUÉE, C'EST LA MÊME stupeur et, surtout, la même humiliation pour le service de renseignement, l'agence gouvernementale ou le corps policier qui découvre avoir été gangrené par un agent double issu de ses propres rangs.

Chacun tente alors de se rappeler quel secret il a pu partager avec ce collègue trop discret ou cet ami trop sympathique pour être un traître. Lui a-t-on livré au fil d'une conversation anodine le nom d'une source ou d'un agent double qui finira peut-être six pieds sous terre ? Tout échange, toute discussion autour d'un verre prend alors un sens inquiétant. C'est d'ailleurs ce qui rend l'analyse des dommages potentiels difficiles *a posteriori*.

L'impact est terrible sur les collègues de la taupe, sur son environnement immédiat et même sur ses proches.

Dans le cas du policier Benoit Roberge, sa conjointe et procureure de la Couronne a vécu une double trahison : non seulement lui avait-il caché complètement sa double vie mais, en plus, il avait « coulé » au crime organisé des informations sur un projet d'enquête majeur auquel elle avait consacré beaucoup de temps et d'énergie. Elle a dû quitter le prestigieux Bureau de lutte au crime organisé et retourner s'occuper de causes mineures, conduites en état d'ébriété ou bagarres entre ivrognes, par exemple.

Les enfants d'Ian Davidson, eux, ont perdu leur père lorsque, démasqué par les médias et ses anciens collègues du SPVM, il a choisi de s'enlever la vie.

Les parents de Marilyn Béliveau ont aussi craint de perdre leur fille lorsque sa vie s'est écroulée et qu'elle a sombré dans la dépression, après son arrestation.

La famille de l'officier naval Jeffrey Delisle a vu son nom associé à une honteuse trahison et ses problèmes domestiques les plus intimes exposés à l'ensemble du pays lors de son procès.

Alors, peut-on vraiment empêcher une taupe de naître et de sévir ? Est-il utopique d'imaginer la mise en place de barrières antitaupes efficaces ?

Pendant la rédaction de cet ouvrage, une source du milieu du renseignement nous a confié avoir constaté avec dépit à quel point des organismes très concentrés sur la menace extérieure négligeaient souvent ce qui se passe dans leur propre cour. « La sécurité interne est le parent pauvre de bien des organisations », déplore cette personne bien branchée.

Mais des efforts sont faits pour corriger la situation. Pour pallier les faiblesses de l'humain, certains sont tentés de s'en remettre à la technologie : détecteurs de mensonges, codes d'accès personnalisés, caméras de surveillance, systèmes d'alarmes détectant les comportements suspects.

Raymond Nart, l'ancien responsable du contre-espionnage français, croit que cette solution cent pour cent technologique est illusoire. Selon lui, le cas d'Aldrich Ames, l'agent de la CIA arrêté en 1994 pour espionnage au profit de la Russie, prouve que la technologie est faillible elle aussi : « Je ne crois pas à ces systèmes de sécurité nord-américains. N'oubliez pas que Ames avait passé avec succès le détecteur de mensonges… », observe-t-il.

Au Service de police de la Ville de Montréal, ébranlé coup sur coup par l'affaire Davidson et l'affaire Roberge, la direction a lancé une offensive sécuritaire sur deux fronts : oui à des changements techno-logiques – comme une restriction des accès aux données les plus sensibles et des verrous dans les systèmes empêchant de les copier sur des supports mobiles comme une clé USB utilisée par Ian Davidson – mais le corps policier a aussi voulu agir sur le facteur humain.

Il faut dire que les partenaires du SPVM partout au Canada avaient suivi les drames qui secouaient le corps policier de la deuxième ville en importance au pays. Les déclarations anonymes de policiers dans les médias et les fuites aux journalistes qui avaient entouré ces affaires avaient mis au jour des détails qui, ailleurs, auraient peut-être été balayés sous le tapis.

« C'est peut-être le propre de notre culture latine : ici, nous n'avons aucune difficulté à nous ouvrir les veines en public et à nous vider de notre sang devant tout le monde. Nous nous sommes engagés auprès du Canada à faire un suivi national sur les meilleures pratiques. Les autres provinces regardent de très près ce qui se passe ici », commente l'assistant-directeur du SPVM, Didier Deramond.

CONTRÔLER LES CONTRÔLEURS DE SOURCES

La police de Montréal a ainsi mis en place au cours de l'année 2014 une toute nouvelle division de la Sécurité et de l'Intégrité. Sa tâche promet d'être titanesque. L'une des premières tâches qu'on lui a confiées consiste à réaliser une cartographie complète des fonctions jugées sensibles ou à risque et d'assigner à chacune une cote de sécurité propre.

Cette cote de sécurité sera prise en compte lors du tri sécuritaire à l'embauche, mais elle devra aussi être renouvelée périodiquement. Les vérifications seront plus poussées pour un enquêteur chargé du contrôle des informateurs confidentiels que pour un patrouilleur de rue. Une hiérarchie sera établie entre les informateurs de bas et de haut niveau. Les plus importants et les plus à risque seront confiés à des policiers dont la cote de sécurité sera la plus élevée.

« Cette division va vraiment regarder les personnes elles-mêmes. Au moment de renouveler la cote, ils vont regarder tout : changement de statut, changement de conjointe, nouvelles problématiques qui ont fait surface – monétaires ou autres –, tout ce qui met un individu à risque. Et cela inclut la détection des comportements inappropriés, par exemple dans le contrôle des sources, l'audit des contrôleurs de sources, la gestion de leur rémunération, tout !», affirme l'assistant-directeur.

Un comité de policiers a aussi été formé pour réfléchir à la façon dont sont encadrés les contrôleurs de sources. Ainsi, ceux-ci avaient déjà l'ordre de ne pas rencontrer seuls leurs informateurs. Ils devaient travailler à deux, chaque policier pouvant du même coup surveiller son partenaire. Mais il est difficile d'empêcher un agent comme Benoit Roberge de discuter seul à seul, en personne ou au téléphone avec les dizaines de sources qu'il entretient dans les milieux criminels. S'ils sont trop rigides, s'ils leur ferment la porte, ils risquent aussi d'échapper des informations cruciales. Des informations qui peuvent parfois sauver des vies.

La ligne est plus facile à tracer dans d'autres domaines. La police de Montréal a, par exemple, passé en revue toute la gestion des accès aux immeubles et la transmission de documents, pour réduire le dommage potentiel que pourrait causer une taupe. La liste des informateurs confidentiels est aussi révisée deux fois par année pour élaguer les noms de sources enregistrées qui ne sont plus actifs, utiles ou fiables.

Après avoir été l'organisation la plus minée par les taupes depuis des lustres au Canada, le SPVM veut donc devenir le champion de la sécurité interne, en bouchant les « trous » dans sa structure, d'un bout à l'autre de l'organisation.

« Je crois que nous sommes les premiers à le faire aussi globalement. La GRC et le SCRS ont des programmes, mais nous, ça va transcender toute l'organisation », affirme Didier Deramond.

Le SCRS, qui cultive logiquement de son côté un culte du secret presque inégalé au Canada, n'est pas du genre à « s'ouvrir les veines en public » et à accorder des entrevues sur les maux de tête qu'ont pu lui causer les taupes canadiennes.

Mais, en février 2014, ses dirigeants ont été convoqués devant un comité sénatorial, à Ottawa, où les sénateurs ont demandé à être rassurés sur ses pratiques dans la foulée du scandale Delisle.

« Avant d'embaucher une personne, nous la soumettons à un processus très rigoureux. Avant qu'elle puisse travailler au sein de notre organisation, elle doit non seulement obtenir une cote de sécurité de niveau très secret, mais également faire l'objet d'une évaluation psychologique, d'un examen polygraphique, et d'autres examens du genre », a expliqué le Québécois Michel Coulombe, directeur général des services secrets canadiens.

« Toutefois, cela ne suffit pas, a-t-il prévenu. Nous devons également disposer de mécanismes et de processus nous permettant de nous assurer de l'efficacité de nos mesures de sécurité. Entre autres, nous avons besoin d'une bonne équipe de direction et de gestionnaires compétents qui s'investissent dans leur travail et sont proches de leurs employés. »

« La technologie, les gens, la formation et les mécanismes de ce genre, voilà ce que nous mettons en place », a-t-il assuré dans le jargon volontairement vague des services de renseignement.

Le directeur Coulombe ajoute que lui-même doit se soumettre périodiquement à des vérifications pour s'assurer qu'il n'est pas susceptible de basculer dans le camp ennemi.

« Les employés du SCRS doivent subir tous les cinq ans le processus leur ayant permis d'obtenir leur cote de sécurité. Cela vise tous les employés, y compris moi. »

APPRENTIE TAUPE DANS UN POT DE MIEL

Évidemment, les histoires relatées dans ce livre sont des cas particulièrement graves et dramatiques. Mais la chasse aux taupes connaît parfois aussi des succès.

En février 2014, un ancien sous-marinier américain a été condamné à 30 ans de prison aux États-Unis pour avoir tenté de vendre des informations secrètes à la Russie sur les submersibles de la US Navy. Robert

Patrick Hoffman II avait attiré l'attention des autorités du contre-espionnage en raison de sa passion très intense pour les femmes. Il s'était amouraché de plusieurs jeunes filles biélorusses lors d'une mission à l'étranger, et il avait ensuite voyagé dans leur pays pour les revoir. Alors qu'il occupait une fonction stratégique reliée aux systèmes de communications et de détection des sous-marins, sa passion dévorante pour les jolies Slaves a commencé à en intriguer certains, surtout qu'il prétendait même avoir rencontré le président biélorusse lors de son voyage.

Le FBI a voulu en avoir le cœur net. En septembre 2012, l'organisme fédéral a envoyé à la porte de son domicile de Virginia Beach une belle agente juchée sur des talons hauts et se faisant passer pour une espionne russe prénommée Olga. L'aguichante émissaire prétendait avoir entendu dire qu'il serait potentiellement intéressé à vendre des secrets à la Russie. Hoffman est tombé tête première dans ce pot de miel plutôt grossier et lui a confirmé que c'était ce qu'il voulait. Réclamant une compensation d'au moins 45 000 $ US par an, Hoffman a fini par déposer à trois reprises dans une boîte aux lettres morte de précieux documents «Top Secret» copiés sur un disque externe. Le FBI, dans ce cas, croit avoir intercepté une taupe en devenir avant qu'elle n'ait le temps de matérialiser son plan. Fait à mentionner : le FBI a utilisé la même tactique pour faire tomber Hoffman dans leur traquenard que celle employée quelques mois plus tôt par la GRC pour coincer Delisle : lui «commander» des documents par courriel, en faisant passer l'agent du FBI pour son supposé contrôleur russe.

Si la présence d'une taupe dans une organisation a souvent des conséquences dramatiques, parfois le travail des agents sur le terrain peut permettre de minimiser les dommages. Au SPVM, plusieurs craignaient que le vol de la liste des informateurs par Ian Davidson effraie les gens qui vendent de l'information à la police. Le pire scénario aurait été que toutes les sources se tarissent. Mais dans les faits, les policiers sont tellement efficaces dans leur recrutement que le nombre d'informateurs a augmenté depuis cette affaire, nous confirme-t-on.

Toutes les organisations le confirment : le risque zéro n'existe pas. Là où il y a de l'homme, il y a de l'hommerie, veut l'adage. Aucun système de sécurité n'est infaillible.

« On met beaucoup de moyens en place, mais dès qu'on place un être humain derrière une machine, il y a un risque. On essaye de diminuer ce risque au maximum », conclut l'assistant-directeur Didier Deramond, du SPVM.

Témoignant en comité sénatorial en avril 2013, l'ex-patron du SCRS Richard Fadden abondait dans le même sens.

« Vous me demandez en dernier lieu si nous pourrons éviter une situation semblable dans l'avenir et je dois vous répondre par la négative. Si vous prenez le cas Delisle, les gens se sont demandés : *Si nous avions eu toute la série de vérifications et si nous nous étions concentrés sur lui, aurions-nous su ?* Il était divorcé, il avait des problèmes d'argent et sa famille était déchirée. C'est malheureusement le sort d'une grande partie de la population canadienne. Je ne crois pas que ces facteurs, à eux seuls, auraient été suffisants pour qu'on agite le drapeau rouge. »

Toujours au sujet de l'arrestation de Jeffrey Delisle, il se gardait bien de pavoiser. « Il s'agit d'un cas que nous avons intercepté. Je m'attends à ce qu'il y en ait d'autres dans l'avenir, ici au Canada et parmi nos alliés », a-t-il déclaré, fataliste.

D'autres taupes qui iront rejoindre derrière les barreaux les Delisle, Roberge, Hoffman II, Hanssen et compagnie…

GLOSSAIRE

ASFC (Agence des services frontaliers du Canada) : L'Agence relève du ministère de la Sécurité publique et gère l'entrée au Canada des personnes et des marchandises qui franchissent les frontières.

BICES (Battlefield Information Collection and Exploitation System) : Système de partage et d'échanges d'information entre les 28 pays membres de l'OTAN et les diverses coalitions engagées dans les zones de conflit.

Boîte aux lettres morte : Cachette située dans un endroit discret utilisée, par exemple, par un espion ou une taupe et son contact local pour échanger des documents et de l'argent sans avoir à se rencontrer en personne.

CIA (Central Intelligence Agency) : L'agence américaine de renseignement extérieur a été créée en 1947 à la suite de la dissolution de son ancêtre l'OSS. Son quartier général est situé à Langley, près de Washington.

Contrôleur : Policier chargé du « contrôle » d'un informateur confidentiel de police (voir « Source enregistrée »). Les contrôleurs travaillent normalement deux par deux. Ils connaissent la vraie identité de la source et la rencontrent en personne pour prendre en note les informations qu'elle détient sur les criminels. Ils s'occupent aussi de payer l'informateur et peuvent lui donner des conseils sur la façon de se comporter pour assurer sa sécurité et obtenir plus d'informations.

CRPQ (Centre de renseignements policiers du Québec) : Banque de renseignements informatisée à caractère criminel accessible à tous les policiers du Québec depuis 1974, à condition que la consultation soit justifiée par le travail en cours du policier.

CSTC (Centre de la sécurité des télécommunications du Canada) : Ce sont les grandes oreilles du Canada, l'équivalent de la controversée NSA américaine. Le mandat principal du très secret CSTC, qui relève du ministère de la Défense, est de pratiquer l'espionnage électromagnétique contre des étrangers (États, organisations, individus), mais la loi lui « interdit de viser des Canadiens ou toute personne se trouvant au Canada ». Le CST est aussi utilisé pour détecter les attaques par cyberespionnage.

DST (Direction de la surveillance du territoire) : Service de police judiciaire français chargé jusqu'en 2008 du contre-espionnage et du contre-terrorisme. Il a été transformé depuis en DCRI puis en DGSI (Direction générale de la sécurité intérieure) et dépend désormais directement du ministre de l'Intérieur.

FBI (Federal Bureau of Investigation): Cet organisme fédéral né en 1935 a un rayon d'action très large, du contre-terrorisme au contre-espionnage en passant par le crime organisé, la corruption, etc. Il compte près de 35 000 employés.

GRC (Gendarmerie royale du Canada): Relève du ministère de la Sécurité publique du Canada et œuvre au niveau municipal et provincial (sauf Québec et Ontario) et au niveau national. Elle est notamment chargée des enquêtes criminelles relatives au terrorisme et à l'espionnage.

GRU (Direction centrale du renseignement de l'armée russe): Le GRU, qui a survécu à l'effondrement de l'URSS et du KGB, a toujours la réputation d'un organisme d'espionnage puissant et très offensif.

Handler ou case officer: Officier traitant ou contrôleur. Il gère un ou des agents / sources sur le terrain.

Humint (Human Intelligence): Renseignement d'origine humaine (ROHUM).

Illégal: Terme attribué aux agents soviétiques puis russes envoyés pour une mission d'espionnage à long terme à l'étranger sous une identité d'emprunt ou fictive, dite «légende».

KGB (Comité pour la sécurité de l'État): Créée en 1954, cette police politique de sinistre réputation qui a marqué les grandes heures de la Guerre froide fut dissoute en 1991 à la suite du coup d'État manqué contre le président russe Mikhaïl Gorbatchev. Le renseignement extérieur et la sécurité intérieure ont été confiés dans la foulée à deux nouveaux organismes: le SVR et le FSB.

Marcheur (*walk-in*, en anglais): Terme imagé utilisé pour désigner ceux qui offrent spontanément leurs services à des services d'espionnage adverses, en frappant par exemple à la porte de l'ambassade locale.

Rezidentura et rezident: Désigne, dans le jargon du renseignement, le «quartier général» officiel ou clandestin du SVR ou du GRU russes dans un pays étranger. Il s'agit d'un lieu ultra-protégé implanté généralement dans une représentation diplomatique. C'est l'équivalent du «poste» français ou de la «station» de la CIA. Le responsable de la rezidentura est le rezident. Il a le statut de diplomate.

SCIF (Sensitive Compartmented Information Facility): Pièce ou groupe de pièces hautement sécurisées réservées aux échanges d'informations classifiées en Amérique du Nord. Les Français utilisent le terme générique de «chambre sourde». On en trouve surtout dans les ambassades et dans les bureaux des services de renseignement. Il en existe aussi des mobiles, utilisées par exemple par le président américain lors de ses déplacements. Elles sont conçues selon des normes très strictes pour bloquer toute tentative extérieure d'interception électronique, mais aussi pour empêcher d'émettre vers l'extérieur.

SCRS (Service canadien du renseignement de sécurité) : Créé en 1984, le SCRS est notamment chargé du contre-espionnage et du contre-terrorisme au Canada. Il compte environ 3 200 employés et son dernier budget connu est de 540 millions de dollars.

Sigint (Signals Intelligence) : Renseignement d'origine électromagnétique (ROEM, en français).

Source enregistrée ou Source codée : Individu qui est formellement inscrit dans les registres de la police comme un informateur rémunéré ou rémunérable capable de fournir des informations crédibles concernant les activités criminelles se déroulant sur le territoire. Pour préserver l'anonymat de ces sources humaines, on leur attribue un code numérique ou alphanumérique qui est utilisé en remplacement de leur vrai nom. La source ne traite pas avec l'ensemble d'un corps de police, mais seulement avec un ou deux contrôleurs chargés de son dossier.

SPARTAN : Base de données du renseignement militaire canadien destinée aux militaires canadiens, alimentée aussi par le SCRS, la GRC, les services frontaliers, le Bureau du Conseil privé, etc.

SPVM (Service de police de la Ville de Montréal) : Plus gros service de police municipal au Québec, et deuxième en importance au Canada. Il dessert l'ensemble de l'île de Montréal, un territoire habité par environ deux millions de citoyens, mais enquête aussi sur des criminels qui habitent à l'extérieur et qui viennent dans la métropole seulement pour brasser des affaires.

SQ (Sûreté du Québec) : Corps de police national du Québec, créé en 1870. La SQ est la seule organisation policière à couvrir l'ensemble du territoire québécois et la seule à détenir le « niveau 6 » de service édicté par le ministère de la Sécurité publique du Québec. Ce niveau de service inclut la lutte aux crimes menaçant la sécurité et l'intégrité de l'État québécois.

STONE GHOST : Système informatique de partage et d'échange de renseignements entre les membres de l'alliance du groupe des « Five Eyes », soit États-Unis, Canada, Grande-Bretagne, Australie et Nouvelle-Zélande.

SVR (Service des renseignements extérieurs de la fédération de Russie) : Le SVR est l'un des deux services nés des ruines du défunt KGB en 1991. Son quartier général baptisé communément « le Centre » est situé à Yasenovo, au sud de Moscou.

SOURCES

Chapitre 1 — Les semences de la trahison

- Entrevues réalisées par les auteurs
- Documents déposés en cour
- « Jeffrey Delisle espionage case », rapport du SCRS, 8 février 2013
- Opening statement of David G. Major, Subcommittee on oversight committee on science, space and technologies, Washington, 16 mai 2013. Disponible dans les archives du site http://science.house.gov/
- *Heart of Darkness*. CBS 60 minutes, 2 mars 2001 http://www.cbsnews. com/news/heart-of-darkness-02-03-2001/
- *Nulle part où se cacher — L'Affaire Snowden par celui qui l'a dévoilée au monde*, par Glenn Greenwald, JC Lattès, mai 2014
- *L'affaire Farewell vue de l'intérieur*, par Raymond Nart et Jackie Debain, Nouveau Monde Éditions, 2013
- *Spymaster*, par Oleg Kalugin, Basic Books, 2009
- *Les espions de Poutine en France*, Le Nouvel Observateur, 24 juillet 2014

Chapitre 2 — Ian Davidson et la liste du sang

- Entrevues réalisées par les auteurs
- Visites sur les lieux des événements
- Rapport du coroner sur la mort de Ian Davidson
- Actes notariés de transactions immobilières de Ian Davidson
- « L'affaire Davidson », par Patrick Lagacé, *La Presse*, 21 janvier 2012
- *Mafia inc : Grandeur et misère du clan sicilien au Québec*, par André Noël et André Cédilot, Éditions de l'Homme, 2010
- Jugement de la Cour du Québec daté du 31 janvier 2014 dans le dossier de Jean-Guy Cadieux

Chapitre 3 — Jeff Delisle, le « marcheur » qui en savait trop

- Entrevues réalisées par les auteurs
- Documents déposés en cour
- « A Review of FBI Security Programs », United States Department of Justice, mars 2002
- Site Internet du FBI
- Revue de la GRC, *Gazette*, volume 17, numéro 1-2013. Un espion parmi nous

— « Rapport de la Commission d'enquête sur les actions des responsables canadiens relativement à Maher Arar », 2006
— « Délibérations du Comité sénatorial permanent de la Sécurité nationale et de la défense », 11 février 2013
— « CSIS knew about navy spy but didn't tell RCMP », par Murray Brewster et Jim Bronskill, *Canadian Press*, 27 mai 2013
— « Accused spy Jeffrey Paul Delisle's personal life 'fell apart' around time of alleged crimes », par Kenneth Jackson, *National Post*, 23 janvier 2012
— « Canada spie case rock ASIO », par Philip Dorlin, *The Age*, 25 juillet 2012
— « Bankruptcy kept Delisle's spy activity a secret from ex-wife », par Kim Mackrael, *The Globe and Mail*, 11 octobre 2012

Chapitre 4 — Marilyn Béliveau, la douanière amoureuse

— Entrevues réalisées par les auteurs
— Jugements de la Cour du Québec datés du 26 septembre 2011, 14 juin 2012 et 21 février 2013 dans le dossier de Marilyn Béliveau
— Documents déposés au procès et témoignages des témoins
— Résumé de la preuve de l'enquête antimafia Colisée déposé en cour par la poursuite
— « Plusieurs mafiosi savaient », par David Santerre, *Journal de Montréal*, 23 novembre 2006
— « Customs inspector associated with variety of known criminals », par Paul Cherry, *The Gazette*, 9 janvier 2012

Chapitre 5 — Donald Heathfield, le fantôme de Moscou

— Entrevues réalisées par les auteurs
— Documents déposés en Cour par le FBI
— *Spymaster*, par Oleg Kalugin, Basic Books, 2009
— *Comrade J, The untold secrets of Russia's master spy in America after the end of the Cold War*, apr Pete Earley, Putnam, 2007
— « Call by Russian spy Anna Chapman to dad in Moscow led U.S. to hasten arrests », *The Washington Post*, 12 juillet 2010
— « How the FBI Busted Anna Chapman and the Russian Spy Ring », ABC news, 1er novembre 2011
— « Russian Spy Ring Aimed to Make Children Agents », par Devlin Barrett, site Internet *The Wall Street Journal*, 31 juillet 2012
— Ruski reporter, entrevue avec Donald Heathfield, Version française publiée dans *Russie d'aujourd'hui*

Chapitre 6 — Benoit Roberge, la chute d'une idole

— Entrevues réalisées par les auteurs
— Rapport du coroner sur la mort de René Charlebois
— Mandats de perquisition de la Sûreté du Québec pour son enquête sur Benoit Roberge
— Visite sur les lieux des événements
— Documents déposés en cour pendant le procès, témoignages et plaidoiries des avocats, retranscription des audiences
— « Traverser la ligne », reportage de l'émission *Enquête* de Radio-Canada, diffusé le 23 janvier 2014
— « Le double jeu de Benoit Roberge », par Caroline Touzin et Daniel Renaud, *La Presse+*, 22 janvier 2014
— *L'énigmatique Dany Kane*, par Daniel Sanger, Éditions de l'Homme, 2005
— *Mafia inc : Grandeur et misère du clan sicilien au Québec*, par André Noël et André Cédilot, Éditions de l'Homme, 2010

REMERCIEMENTS

Cet ouvrage, fruit de plusieurs mois de recherches et d'enquête, doit aussi beaucoup à nos sources et contacts – dont plusieurs doivent rester anonymes – envers qui nous sommes très reconnaissants pour la confiance et le temps qu'ils nous ont accordés ainsi que leur disponibilité sans faille.

Nos remerciements vont, bien sûr, à tous nos interlocuteurs de Montréal, Boston, Washington, Paris et Moscou cités au fil des pages de cet ouvrage et issus de tous les horizons.

Par ailleurs, nous avons aussi eu la chance de compter sur l'aide de collègues journalistes, qui avaient déjà fait certaines découvertes ou qui ont tiré quelques ficelles pour nous aider à raconter ces histoires. Remerciements spéciaux à Isabelle Richer, qui détenait une mine d'informations sur l'affaire Roberge, à Daniel Renaud qui nous a fait profiter de sa longue expérience des affaires policières, ainsi qu'à Caroline Touzin, Patrick Lagacé et André Cédilot.

Bien sûr, cet ouvrage n'aurait pas vu le jour sans le travail et le talent de tous les intervenants des Éditions La Presse, au premier chef de sa présidente Caroline Jamet, très enthousiaste dès les premières discussions sur ce projet, et de Martine Pelletier, directrice de l'édition lors de son lancement proprement dit.

Taupes s'est ensuite concrétisé grâce à Yves Bellefleur, notre éditeur, qui nous a accompagnés dans cette aventure jour après jour et dont les conseils avisés nous ont été précieux. Merci aussi au graphiste Simon L'Archevêque, à qui l'ont doit notamment la couverture de ce livre et le visuel intérieur.

DES MÊMES AUTEURS

Fabrice de Pierrebourg

Montréalistan. Enquête sur la mouvance islamiste, Stanké, 2007

Ces espions venus d'ailleurs. Enquête sur les activités d'espionnage au Canada (avec Michel Juneau-Katsuya) Stanké 2009 et 10/10 (2010)

Martyrs d'une guerre perdue d'avance. Le Canada en Afghanistan, Stanké, 2010

Vincent Larouche

Moi, Ziad, soldat des gangs de rue, Les Intouchables, 2010